D0875705

BALTASAR GRACIAN
SU VIDA Y SU OBRA

BIBLIOTECA ROMANICA HISPANICA

DIRIGIDA POR DAMASO ALONSO

II. ESTUDIOS Y ENSAYOS

E. CORREA CALDERON

BALTASAR GRACIAN

SU VIDA Y SU OBRA

BIBLIOTECA ROMANICA HISPANICA
EDITORIAL GREDOS
MADRID

N.º Rgtr.º 5189-61

Depósito Legal: M. 10362-1961

Gráficas Cóndor, S. A. — Aviador Lindbergh, 5. — Madrid-2   1235-61

NOTA PRELIMINAR

En 1944 publicamos al frente de las Obras Completas de Baltasar Gracián una extensa "Introducción". Ese trabajo de entonces, revisado a fondo, ampliado en sus temas fundamentales, duplicado cuando menos por lo que se refiere a su extensión, constituye la presente obra.

Hemos tenido en cuenta las observaciones estimables que por aquellas fechas nos hizo la crítica y puesto al día muchas de sus cuestiones a la vista de las nuevas aportaciones de la erudición que consideramos de interés, y asimismo de algunos juicios de valor e interpretaciones originales que se han publicado en estos últimos años en torno a la obra del gran pensador.

Nos ha parecido necesario añadir una bibliografía lo más completa posible de las ediciones y traducciones del autor y de las investigaciones y estudios a él dedicados, así como de varios temas afines, que pueda servir de orientación a quienes deseen conocer con pormenor determinados sectores de su vida y su obra.

SU VIDA

Para dar un trasunto de la vida de Baltasar Gracián habría de escribirse una biografía tenue, en tonos grises, apagados. Es la suya la vida sosegada, casi oscura, de un jesuíta del siglo XVII, consagrado a los afanes y deberes de su ministerio, que en las horas de vagar busca con afán el diálogo con amigos cordiales y sabios, que se complace en el trato con gentes distinguidas, corteses, y que luego, en sus soledades, va trasladando morosamente al blanco papel su entusiasmo por los hombres de excepción, por los frutos del ingenio; que medita sobre la conducta a seguir en el humano trato; que según va colmándose de experiencia, comenzará a sentir la inanidad y la imperfección de las cosas de este mundo.

Apenas pueden anotarse hechos relevantes en esta biografía. Son muy contados. Tan sólo una breve salida al campo de batalla, donde su actuación le colma de honra. Si acaso, sus éxitos populares como predicador sagrado, uno de los cuales es causa de sus últimas amarguras. Aunque su existencia se desliza en tono menor entre los colegios de la Compañía, allá por tierras de Cataluña, de Valencia y sobre todo de Aragón, su tierra nativa —que sólo interrumpe en dos ocasiones para visitar la Corte, en la que se siente extraño—, no le faltan inquietudes y angustias provocadas por la rigidez de sus superiores y la malquerencia de sus émulos literarios.

Más intensa es, con todo, su vida espiritual, moral y meditativa, plena de ansias intelectuales, de escrúpulos éticos, de trascendente ideación, de imaginación creadora, de ágiles movimientos, de lúcida donosura, que han de reflejarse en las páginas de sus libros, transidos de pensamiento, patéticos y apasionados, en los que por veces relampaguea la amarga y buída ironía de su sátira contra los hombres, que se revuelcan en el lodo de la vida.

Es la suya, la vida de Gracián, una vida frustrada para la acción, pero, por fortuna, lograda para la inteligencia.

NACIMIENTO, JUVENTUD Y ESTUDIOS

Nace Baltasar Gracián en Belmonte, a dos leguas de Calatayud, en Aragón, como indica la inscripción de su retrato, que perteneció al Colegio de Jesuítas de Calatayud, y se confirma por el libro de bautizados de la Parroquia de San Miguel, de Belmonte, en el que consta que su nacimiento tuvo lugar el 8 de enero de 1601, hijo del Licenciado Francisco Gracián y Angela Morales.

En el acta de bautismo, así como en las de varios hermanos del escritor que en dicho libro figuran, el apellido *Gracián* aparece defectuosamente transcrito con la variante *Galacián,* forma frecuentemente confundida en Aragón [1], lo que ha dado lugar a alguna interpretación apresurada, a la que haremos referencia más adelante.

El ambiente familiar en que nace Baltasar Gracián debía ser profundamente religioso, como lo prueba el hecho de que él y sus cuatro hermanos conocidos, Magdalena, Pedro, Felipe y Raimundo —ya que de otro, Francisco, no se tiene más noticia que la partida de bautismo en el año 1602—, profesan todos en órdenes monásticas, del mismo modo que un primo suyo, Raimundo, que es dominico.

Coster [2] suponía sin fundamento que su padre, el licenciado Francisco Gracián, pudiese haber sido un letrado, acaso administrador de los bienes de alguna gran familia, como la de Luna, que poseía un palacio en Belmonte. Hoy, este aspecto de la biografía de Gracián, aparece suficientemente aclarado con los datos genealógicos

---

[1] Vid. Narciso de Liñán y Heredia, *Baltasar Gracián,* Madrid, 1902, página 97; y Adolphe Coster, *Baltasar Gracián,* en *RHi,* 1913, XXIX, páginas 351 y ss.

[2] *Op. cit.,* pág. 353.

que el P. Batllori [3] halló en el *Libro de las pruebas de limpieça de linage de los que pretenden ser de la Compañía,* procedente del archivo de la Compañía de Jesús de la antigua provincia de Aragón, que hoy para en el Archivo del Reino de Valencia. En él consta que el licenciado Francisco Gracián era "dotor médico, natural de Sariñena", y sus padres, Juan Gracián e Isabel Garcés, también de Sariñena; que la madre de Baltasar Gracián, Angela Morales, era natural de Calatayud, y sus abuelos maternos, Juan Morales, "de los de Soria", y Catharina Torrellas, vecinos de Calatayud. Así, pues, su linaje bilbilitano procede, más que de su padre, de la línea materna.

Contra la afirmación de Latassa [4] de que Gracián procedía "de una Casa y Familia Infanzona", supuesta hidalguía de la que no existe constancia documental, por más que firmase algunas de sus obras —a excepción de *El Comulgatorio,* que aparece firmado con su nombre real— con el seudónimo de *Lorenzo Gracián* o de *Lorenzo Gracián Infanzón,* ha de pensarse que sus ascendientes eran "todos gente limpia y honrada, christianos viejos", como dice el documento anterior, y se comprueba en la generosidad con que esta familia entrega todos sus hijos a la Iglesia.

Contados son los años que Baltasar pasa en contacto con los suyos y con su tierra natal —apenas los días de su niñez y adolescencia, con breves estancias de estudiante o profesor, que dejarán en su alma una huella de fuego, y que recordará siempre, en toda ocasión, con entrañable nostalgia—, porque muy joven marcha a Toledo, a vivir con su tío carnal, Antonio Gracián, que hoy sabemos era sacerdote, "capellán en la iglesia de Toledo, en la capilla de San Pedro de los Reyes", como se testifica en el documento antes citado, familiar que se encarga de su educación.

Toledo, que aún conservaba restos de su antigua magnificencia, aunque en abandono, debió causar profunda impresión en el adoles-

---

[3] P. MIGUEL BATLLORI, S. I., *Gracián y el barroco,* Roma, Edizioni di Storia e Letteratura, 1958, pág. 12, libro fundamental sobre Gracián, en el cual el P. Batllori ha reunido sus trabajos anteriores sobre el tema, dispersos en revistas.

[4] FÉLIX LATASSA, *Biblioteca de autores aragoneses,* t. III, pág. 267.

cente, que años más tarde, cuando ya su espíritu ha cernido tantas varias impresiones y la experiencia del mundo le ha inclinado a la melancolía, recordará como dechado de grandeza y hermosura en diversos pasajes de *El Criticón,* en los que seguirá teniendo presentes el deleite de sus paisajes, su cortesanía ciudadana, y, sobre todo, su silueta de pirámide mística, tal como la pintó el Greco, tal como la canta Góngora en *Las firmezas de Isabela.*

Nada sabemos de su estancia en la Imperial Ciudad ni de cómo se desenvuelve su formación intelectual. Tan sólo en una ocasión —él, tan amigo de evocar recuerdos personales— alude a un sermón que en la Catedral toledana oyó al Padre Pedro Sanz, "gran religioso de la Compañía de Jesús, aquel apostólico orador, que tan bien supo juntar lo ingenioso con lo desengañado, el aliño en el decir con la eficacia en el convencer" [5].

Pudieran ser significativas estas palabras, este elogio a un jesuíta, en el que alaba sus dotes de ingenio y persuasión, porque quizá muy poco tiempo después de haber escuchado su sermón toma el joven Gracián la decisión de ingresar en la Compañía, lo que lleva a cabo en 1619, a los dieciocho años, en Tarragona, donde se hallaba el noviciado de la provincia de Aragón.

Si su profunda formación moral durante la infancia, en su propio hogar, entre sus padres, entre sus hermanos, que habrían de seguir su mismo camino de cristiana renunciación; si la severa educación al lado de su tío en Toledo; si el temperamento místico y desengañado que en Baltasar Gracián apuntaba y que había de culminar en una obra de madurez, *El Comulgatorio,* tan ardiente y patética, no bastasen a explicar su ingreso en la Compañía, podría añadirse todavía el atractivo irresistible que sobre el joven Gracián tenía que ejercer necesariamente aquella Orden militante, aquella Compañía de religiosa milicia que con tanta gallardía se había lanzado al combate contra los herejes, que apenas fundada se había extendido prodigiosamente, y aun también aquella complacencia que sus componentes sentían por el cultivo de las letras humanas, haciéndolas compatibles con las letras divinas, tan interesante para quien, junto a una honda

---

[5]   *Agudeza,* II.

vocación religiosa, sentía palpitar ya dentro de sí una balbuceante vocación literaria.

Y todavía la leyenda áurea, real y ejemplar por inmediata a su época, de aquellas grandes y heroicas figuras de la Compañía: de su propio fundador, Iñigo de Loyola, el gallardo alférez herido en la fortaleza de Pamplona, que renuncia a la vanagloria del mundo al sentirse iluminado por un amor infinito, y que, luego, en batalla incruenta, vence todos los obstáculos que se oponen a su victoria con humildad y tesón, guiado por un designio providencial; de aquel magnífico Francisco Javier, que llega hasta los más remotos confines del Asia, en abnegada labor proselitista; de aquel duque de Gandía, que renuncia a las pompas de la Corte para convertirse en el humilde Francisco de Borja. Tales figuras excepcionales tenían que influir poderosamente, hasta el arrebato, en el ánimo de los jóvenes españoles que a comienzos del siglo XVII sentían dentro de sí el torcedor de la vocación religiosa.

Ser joven entonces debía ser hermoso, porque dos tentadores caminos se ofrecían a la difícil elección: el de la honra, el de las empresas militares, ya fuese contra los franceses o en Italia y Flandes, o atravesando el tumultuoso piélago, allá en las Indias ilimitadas, y otro, el de la renunciación a lo humano, que tanta hermosura íntima encerraba, por lo mismo que al elegirlo, se repudiaba tácitamente la copia de encantos que la vida ofrecía. O monje o soldado, era el dilema que atormentaba al joven español del siglo XVI y comienzos del XVII. El entusiasmo le hubiera llevado por cualquiera de los dos caminos, indistintamente, porque en él anhelaba la vocación dúplice de mílite de Dios y del César, que no concebía como sendas encontradas, sino paralelas.

La Compañía venía a conciliar armoniosamente ambas tendencias del alma nacional. Sus componentes habrían de sujetarse a los cuatro votos, con mayor rigor si cabe que cualquier otra orden religiosa, y al mismo tiempo, como los hombres de armas, habrían de investirse del convencimiento de que eran caballeros cruzados contra herejes, y exploradores y colonizadores de la fe.

Era bastante para que Gracián —en quien se manifestaba con ímpetu esa duplicidad hispánica— se decidiese a seguir el camino intermedio, más difícil y abrupto, por ser el menos trillado.

Poco sabíamos de sus primeros estudios, época de su vida que ahora nos aclara el P. Batllori[6]. Hace su noviciado en el Colegio de Tarragona, del cual es rector y maestro el P. Crispín López, durante los años 1619-1621. Del aprecio que su superior hacía de sus aptitudes literarias es buena prueba el que le encomendase la redacción de la necrología del P. Bartolomé Vallsebre, fallecido en 1620, en la que tenemos el primer autógrafo literario de Gracián, con levísimas adiciones del P. López, que aparece firmando este escrito de carácter oficial. Se supone que en el Colegio de Tarragona, acaso el 21 de mayo de 1621, hizo sus primeros votos.

En 1621 pasa al Colegio de Calatayud, lo que significa plena confianza en su vocación religiosa, por el hecho de enviarle a su propia ciudad nativa, eximiéndole, además, de los estudios de latinidad, en la que sin duda poseía una formación fundamental, acaso llevada a cabo en sus años de Toledo. Terminados sus cursos de artes en Calatayud, en 1623 es trasladado al Colegio de Zaragoza a iniciar sus estudios de Teología y en el cual residirá cuatro años. Pasa este Colegio por una vida azarosa en este tiempo, por falta de entereza en el mando de algunos superiores. Varios estudiantes se insubordinan, y entre ellos Miguel de Funes, de Calatayud como Gracián. Pero Gracián se halla al margen de estas vicisitudes, y, al contrario, es escogido por sus superiores para obras y cargos de confianza. En 1624, el Provincial de Aragón P. Pedro Continente —que había sido su profesor en el Colegio de Calatayud—, le encomienda la redacción de la necrología del P. García de Alabiano, en la que tenemos el segundo autógrafo de Gracián, que examinaremos más adelante. "Dos años más tarde —dice el P. Batllori[7]— el Vicerrector Blas de Vaylo lo tomaba por secretario en los asuntos más graves del colegio".

De esta época poseemos un breve retrato moral de Gracián. El juicio que en 1625 merece al P. Juan de Villanueva, Rector del Colegio de Zaragoza, cuando Gracián tenía veinticuatro años, es por demás interesante y agudo, porque ya aparecen en él los rasgos característicos del futuro escritor: "*Ingenium bonum et judicium...*

[6]   Vid. P. BATLLORI, *op. cit.*
[7]   *Op. cit.*, pág. 32.

bonus in litteris profectus" [8]. Es decir, especial aprovechamiento en las letras, con buen ingenio y juicio. Pone el reparo de su *"experientia et aetate exigua"*, de su falta de experiencia y de su corta edad. Hay en él grandes posibilidades y cabe esperar que sea útil al ministerio que se consagra: *"Speratur et fore aptus ad ministeria"*.

En cuanto a su temperamento, observa que es *cholericus, sanguineus,* carácter que ha de predominar sobre él toda la vida, aunque en los Catálogos trienales sucesivos hasta su muerte se le califique de *biliosus, melancolicus* (1628); *biliosus, sanguineus* (1633, 1636, 1639); de nuevo, *biliosus, melancolicus* (1645); *cholericus, biliosus* (1651); *naturalis complexio colerica, melancolica* (1655) y de *complexio colerica,* en 1658, el último de su existencia. Posee, pues, un temperamento fuerte, sanguíneo, con una cierta pasión melancólica, si bien contenido y refrenado por la discreción, que él tanto ama, y por la severa disciplina de sí mismo.

Ordénase de presbítero, acaso en Zaragoza, durante el curso de 1627, y el mismo año aparece de nuevo en el Colegio de Calatayud, como catedrático de Gramática latina, según nos confirma un documento [9] en el que aparece su firma con las de nueve Padres y el Rector P. Pedro Continente, que había sido profesor suyo en Calatayud y años después Provincial de Aragón, tío o pariente del P. Pedro Jerónimo Continente, autor de *Predicación fructuosa,* que, andando el tiempo, publicará Gracián.

He aquí que al cabo de los años vuelve a ponerse en contacto con su pequeña patria, por la que tanto amor nos mostrará en sus obras, él, tan abstracto y universalista. Repetidas veces, a lo largo de su vida, aludirá a ella nominalmente, con el topónimo castellano o con el antiguo nombre de Bilbilis, que para él habría de tener tantas gratas resonancias por ser patria de Marcial, el poeta hispanolatino al que consideraba como modelo de ingenio y agudeza. Recuerda la hermosura de su paisaje: "nuestra Bilbilis, que todos los poetas la celebran de amena y deliciosa con mucha razón, centro sin duda de Flora y Amaltea" [10]. Alaba su antigüedad: "nuestra eterna

[8] Vid. C. EGUÍA RUIZ, *La formación escolar de Baltasar Gracián,* en *BRAE,* 1931, XVII, págs. 61 y ss.
[9] LIÑÁN, *op. cit.,* pág. 172.
[10] *Agudeza,* XXII.

Bilbilis, pues este su nombre no latino está diciendo que fué mucho antes que los romanos, y hoy dura y durará siempre" [11]. Hasta las gentes de su tierra nativa son excepcionales, y así nos dirá hiperbólicamente que uno de los raros prodigios que Salastano muestra en su Museo es "uno de Calatayud en el limbo" [12]. Tampoco existen necios allí: "—Señor mío, por eso dicen que sabe más el mayor necio de Calatayud que el más cuerdo de mi patria. ¿No digo bien? —No, por cierto, le respondió. —Pues, ¿por qué no? —Porque no hay ningún necio en Calatayud ni cuerdo en vuestra ciudad" [13]. Está empapado de esencias localistas, que se manifiestan en toda coyuntura, y este telúrico poder de la tierra sedienta y fuerte en que ha nacido, le devuelve, como a Anteo, la fuerza y la vida, perdidas en su trato con las vagas humanidades y las blandas ideaciones. No es preciso que se ponga en contacto físico con Calatayud —y por extensión, con Aragón y su entereza, con la noble tierra del Ebro, de la que apenas se desvía temporalmente— sino que le basta la reminiscencia para que se opere el benéfico influjo.

¿Cuántos años reside como profesor en Calatayud? Coster [14] suponía sin fundamento que escasamente dos, ya que debía ser profesor del Colegio de Huesca antes del año 1631, fecha en que muere Bartolomé Leonardo de Argensola, del que fué amigo, y cuyo Museo, que quizá se encontrase en Barbastro, donde vivía el poeta, nos dice frecuentó, cosa que no era posible de no residir Gracián por aquellos años en Huesca.

Las investigaciones del P. Batllori en este punto [15] rectifican totalmente tales suposiciones y nos muestran que Gracián pasa del Colegio de Calatayud a hacer su tercera probación en el Colegio de Valencia el 30 de marzo de 1630 y en él reside hasta marzo de 1631, breve estancia en la que debió iniciarse su escasa simpatía por las gentes valencianas, que tanto han de contar en los años posteriores de su vida.

---

11   *Criticón*, II, 6.
12   *Ibid.*, II, 2.
13   *Ibid.*, III, 6.
14   *Op. cit.*, págs. 366 y ss.
15   *Op. cit.*, págs. 35 y ss.

En 1631 es nombrado profesor de teología moral en Lérida, lo que significaba una especial distinción, como lo era también el que se le nombrase consultor del Colegio, para asesorar al Rector en los asuntos internos e informar a Roma de la marcha de la Casa. Enseña dos años en Lérida, ciudad en la que acaso practicó también la predicación, y en 1633 es trasladado a Gandía.

El Colegio de Gandía, patria de San Francisco de Borja y de Ausías March, pasaba por ser "uno de los poquísimos que los Jesuítas tenían en España con el título y honores de universidad" [16]. A la honra que se le hace al enviarle a un centro de enseñanza tan importante dentro de la Compañía, se añade el que se le encomienden además los estudios de filosofía, disciplina que aún no había profesado, pero en la que debía considerársele muy versado, "pues estudió allá fuera la philosophia" (como dice el P. General Muzio Vitelleschi al Provincial de Aragón, P. Continente, en carta de 8 de abril de 1634), lo que hace suponer lo hiciese en sus años juveniles de Toledo o en los en que estudia en Calatayud con el P. Jaime Albert, temperamento afín al suyo, por lo que se refiere al gusto barroco (titulará uno de sus sermones *Circuncisión de comedias...*), y que ahora es precisamente Rector de Gandía.

También en el orden espiritual se le otorga un cargo de confianza al continuar como consultor de la casa, lo que le permite relacionarse con el Padre General.

Pero, situado el Colegio de Gandía en la región valenciana, es natural que en él predominasen los Padres de esta nación, y así sólo eran aragoneses Gracián y el ministro P. Juan Bautista Gonzalo; catalanes, el Rector P. Albert y el P. Codina, y el resto, hasta cinco, valencianos. Aunque los altos dirigentes de la Compañía propugnaban la mezcla de Padres procedentes de distintas regiones, esto da lugar a desavenencias y disputas, motivadas en "la diversidad de los reynos". Gracián, aunque poco amigo de los valencianos, debió intervenir, más que para encenderlos, para aplacar los ánimos, como lo indica una carta que le dirige el P. General en 25 de marzo de 1634:

Dos de V. R., de 13 de diciembre y 13 de henero, é recibido, y siento que la unión y caridad de unos con otros no esté como conviene,

---

[16] *Ibid.*, pág. 48.

con ocasión de la diversidad de los reynos; pequeña es ésta para causar unos efectos tan trabajosos entre religiosos, en espeçial en los de la Compañía, donde por la divina misericordia tanto se á practicado lo contrario. A V. R. ruego aiude de su parte a arrancar esta ziçaña, y el medio sea no hablar con nadie destas materias, sino disimular con paçiençia lo que se le offreçiere de disgusto [17].

Que Gracián debió ser imparcial y sereno informador de tales desavenencias, en las que no tomaba parte, a pesar de ser originadas por la pasión de los valencianos contra los de las demás regiones, lo muestra a las claras esta carta que le dirige el Padre General, invitándole a calmar los ánimos, a practicar el arte de prudencia, así como también por la que él mismo envía al Provincial de Aragón, P. Continente:

Poca caridad me diçen ay entre los nuestros en este collegio por este viçio de las naciones: una gran cosa haría V. R. si desterrase esta peste [18].

Pasaba Gracián, en esta época, por un momento decisivo en su vida religiosa, desapasionado de lo humano, de las intrigas y las vanas palabras. Se aproximaba la fecha de su solemne profesión de los cuatro votos, que le ligaba para siempre a la Compañía, y que lleva a cabo el 25 de julio de 1635 en la Universidad de Gandía.

Simultánea a esta definitiva renuncia del mundo y su vanagloria, acaso se revelase en él su segunda vocación, la de escritor, tan fuerte y dominante, que ya correrá paralelamente a la de su sacerdocio durante toda su vida. Es expresiva la noticia que nos ofrece el Padre Batllori [19] de que la Universidad de Gandía comprase, precisamente en este año de 1635, "*praeclara recentiorum volumina*", por valor de cuarenta ducados. Este posible primer contacto con libros de autores modernos —en cuya elección influiría el gusto barroco del Padre Albert—, debió reanimar el genio creador de Gracián, que inicia su obra al año siguiente, al ser trasladado a Huesca.

---

[17] Vid. P. BATLLORI, *op. cit.,* pág. 181.
[18] *Ibid.,* pág. 50.
[19] *Ibid.,* pág. 53 y s.

GRACIAN Y LASTANOSA

En 1636, Gracián es destinado al Colegio de Huesca, en el cual reside, al menos, hasta 1639.

Muy pronto debió conocer allí a un joven prócer que entonces contaba veintitrés años, don Vincencio Juan de Lastanosa y Baraiz de Vera [1], que vivía en el magnífico palacio construído por sus antepasados. Huérfano desde muy joven, debía ser un hombre prematuramente serio y reflexivo, que se casa aún no cumplidos los diecinueve años con doña Catalina Gastón y Guzmán, de catorce. Tienen catorce hijos. A consecuencia del sobreparto del último, don Vincencio Antonio —que será biógrafo de su padre—, muere doña Catalina en 1644, a los treinta y dos años, Lastanosa sobrevive a su esposa muchos más, cuarenta, pues fallece en 1684, a los setenta y siete de su edad.

La vida de Lastanosa es la de un gran señor del Renacimiento. Heredero de cuantiosa fortuna, Señor de Figaruelas, cuenta entre sus

---

[1] Vid. RICARDO DEL ARCO Y GARAY, *Don Vincencio Juan de Lastanosa. Apuntes bio-bibliográficos*, Huesca, 1911; *Más datos sobre D. V. J. de L.*, Huesca, 1912; *Dos grandes coleccionistas aragoneses de antaño. Lastanosa y Carderera*, Madrid, 1910; *Más noticias acerca de la famosa biblioteca de don V. J. de L.*, en *Linajes de Aragón*, 1916, VII, págs. 8-20; *Los amigos de Lastanosa. Cartas interesantes de varios eruditos del siglo XVII*, en *Rev. Hist. de Valladolid*, 1918; *Antiguas casas solariegas de la ciudad de Huesca*, en *Rev. de Hist. y de Geneal. Esp.*, 1918, VII, págs. 49 y ss. y 97 y ss.; *Gracián y su colaborador y Mecenas*, Zaragoza, 1926, trabajos refundidos en su mayor parte en *La erudición aragonesa en el siglo XVII en torno a Lastanosa*, Madrid, Cuerpo Facultativo de Archiveros, Bibliotecarios y Arqueólogos, 1934, en 4.°, 373 págs., y, finalmente, *La erudición española en el siglo XVII y el cronista de Aragón Andrés de Uztarroz*, Madrid, Instituto Jerónimo Zurita, 1950; 2 vols., en donde se hallan reiteradas alusiones a Gracián.

ascendientes desde comienzo del siglo XIII, a nobles caballeros, clérigos famosos por sus virtudes (algunos como don Pedro de Lastanosa , muerto "con fragancia de santidad"), valientes guerreros que
intervienen en la conquista de Mallorca, de Valencia y luego de Flandes, o como generales de las galeras de Felipe III, cortesanos del
Rey de Aragón, embajadores en la corte de París o en la Sublime
Puerta, y muchos de ellos apasionados por las humanidades, la poesía, las curiosas antigüedades, el gusto de vivir en relación con su
rango. En don Vincencio Juan se ofrecen multiplicadas las cualidades
de sus progenitores. Con ser una herencia cuantiosa, en lo material y
espiritual, él la aumenta prodigiosamente, haciendo honor al mote de
su escudo de armas:

> La más segura nobleza
> es la que al fin no acabó,
> antes en él comenzó.

Que en él, hijo de sí mismo, comienza en gran parte el auge y
grandeza de su casa lo muestra a las claras el inventario que se lleva
a cabo a la muerte de su abuelo, don Juan de Lastanosa [2] en 1596,
momento que debió representar el máximo declive de la familia. En
él se hace referencia a unos cuantos cuadros; hay en su biblioteca 220
volúmenes en total; las rentas son escasas. Es el haber de un hidalgo
de buena posición, dedicado a labores de campo, con doce cubas y seis
toneles en la bodega, una alquitara, un torno de hilar seda, un caballo
en la cuadra, unas espadas y una adarga viejas, dos celadas, unas
corazas. Algunos utensilios —"una mesica para comer en la cama",
"tres arquillas para calentar los pies, una copa de fuego", "un calen-
tador de cama"—, algunas alfombras y reposteros, dieciocho colcho-
nes y buenas mantas, así como algunas valiosas joyas y ropas de ves-
tir y "un arca de nogal con muchas piezas de plata", son datos que
indican el señorío con que vivía su poseedor. Los jardines de la casa
debían existir ya —aunque posteriormente fuesen mejorados en gran
medida—, por cuanto al menos tres jardineros franceses llevaban
en 1639 sesenta años a su cuidado· Pero que estos bienes se acrecien-
tan inconmensurablemente en vida de su nieto, don Vincencio Juan,

---

2 Vid. ARCO, *La erudición aragonesa...*, págs. 175 y ss.

lo muestra el índice de su librería, que redacta en 1635, apenas cuarenta años después de la muerte de su abuelo, o la descripción que él mismo hace en *Las tres cosas más singulares que tiene la Casa de los Lastanosa en este año en 1639* [3]; la *Descripción de las antigüedades y jardines de don Vincencio Juan de Lastanosa, hijo y ciudadano de Huesca, ciudad en el Reyno de Aragón,* publicada por *El Solitario,* seudónimo de don Francisco Andrés de Uztarroz (Zaragoza, Dormer, 1647), escrita en verso [4]; la detallada descripción en prosa de su casa que hace el mismo autor [5] a mediados del siglo XVII; la *Narración de lo que le pasó a Don Vincencio Lastanosa a 15 de octubre del año 1662 con un religioso docto y grave* [6], escrita por él mismo, y finalmente, el escrito de su hijo don Vincencio Antonio, titulado *Habitación de las Musas, recreo de los doctos, asilo de los virtuosos* [7]. En todas estas relaciones se cuenta y no se acaba de las grandezas y curiosidades que encerraba el palacio que en el Coso, de Huesca —la misma calle donde se hallaba el Colegio de la Compañía y también la imprenta de Juan Nogués—, poseía el gran señor, con modestia o legítimo orgullo, y con objetividad siempre, cuando son él o sus hijos quienes escriben, pero con entusiasmo y asombro por todos los demás que lo conocen.

Es extraordinaria la vida de este hombre. En apariencia, don Vincencio Juan vive en su gustoso retiro, consagrado a los suyos y al cultivo de su espíritu, a gozar complacidamente de sus gustos artísticos y literarios, pero su vida no tiene nada de pacífica egolatría, sino de intensa actividad de todo orden. "El amor a las letras, afición a las artes y universal gusto de las mecánicas y de la curiosidad —dirá su hijo, enorgullecido—, no le han embarazado para los más difíciles empleos en servicio de su Rey y de su Patria, pues de que el enemigo introdujo las armas en España hasta que se concluyó la paz, siempre se ha ofrecido pronto a todos los empleos". Ya en 1627 asiste a las Cortes de Barbastro, llamado a ellas por real carta de Felipe IV. En 1637 o 1638 viaja por Francia, en compañía del Duque Gastón

[3] Vid. Coster, *Une description inédite de la demeure de D. J. V. de L.,* en *RHi.,* 1912, XXVII, págs. 566-610.

[4] Reproducida en *RABM,* 1876, VI, págs. 123 y s.

[5] Vid. Arco, *op. cit.,* págs. 221-251.

[6] *Ibíd.,* págs. 251-275.

[7] Publ. en *RABM,* 1877, VII, págs. 29 y ss.

de Orleans, su gran amigo. En 1639 es nombrado Capitán de infan-
tería, con patente de S. M., y como tal acude en auxilio de Salsas,
ciudad ocupada por los franceses, que se retiran de ella en 1640. En
este mismo año es elegido consejero del Concejo de Huesca. En 1641,
a los treinta y cinco años, al frente de gentes armadas, acude en auxilio de la plaza de Monzón, antigua residencia de sus antepasados,
amenazada por los franceses, y en cuya acción de guerra defiende
con éxito el paso del Cinca. Vuelve a su tarea de Consejero de la
ciudad y como Regidor del Hospital actúa abnegadamente cuando
en 1652 se produce en Huesca una terrible epidemia. En años sucesivos, ocupa los cargos de Lugarteniente de Justicia y Consejero del
Concejo. El y su casa son el centro de la ciudad, y así, al nacimiento
del Príncipe Próspero, en 1657, organiza Lastanosa las fiestas públicas y adorna la fachada y el interior de su palacio con deslumbrante
suntuosidad.

Pero esto no es todo. Si su vida se limitase a estos rasgos, Lastanosa no pasaría de ser un honrado ciudadano fiel a sus deberes
militares o cívicos. Lo que más importa en su biografía es su actividad intelectual. Como mecenas —"aragonés mecenas de todos los
varones estudiosos, dando vida a sus obras modernas y resucitando
las antiguas, merecedor insigne de una agradable y agradecida inmortalidad", dirá Gracián en *Agudeza y arte de ingenio,* Disc. 57—
protege y ayuda a pintores, tales el famoso Jusepe Martínez, autor
de los *Discursos practicables del nobilísimo arte de la pintura,* o Juan
Jerónimo Jalón; al escultor napolitano Micaelo Angelin o al físico
Nadal Baronio, a los que hospeda en su casa durante muchos años;
a grabadores, como Lorenzo, Jerónimo y Teresa Agüesca o Francisco de Artiga; a impresores, como Nogués o Larumbe, y, sobre
todo, a escritores y humanistas —Gracián o Uztarroz—, a quienes
costeaba generosamente la edición de sus libros. El mismo es un
humanista de alto vuelo, a pesar de que "el haber heredado temprano las obligaciones de su casa le arrancaron de las escuelas y tirani-
zaron la profesión de las ciencias", según nos dice su hijo, en la
Habitación de las Musas... Teniendo acaso como preceptor al Doctor Francisco Antonio Fúser, Canónigo y Vicario general de la Seo
de Barbastro, "mi amantísimo maestro y amigo" —declara en una

ocasión—, que era asimismo hombre de letras, y que como tal había formado parte de una academia literaria fundada en Huesca en 1595, en compañía de don Juan Agustín de Lastanosa, del que había sido ayo, como luego fué profesor de su hijo, Lastanosa llegó a poseer con soltura el conocimiento de las lenguas sabias (el latín, griego y hebreo, y posiblemente el árabe) e igualmente le eran familiares el francés e italiano; cultiva la poesía, las matemáticas y la química; traduce del francés los *Elementos químicos,* de Beguin; pinta "perspectivas" y "ruinas" y otras pinturas al temple, que llegó a ver Carderera en el siglo xix; dibuja planos del palacio de los Reyes en Huesca o del castillo de Loarre para su amigo el conde de Guimerá, arqueólogo de Zaragoza; se consagra a formar el catálogo de documentos del Archivo del Reino de Aragón, y sobre todo lleva a cabo una labor personal de apasionado arqueólogo, como perfecto conocedor de la numismática, y escribe en diversas etapas de su vida, dos libros que manifiestan su excepcional conocimiento de la materia: *Museo de las medallas desconocidas españolas* (Huesca, 1645) y *Tratado de la moneda jaquesa* (Zaragoza, 1681) [8], así como otras obras del mismo género, *La Dactiloteca,* hoy perdida, en la que estudiaba multitud de anillos romanos tallados en piedras preciosas, de los que poseía valiosísima colección, y aun otras de carácter histórico y genealógico, como su *Monumento de claros e ilustres varones del Reino de Aragón,* también perdida, o *Linajes de Aragón, Cataluña, Navarra, Castilla y León,* conservada en la Biblioteca Nacional (Sec. Mss., 3.444).

Ninguna actividad le es ajena. Todo le apasiona con el mismo afán, sea grande o pequeña la labor a realizar, con tal que resulte perfecta. Y así, tan pronto dirige las obras del magnífico panteón —mármoles, alabastro, jaspe, bronce, azulejos, hierro forjado, pinturas, estofados en oro, vidrios de color—, que mandó edificar en la

---

[8] Las fichas bibliográficas de estas obras, son: MUSEO DE LAS MEDALLAS DESCONOCIDAS ESPAÑOLAS, ...ILUSTRADO *Con tres Discursos, del Padre Paulo de Rajas, de la Compañía de Iesus, del Doctor Don Francisco Ximenez de Vrrea, Capellán de su Magestad, y Chronista del Reino de Aragón, i del Doctor Iuan Francisco Andrés de Vztarroz.* CON LICENCIA, *Impresso en* HVESCA, POR IVAN NOGVES. *Año* M. DC. XLV. (En 4.º, 14 hs., 221 págs., 10 hs.) y TRATADO DE LA MONEDA IAQUESA, I DE OTRAS DE ORO, I PLATA DEL REYNO DE ARAGON. *En Zaragoza, año 1681.* (En 4.º, 50 hs., 11 de grab., 64 págs., 9 láms. y 2 hs.)

catedral de Huesca en 1646, para dar honrado enterramiento a sí mismo y a los suyos, en especial a su esposa y a su hermano Orencio, obra en la que intervienen famosos arquitectos, escultores, pintores, maestros de forja, vidrieros y artistas de toda índole, como se le ve preocupado por su numerosa familia o por la administración y cuido de sus fincas rústicas de Figaruelas, donde poseía un castillo —él le llama Torre— en el que pasaba temporadas: "me coge en lo más embarazoso de la cosecha", dirá a 1 de agosto de 1645; "El jueves concluimos el sementero en la Torre muy en seco. Hanse sembrado 57 cahices de pan y fanegas. El viernes comenzó a nevar y ha continuado con llover copiosamente, con que se puede esperar que el sementero sea muy bueno".

Con todo, con ser suficientes tantas y tan diversas empresas a llenar los años y los días de un hombre activísimo, la labor esencial que ocupa su larga vida, es su pasión de coleccionista. Alcanza los setenta y siete años, de los que apenas cabe descontar en esta labor los de su infancia y adolescencia. Durante todos los demás se consagra a acumular en torno suyo cuantas obras de arte, libros, muebles, objetos raros y preciosos o máquinas considera interesantes, y así logra, aun no mediado el curso de su existencia, que su mansión suntuosísima sea un curioso museo, una selectísima biblioteca, un verdadero centro científico. Para ello, no escatima gastos ni molestias. Escribe insistentemente a cuantos pueden facilitarle un ejemplar valioso. Si va a Madrid —"sin ocuparme en oir quejas, advertir preñeces, abortos monstruosos, discursos políticos y pasquines desvergonzados"— se dedicará a visitar amigos dilectos, coleccionistas, anticuarios y a todos los libreros de la Corte, de la que lleva buena provisión de libros, monedas, medallas y estatuas.

En su colección figuran espléndidos cuadros de Tiziano, Tintoreto, Durero, Lucas de Holanda, Ribalta, Ribera, de Jusepe Martínez y tantos otros; magníficas esculturas de bronce, mármol, marfil o azabache; y asimismo curiosas piezas de arte antiguo, tapices, reposteros, espejos, muebles... El poeta don Manuel de Salinas, que frecuenta su casa, escribe un soneto *A una bellísima jarra que tiene en su camarín... de mano de Rafael de Urbina*. Los animales disecados, las muestras de minerales, las curiosidades de la Naturaleza, constituyen un completísimo gabinete de historia natural, del mismo modo que el gabinete de física reúne las máquinas más curiosas de su tiempo, formando un verdadero laboratorio. En *El Museo del Discreto (Crit.*, II, IV), Gracián enumera con complacencia las curiosidades y aparatos que en él se encuentran. Los dos viajeros de su novela "a la primera vista creyeron sería algún obrador mecánico; mas cuando vieron globos celestes y terrestres, esferas, astrolabios, brújulas, dioptras, cilindros, compases y pantómetras, conocieron ser los desvanes del entendimiento y el taller de las Matemáticas, sirviendo de alma muchos libros de todas estas artes y aun de las vulgares, pero de la noble pintura y arquitectura había tratados superiores". Estos tratados, que el propio Lastanosa menciona en su catálogo, eran nada menos que los famosos de Alberto Durero, Vasari, Leonardo de Vinci, León Bautista Alberti, Carducho, Vitrubio, Vignola y cien autores más, que contenían todo el saber del Renacimiento en estas materias.

La ingeniosa mecánica tiene su representación en "cajas en que se ven países [9], que hasta los pájaros de ellos imitan su voz" [10], raras perspectivas que multiplican indefinidamente las figuras, en "estatuas de varios animales (leones, osos, camellos, serpientes), de cartón barnizado, los cuales, merced a un ingenioso mecanismo, imitaban los mugidos y gritos adecuados" [11].

Era asimismo importante la colección de cartas geográficas y mapas, así como la de libros sobre la geografía de los más diversos países.

La serie de piezas arqueológicas era variadísima, de gran valor, en especial por sus magníficos monetarios, sin duda los más importantes en la España de su tiempo. En el *Indice* de su biblioteca, formado por el propio Lastanosa en 1635 y publicado por Latassa [12], se habla de "más de ocho mil monedas y medallas de Emperadores griegos y romanos que tiene él mismo; pues nuestro Agustín, Ur-

[9] *países* = paisajes.
[10] *Narración...*, ed. cit., pág. 270.
[11] *La Casa de Lastanosa en 1639.* En ARCO, *op. cit.*, pág. 216 y s.
[12] En *Memorias literarias de Aragón*, II. Vid. ARCO, *op. cit.*, pág. 199 y s.

sino y Goltzio y otros no pudieron juntar tantas. Tiene, además, dos
mil camafeos y piedras antiguas anulares..." [13].

Pero entre tanta curiosidad y maravilla como había reunido en su
palacio, tres cosas le conmovían de especial modo. El mismo nos lo
dirá en la curiosa descripción titulada *Las tres cosas singulares...*,
ya citada, a la que acompañan planos parciales de su casa y jardines.
Entre las cosas que poseía le enorgullecían sobre todo la biblioteca,
la armería y los jardines, y no era para menos.

En la biblioteca aparecían representadas las más varias materias de las letras y las ciencias, en preciosos manuscritos o riquísimas
ediciones en todas las lenguas cultas, incluso la arábiga y japonesa.
Repasando el resumen de sus libros que hizo en la *Narración de lo
que pasó...*, puede comprobarse cuán universal y selecto era su afán
de sabiduría. Allí estaban representadas por sus cultivadores más
ilustres la gramática y elocuencia, la historia, las literaturas clásicas
y españolas, la astrología y la hidrografía, la perspectiva y la dióptri-
ca, los tratados de pintura y arquitectura, sobre relojes o la destreza
de las armas, de enfrenar caballos o montería, de música, de artes
mecánicas, de filosofía natural, de jardines o minerales, de piedras
preciosas, de medicina y química, de filosofía moral y de emblemas,
de política general y áulica, de derecho o de carácter religioso, de
numismática y epigrafía, de geografía universal, con una espléndida
serie de cartas geográficas. La simple enunciación de autores, obras
o ediciones basta para que pudiera considerarse tal biblioteca como
un verdadero tesoro.

La colección de armas, a su vez, poseía un gran valor, pues entre los 2.000 arcabuces, 600 picas, 100 partesanas, 200 alabardas, 200
ballestas y arcos, con sus aljabas llenas de flechas, 100 mosquetes,
52 banderas moras o turcas y 100 armaduras completas, además de
riquísimos arneses y sillas de montar y tiendas de campaña, contenía
piezas de excepcional interés histórico, como eran las armaduras de

---

[13] *Ibíd.*, pág. 214. En *La Casa de Lastanosa en 1639*, se superan estas cifras. Según esta descripción, en una arquimesa de la habitación segunda "había 4.895 monedas de oro de Emperadores romanos, que en total pesaban dos
arrobas veintiséis libras". En la habitación tercera, "5.700 monedas de plata
de antes que los romanos vinieran a España" y en la cuarta, "422 monedas de
oro de Emperadores romanos, y 603 de plata".

Jaime el Conquistador, Enrique de Valois, Pedro el Cruel, de Carlos V, del Conde de Trastamara, una espada de Francisco I, un puñal de Pedro IV, alfanjes de Solimán II o de los reyes moros, muchos de ellos regalados a sus ascendientes guerreros y diplomáticos. Gracián, en *El Criticón,* en la crisis que titula *Armería del Valor,* dará de ella un trasunto simbólico.

La tercera maravilla de su mansión eran los jardines. No le bastaba a Lastanosa el mundo cerrado del arte y de las letras, sino que completa su residencia con la magia de unos fantásticos vergeles, en los que se hallaban las más exóticas plantas y flores. Para lograrlas, no escatima búsquedas y cartas, con las que se pone en relación con el herbolario del Rey de Francia, Juan Bautista Dru, de Lyon; con el señor La Faye, de Burdeos, Secretario de S. M. Cristianísima; con el P. Morin, de París; con el sabio Francisco Filhol, de Tolosa, que le envía tulipanes; con el Conde Mariscotti, de Bolonia, al cual "habiéndole pedido la rosa senente, o de la China, me ofrece remitirla, aunque es tan singular que sólo se halla en manos de dos Príncipes de Italia, y me remite una hoja de la planta, y ofrece que vendrá acompañada de la parra o vid de la China, por ser de lo más raro que hay en la Naturaleza" [14]. El, a su vez, proveía de sus semillas a quien se tomase el trabajo de pedírselas, y se enorgullecía de proveer de ellas a los floricultores del Rey.

Ocho jardineros franceses cuidaban de su artificio. De uno de ellos, el jefe, que llevaba sesenta años a su servicio, nos dirá: "este es el celebrado Monsiur Esquillot, que, con hacer tantos años que está en casa no me entiende una palabra si no se la digo en francés". Tampoco los demás —a pesar de llevar dos de ellos el mismo tiempo en la casa— habían aprendido el español. Sólo una mujer decía *vino.* Cuando alguno fallecía, el Duque de Orleans le mandaba un sucesor. Las casitas en que vivían independientemente, al igual que los demás edificios para criados, caballerizas, cocheras y pajares, estaban disimuladas por las frondas.

En este delicioso jardín botánico, una parte se había dedicado a parque zoológico. En cuatro cuevas protegidas por fuertes rejas ru-

---

[14] *Narración de lo que le pasó...* Vid. Arco, *op. cit.,* pág. 274.

gían un tigre, un leopardo, un oso y un león. En una jaula se criaban
dos voraces avestruces.

Pero lo que mayor admiración y asombro producían en quienes
paseaban por estos jardines, eran las fuentes artísticas, que elevaban
sus chorros de agua aquí y allá, en medio de macizos de verdura, a
la sombra de los frondosos árboles; el amplio estanque rectangular,
rodeado de estatuas, que —al igual que la silueta de la ciudad, en
lo alto— se reflejaban en las aguas quietas, con su embarcadero, con
un torreón en su centro, con varios esquifes que surcaban la reposada superficie, en la que zigzagueaban toda clase de peces. "Dicen
muchos extranjeros —confiesa el propio Lastanosa, ufano de ello—
que han visto en varias Cortes muchos jardines más grandes, y con
más estatuas, pero ninguno tan hermoso". Todavía encierran estos
jardines un prodigioso laberinto, formado de árboles de toda especie
y clima, en el que las carreras bordeadas de arrayanes desconciertan
al más avisado, sin que acierte a dar con la única salida.

Podría pensarse que este magnate había reunido tanta y tan varia
hermosura con el propósito de gozarla él solo, con avaricia de coleccionista, de bibliómano, de anticuario. Nada más lejos de ello. Para
que su semejanza con un Príncipe del Renacimiento italiano sea
mayor, gusta de rodearse de humanistas y artistas, a los que protege,
si lo precisan. El mismo es, como hemos visto, un estudioso arqueólogo, que publica diversas obras fundamentales dedicadas a sus aficiones numismáticas. Con él vive su hermano Orencio (1609-1665),
Canónigo de la catedral, Rector de la Universidad de Huesca, diputado del reino de Aragón, que en sus ratos de ocio cultiva la poesía.
Su palacio es el hogar acogedor de cuantos en la ciudad sienten vocación por los estudios eruditos, por las letras y las artes. Allí concurre, durante los años que reside en el Colegio de Huesca, su amigo
fidelísimo Baltasar Gracián, y también, entre otros, don Manuel de
Salinas y Lizana, asimismo Canónigo de la catedral, profesor de la
Universidad, unido a Lastanosa por lazos de parentesco, y que traduce a Marcial y es poeta él mismo; el doctor don Francisco Andrés
de Uztarroz, historiador, arqueólogo infatigable y poeta, que residía
habitualmente en Zaragoza, al que se deben dos curiosas descripciones de la casa que con tanta complacencia y buen acogimiento fre-

cuentaba; el doctor Francisco Antonio Fúser, Canónigo y Vicario general de la Seo de Barbastro, que había sido preceptor de su huésped y antes ayo y amigo de don Juan Agustín de Lastanosa IV, padre de don Vincencio Juan. Y es de suponer que las damas y caballeros discretos y letrados de Huesca, así como cuantos llegasen por ventura a la ciudad, concurrirían también a las tertulias que en los salones o en el retiro de los jardines del prócer tenían lugar.

Pero este reducido grupo de gentes distinguidas, cultas e ingeniosas no habría pasado de ser un pequeño cenáculo provinciano, sin otra trascendencia que la de hacerse sus componentes la vida grata a sí mismos, si no irradiase su saber y discreción, no sólo fuera de la ciudad, sino de la región y aun de la propia España. De una parte, los eruditos y arqueólogos de Aragón, como el Conde de Guimerá, los Condes de Aranda, el cronista Ximénez de Urrea; y tantos otros, con los que Lastanosa o los que le rodeaban sostenían cordial amistad y nutrida correspondencia, o los sabios y anticuarios extranjeros, como el doctor Francisco Filhol, Canónigo de Saint-Etienne, de Toulouse, gran amigo de Lastanosa, el cual comunicó al cronista Francisco Andrés de Uztarroz las notas necesarias para que publicase su *Diseño de la insigne y copiosa Biblioteca de Francisco Filhol* (Huesca, Larumbe, 1644), impreso también a expensas del prócer oscense, como tantos otros libros del autor o de Baltasar Gracián, o el noble veneciano Camilo Locauni, que le regala raros libros de alquimia. De otra, los numerosos viajeros ilustres que, ya de paso o de propósito, acudían a visitar las preciosas colecciones del Museo y las variadas curiosidades de la casa, les ponían en contacto con el mundo. Estos visitantes eran nada menos que el propio Rey Felipe IV, que honra su palacio de vuelta de Cataluña, y dos veces más con pretexto de cazar, y que, como sabemos por el propio Lastanosa, "me decía que nunca había visto cosa como mi casa...". O caballeros extranjeros como el Duque de Ferrara, Juan de Médicis, el Príncipe de Squilache, el Conde de Mirandola, el Marqués de Pescara, o Grandes de España, como los Duques de Medinaceli, de Arcos, del Infantado, de Béjar, de Medina de las Torres, de Villahermosa, de Lerma, los Marqueses de Aytona o Ca-

marasa, y cien más, en especial el Duque Gastón de Orleans, quien
pasa mes y medio de riguroso incógnito —"a quien debí la honra de
venir desconocido con condición que sólo yo lo había de saber" [15]—
en la mansión de Lastanosa, gozando con delectación de tanta maravilla, en ocasiones en afectuosa charla con los jardineros franceses
que cuidaban de la hermosura de sus jardines, que tanto le complacían, y de los que diría: "No tiene el Rey de Francia cosa como
ésta y como la librería", y que luego se lleva a su anfitrión a Francia
para mostrarle, a su vez, las grandezas de su palacio y de los del
Rey y todo lo que de notable contenía la Corte francesa. La estrecha
amistad entre uno y otro debía ser cordialísima como lo prueba la
confianza que el Duque demuestra al gran señor aragonés, con tan
larga residencia en su palacio de Huesca, y al invitarle luego para
que visite su casa y su país, y también los valiosos obsequios que le
hace: cuatro leones y un basilisco disecados, cuatro espejos hiper-
bólicos, un fragmento de diamante, otro mineral precioso, y acaso
muchos más de toda especie, por cuanto Lastanosa declara "que
a no ser por su Alteza y otros señores no me era posible el haber
juntado tantas cosas", y también que debe a su Alteza "muchos
favores y mucho de lo que tengo" [16].

Otro de los visitantes ilustres del palacio de Huesca es don Ber-
nardino Fernández de Velasco, Condestable de Castilla, quien escribe
a Lastanosa en 1636, es decir, cuando éste tiene veintinueve años, la
siguiente carta [17], por demás elocuente:

Amigo y Señor mío: Pasmado de haber visto las grandezas de la
casa de V. S. tanto en libros como en alhajas riquísimas, alacenas, estatuas, pinturas, monedas, armas, jardines, grutas, estanques, que me
parece que en los quince días que estuve en la casa de V. S. siempre ví
cosas nuevas en todas las ostentosas piezas de tan majestuosa casa, que
gocé poco por estarnos lo más en la librería, donde había tanto que
admirar, que aun en un Monarca fuera cosa de empeño juntar tal cúmu-
lo de cosas de tan remotas partes, pues aun para solo los portes se
habrá consumido muchos millares de doblones, por lo que dice mal quien

---

[15] *La casa de Lastanosa en 1639.* Vid. Arco, *op. cit.,* pág. 33.
[16] *Ibíd.,* pág. 218.
[17] *Op. cit.,* págs. 189 y s.

dice: *El que va a Huesca y no ve casa de Lastanosa no ve cosa* [18], porque diría mejor: *Quien va a Huesca y no ve la casa de Lastanosa deja de ver cuanto tiene el mundo.* Ahí remito a V. S. para que las ponga entre las muchas que tiene, 250 monedas de oro, las más modernas de Tiberio César; de plata, van 325; mi padre las guardaba; no se donde las hubo; aquí están archivadas y nadie las ve; ahí serán vistas de muchos naturales y extranjeros. Envío para la Armería esa cota de armas hecha de redecilla de hierro, cubierta con guarniciones de otra de oro, red primorosísima; el escudo de acero colado con los blasones de su Real Casa; que todo lo ganó el día que lo hizo prisionero al duque de Sajonia el Excelentísimo Conde de Baradín, caballero del Toisón, General de la Caballería de Don Fernando de Austria, Rey de Bohemia, [un caballero] natural de Monzón, en el Reino de Aragón, llamado Don Pedro Lastanosa, hermano del bisabuelo de V. S., cuyos papeles y los del gran padre de V. S. ojalá no se hubieran perdido, los unos por la distancia, los otros en el mar, y así por la razón dicha debe estar esta armadura con las que V. S. tiene, dadas por los Reyes a los antecesores de V. S. Doy mi palabra de volver a ver esos portentos, con el ánimo de estar dos meses: si alguna moneda llegase a mi mano, con mucho gusto la recogeré. Dios guarde a V. S. muchos años. Madrid, a 8 de abril de 1636. Afectísimo amigo de V. S., *El Condestable.*

La hospitalidad de Lastanosa debía ser espléndida. Lo comprueban los buenos propósitos de tan ilustre visitante al prometerle volver a pasar en su casa una más larga estancia, y también los magníficos regalos que le envían quienes han sido sus huéspedes.

Todos sus amigos competían en acrecentar las maravillas que encerraba su palacio, incluso el Padre Baltasar Gracián —como veremos—, y él, a su vez, se comporta como un gran señor, magnánimo y generoso, sosteniendo a mesa y mantel a muchos de sus protegidos o editando los libros de los escritores que le rodean. En la carta que le dirige en 1681 el doctor Diego Vincencio de Vidania, Rector de la Universidad de Huesca, Consultor y Fiscal del Santo Oficio, del Consejo Real, y que se imprimió en el *Tratado de la moneda jaquesa,* de Lastanosa, publicado el mismo año, se refiere que don Vincencio Juan regaló al Archivo del Reino mil cien monedas jaquesas de

---

[18] RODRÍGUEZ MARÍN, *Más de 21.000 refranes castellanos,* Madrid, 1926, pág. 436, varía la versión del refrán, que debía ser popular: "Quien va a Huesca y no ve la casa de Lastanosa, no ha visto cosa".

cobre ligado, plata y oro; siete cartas de credencia de reyes moros, en arábigo, a monarcas cristianos; cinco documentos en chino y japonés; 787 cartas originales de Pontífices y Cardenales y tres copias fidedignas de códices de fueros y behetrías de Aragón. El mismo Lastanosa, al describir su casa en 1639, y referirse a su colección de monedas, habla de las de oro que tiene duplicadas, "que las separaré para ir dando a los curiosos".

No es de extrañar que las varias actividades de este hombre admirable en tantos aspectos —militar aguerrido en los momentos en que su patria peligraba, ciudadano benemérito, cultivador de las artes y las letras, magnífico coleccionista, hospitalario anfitrión, gran señor dadivoso— mereciesen los elogios de cuantos le conocieron. Latassa [19] nos legó el extracto de un raro manuscrito que perteneció a Gallardo y luego a Sánchez Rayón, en el que se contenían numerosos escritos que hacían referencia a Lastanosa, y entre ellos un *Resumen de los autores impresos y mss. que hablan de D. Vincencio J. Lastanosa, recogidos por mí Hermenegildo de Lastanosa, su hijo,* en el cual, con filial orgullo, se recogían las alabanzas que su padre —y cuanto él creó en torno suyo— había merecido de sus contemporáneos. Quizá la que sintetiza todas las demás, con sobrio estilo epigráfico, sea la que escribió el doctor Vidania, ya citado, y que se publicó en el *Tratado de la moneda jaquesa:*

> Don Vincencio Juan de Lastanosa, héroe oscense, gentilhombre de la Casa del Rey. Desde la infancia dedicado a las Musas. Insigne en las Matemáticas y Pintura. Celebrado por las Medallas y Monedas desconocidas, y por las que con los anillos antiguos, piedras y camafeos darán luz a las sombras de la Prensa. Erudito en Chymia y otras artes en la paz; prudente consejero y primer cónsul; en las guerras de Cataluña valeroso Capitán. En la peste y trabajos el primero que asistió a la Patria. En las felicidades negó sus pasos al deseo y ambición. Su casa es hospicio de estudiosos y extranjeros; sus bienes los hace comunes su liberalidad. A Dios consagró capillas y fundaciones suntuosas; a su Rey sirvió con la espada, con la pluma y con la hacienda. A su vencedora Patria honró con su nacimiento, prudencia y consejos. Al fidelísimo Reino de Aragón ordenando su Archivo y reduciendo a índice

---

19 *Memorias literarias de Aragón,* I, págs. 104 y ss.

sus escrituras, siendo diputado caballero infanzón; y ahora lo ha aumentado con gran copia de papeles, libros y originales, y mil y cien monedas jaquesas, y un tratado de su antiguedad y quilates que ofrece al público uso de los estudiosos a XX del mes de abril del año MDCLXXXI, a los LXXIV años 23 días de su feliz edad. Viva su nombre venerado en la memoria de los hombres, pues su liberalidad le consagra estatua de inmortal agradecimiento en el archivo público.

En el ambiente mágico que Lastanosa se había formado en torno a sí, que tanto tenía que deslumbrar a un hombre apasionado por las artes y las letras, que gustase del trato con gentes refinadas, discretas, eruditas, aparece Baltasar Gracián. La mutua comprensión y amistad que desde el primer momento se establece entre el jesuíta y el joven caballero, seis años más joven, debió ser muy grande, como producto de una afinidad absoluta, porque no ha de interrumpirse de por vida la estrecha e íntima relación entre ambos y sí intensificarse con el más entrañable afecto.

Pronto une su voz Gracián al coro de alabanzas. Ya en la "Dedicatoria" [20] que pone al frente de la primera edición de *El Héroe,* en agosto de 1637, apenas un año después de su llegada a Huesca, dice a su amigo: "Toda la casa de Vm. es un *non plus ultra* del gusto; su camarín, alcázar de la curiosidad; su librería, esfera de la agudeza; su jardín, elíseo de la primavera".

En esta mansión del arte, de la poesía, asistido de la verdadera amistad, se desenvolverá Gracián con la mayor soltura y gusto. Reiteradas veces sentirá la añoranza de estas horas, de estos días, con entusiasmo jubilar. Otras cien recordará a su protector y amigo, ya sea con su propio nombre o velándolo con el pueril anagrama de *Salastano.* Y así dirá: "estimaré siempre el copioso y culto museo de nuestro mayor amigo don Vincencio Juan de Lastanosa, benemérito universal de todo lo curioso, selecto, gustoso, en libros, monedas, estatuas, piedras, antigüedades, pinturas, flores y curiosa variedad" [21]. Y sobre todo, el gratísimo placer de las horas pasadas

---

[20] No nos es conocida hoy la primera edición de *El Héroe,* impresa en 1637 por Lastanosa, y sí, en cambio, la "Dedicatoria" que figuraba al frente de ella, que el doctor Vidania transcribe entre los elogios al autor que figuran al frente del *Tratado de la moneda jaquesa,* de Lastanosa (Zaragoza, 1681).
[21] *El Discreto,* XII.

en "erudita y discreta conversación entre tres o cuatro amigos entendidos" —Lastanosa y el grupo que le rodeaba—, para quien como
él ha de hacer habitualmente una vida recoleta en su Colegio, sería
"banquete del entendimiento, manjar del alma, desahogo del corazón,
logro del saber, vida de la amistad y empleo mayor del hombre" [22].

Gracián, que tanto apego cordial siente por el verdadero amigo,
al que exige todos esos primores y realces que adornan al héroe o al
discreto, y al que complace tanto el coloquio con ese amigo dilecto,
debió practicar de muy diversos modos la amistad y el diálogo con
ese grupo de amigos oscenses que se reunían en torno a Lastanosa.
En algunas de sus obras adopta la forma del diálogo, para la exposición de sus ideas. En *El Discreto,* por ejemplo, vésele en serena
conversación, en pesquisa de sutiles cuestiones, con el historiador
Juan Francisco Andrés o el Canónigo Salinas, a la manera platónica,
sin paisaje al fondo, acaso en un rincón de la silenciosa biblioteca,
o bien, peripatéticamente, discurriendo por las verdes avenidas del
suntuoso jardín del palacio.

Es posible que muchas páginas de sus obras, que Gracián iba
elucubrando con esfuerzo y tesón en el silencio de la celda, fuesen
después leídas a este breve cónclave erudito, subrayando la intención
irónica de un pasaje, las oscuras alusiones, aclarando el doble sentido
de una palabra o el juego conceptual de una frase, y es asimismo
posible que los discretos y graves auditores, preocupados habitualmente de las serias cuestiones de la historia, de la arqueología, de las
humanidades, no por eso dejasen de terciar en la lectura para hacer
una ingeniosa observación, para intercalar un dicho agudo, que quizá
Gracián se apresurase a anotar y añadir como de su propia cosecha.

Pero Gracián, tanto como en estos amables coloquios, gustaría
de invertir el tiempo que pasaba en la casa de Lastanosa, en algunos
de los cinco grandes silenciosos salones de la biblioteca que el gran
señor había reunido y que previsoramente —"porque estén los libros
guardados del polvo y de algunos curiosos que los quieren sin gastar
las sumas que me han costado" [23]— se hallaba cerrada en preciosas
anaquelerías. Posiblemente era Gracián uno de los pocos felices mor-

---

[22] *Criticón,* III, 12.
[23] COSTER, *op. cit.,* pág. 570.

tales que disponía de las llaves de este tesoro. Nos lo imaginamos rebuscando en las hiladas de tejuelos aquellas obras de los autores más admirados y de títulos y materias más sugerentes y prometedores, y luego, gozoso de su hallazgo, irse a acomodar al hueco de un ventanal al mediodía, bañado de tibio sol, y sumirse en la apasionante lectura sólo interrumpida para tomar presurosamente unas notas con la rasgueante pluma de ave o para levantar la vista fatigada, para meditar un momento o contemplar algunas de tantas maravillas, cuadros, estatuillas, espejos, joyas, muebles, fieros animales "acecinados", como enriquecían las salas, haciendo de ellas un emporio del gusto y un acicate de la imaginación. Allí se pasaría las horas muertas, en su deseo insaciable de lectura, y de aquella variedad prodigiosa de autores y obras iba extrayendo laboriosamente las quintaesencias de su universal y alquitarada sabiduría.

SU OBRA INICIAL

Si hemos de suponer con fundamento que residía en Huesca desde 1636, debió ser en el palacio de Lastanosa y en su espléndida biblioteca, donde el joven jesuíta comenzó a sentir el desasosiego de expresar tantas hermosas cosas como del alma le desbordaban.

Allí, en aquel silencio, rodeado de los númenes propicios de las letras y de las artes, comenzará a escribir sin propósito definido, sin darse cuenta quizá de lo que pretende. Acaso no pasasen de ser sino impresiones y sugerencias al margen de sus lecturas, hasta que, dejando a un lado los libros maestros, un buen día rompió a cantar su propia canción.

Muchos debieron ser los tanteos y ensayos de Gracián en su angustioso hallarse a sí mismo, en su dolorosa búsqueda de la propia personalidad. Podemos pensar que no fué *El Héroe* su primer obra, sino que a ella precedieron mil tentativas, realizadas con esfuerzo, destilando de la mente gota a gota su pensamiento, que nunca sus ilimitadas exigencias y escrúpulos estéticos hallaban perfectas. Hay en *El Héroe* una estructura tan firme, una ponderación tan equilibrada, un sentido tal de la medida y de la proporción, que la convierten no en una impetuosa obra de juventud, sino en un fruto de madurez, de líneas clásicas, que haría sospechar cuán grande fué el esfuerzo que precedió a su redacción definitiva [1]. Nos lo muestran de modo evidente las minuciosas correcciones a que somete el ma-

---

[1] Hoy nos lo confirma el *Estudio del autógrafo de "El Héroe" graciano,* publicado por MIGUEL ROMERA-NAVARRO, Madrid, *RFE,* Anejo XXXV, 1946, en el que se anotan las numerosas variantes y correcciones a que Gracián sometió el original.

nuscrito autógrafo, que se conserva en la Bibl. Nac. de Madrid (Sec. Mss., 6.643), y la comparación de éste con la refundición a fondo que hace para su publicación definitiva, en la que reúne los "primores" XV y XVI del original conocido, que pasa a ser el XVI, añadiendo uno nuevo, que llevará el número XV.

Quizá sin el arranque de su amigo Lastanosa, que le sustrae el original para publicarlo, tardase varios años todavía en decidirse a que sus obras saliesen a la luz. Nos lo cuenta el hijo de su amigo, don Vincencio Antonio, en la descripción que hace de la famosa casa de su padre con el título —tan exacto— de *Habitación de las Musas, Recreo de los Doctos, Asilo de los Virtuosos* [2]:

> ...al Padre Baltasar Gracián, bilbilitano, de la Compañía de Jesús, hombre virtuosísimo, docto y gran predicador, le sacó con destreza de sus manos varios escritos que le habían dictado la lozanía de su profundo discurso en lo más florido de su mocedad, y juzgándolos asuntos dignos de sus mayores primores, contra su voluntad dió a la estampa *El Héroe,* y lo imprimió en Huesca y lo ofreció por rica primacía al Rey nuestro señor el año 1637.

Esta primera edición de *El Héroe,* hoy desaparecida, ha dado lugar a interesantes cuestiones críticas. Latassa y Ticknor llegaron a suponer su publicación en 1630, aserción que hoy no tiene fundamento, ya que en el original se alude a acontecimientos de fecha posterior.

En cambio, podría creerse que no ha sido tan sólo una edición la que se publicó de dicha obra en 1637, sino dos, si tenemos en cuenta que además de la edición dedicada a Felipe IV, cuya dedicatoria aparece en el manuscrito de Madrid, y que confirma la referencia anterior del hijo de Lastanosa, pudo existir otra dedicada también a Lastanosa, ya que el doctor Diego Vincencio de Vidania, en los elogios que preceden al *Tratado de la moneda jaquesa,* de Lastanosa, publicado en 1681, reproduce una dedicatoria (o parte de ella) de *El Héroe,* de Gracián, al gran señor aragonés. Su autenticidad aparece suficientemente demostrada por el hecho de que el libro sobre numismática aragonesa se publica por el propio Lastanosa

---

[2] En ed. cit., págs. 29 y ss.

—tan fiel amigo del escritor—, ya en su ancianidad. Vidania, al reproducir este elogio, lo encabeza: "Y en la dedicatoria de *El Héroe,* que se ve en la edición de 1637, dice...".

Por tanto ha de suponerse que esa primera edición desaparecida llevaba al frente dos dedicatorias, una de Lastanosa al Rey y otra de Gracián a su protector, cosa inadmisible, o bien ha de pensarse en la existencia de dos ediciones diferentes publicadas en el mismo año de 1637 —del mismo modo que tenemos dos de *El Discreto,* datadas el mismo año de 1646—, lo que también parece desmentir la portada de la primera que conocemos, la de Madrid, 1639, impresa por Diego Díaz, donde se aclara suficientemente que se trata de una "segunda impressión". Que, sin embargo, fuese posible, lo demuestra la noticia que Lastanosa da en otro de sus libros [3], publicado en 1645, al referirse a Gracián: "...celebrado por sus artificiosos escritos como lo publican *El Héroe* impreso seis veces en diferentes reinos...". Como quiera que en los ocho años que transcurren desde su aparición hasta 1645, en que estas líneas se escriben, tan sólo hoy tenemos noticias de las dos de 1639, de otra de 1640 y de la traducción que en 1645 hace el francés Nicolás Gervaise, médico de la guarnición de Perpignan, cabe pensar en la existencia de esas dos ediciones impresas en 1637, para completar la cifra que da Lastanosa.

Las mismas cuestiones que suscita la publicación de *El Héroe* vienen a demostrarnos el éxito excepcional que rodeó su aparición. El escritor entraba decididamente, con gallardía, en el mundo de la fama.

---

[3] *Museo de las medallas desconocidas españolas,* pág. 77.

GRACIAN, HOMBRE DE BIEN

No le basta a Gracián iniciar su obra literaria con un breve libro, sino que, asimismo, se siente acuciado a actuar en la vida como sacerdote, como hombre de bien.

Nos lo revelan varios episodios, de su biografía, dados a conocer por el P. Batllori[1], que proyectan una vivísima luz sobre la psicología del escritor. A través de ellos se ve a Gracián, no sólo como intelectual puro —reproche que se le hace injusta y apresuradamente, por quienes no le conocen en lo hondo de su ser—, sino también como hombre de carne y hueso, humanísimo, compasivo.

Al llegar a Huesca en 1636 se le destina a la confesión y predicación, labor que continúa ejerciendo hasta 1639. Por entonces, aunque la bula de la Cruzada confería a los confesores de España facultad para perdonar pecados graves, en especial a los miembros de la Compañía, era deseo expreso de los superiores de ella —como el P. General Vitelleschi—, que no se hiciera uso de tal privilegio. Gracián, y otros dos padres, sin permiso del Rector, se sirven de él en un caso grave. Lo sabemos por una carta que el P. Vitelleschi dirige al Provincial de Aragón, P. Luis de Ribas, de fecha 30 de mayo de 1637[2]:

> ...Con mucha preñez me hablan del collegio de Huesca y de lo que allí á suçedido, y que es neçesario examinarlo con cuidado. Aprueban la dimissión del P. Tonda (V. R. me informará las causas que le an movido a executarla sin esperar mi resoluçión); que el dicho affirmó

---

[1] *Op. cit.*, págs. 76 y s., y 184 y s.
[2] *Ibíd.*, pág. 184.

que, aviendo tenido antes que fuese despedido algunas flaqueças con
mugeres, le avían absuelto por la bulla los PP. Baltasar Graçián, Ge-
rónymo de Córdova y Bautista Gonzalo: mal caso sería tubiese fundamento esta relaçión, y que esta doctrina tubiese apoyo en algunos de
los nuestros...

Se ve aquí, a la luz de este documento, cómo Gracián —al igual
que otros dos hermanos en religión— sabe perdonar, bueno, comprensivo, las caídas del hombre, del compañero, dándose cuenta de
que no a todos se puede exigir la misma entereza moral que él posee.
Lo que entonces pudo juzgarse laxitud en la interpretación de órdenes superiores, se nos aparece ahora como ejemplo de su grandeza
de alma, llena de piedad y conmiseración.

Otro rasgo de su vida, que nos conmueve, es el que se refiere
a la protección que presta a un niño desamparado.

En 28 de mayo de 1638 —es decir, un año después— vuelve el
General P. Vitelleschi a escribir al Provincial, P. Ribas [3]:

...Del collegio de Huesca tengo aviso que la visita se hiço aprissa,
después de dos años y medio que el Provincial no iba a visitarle, con
que se averiguo poco de lo que pedía remedio, quedándose sin él las
cosas que le necesitaban; que co[n]venía mudar al P. Balthasar Gra-
ción, porque es cruz de los superiores y ocasión de disgustos y menos
paz en dicho collegio, y por aver con poca prudencia tomado por su
cuenta la criança de una criatura que se decía era de uno que avía salido de la Compañía, buscando dinero para este fin etc., y por aver
estampado un libro suyo en nombre de su hermano...

Grave cosa para los superiores que Gracián publicase un breve
libro, *El Héroe,* de asunto profano, aunque apareciese firmado por
un supuesto hermano suyo, pero más grave todavía que se compa-
deciese de "una criatura que se decía era de uno que avía salido de
la Compañía". ¿Se trata de un hijo de este pobre P. Tonda, su
antiguo compañero, al que perdona sus pecados de la carne, "sus
flaqueças con mugeres", y que la Compañía había expulsado de su
seno? Las fechas de una y otra carta parecen confirmarlo.

---

[3] *Op. cit.,* pág. 185.

No dispone Gracián de lo necesario para poder amparar este hijo de la desgracia, pero no se arredra por ello. Lo busca, lo pide a sus amigos, acaso como limosna para hacer una caridad, que caridad era, del más puro y acendrado cristianismo, ésta de socorrer a un niño, aunque este niño fuese piedra de escándalo, el hijo de un hombre impuro, expulsado de la Compañía.

Su inmensa piedad, la abundancia de su corazón no repara en escrúpulos ni mandatos, y perdona al compañero descarriado, y protege a la criatura inocente, concebida en el pecado. Se celebran y exaltan en la hagiografía ejemplos semejantes. Gracián no es un santo, no pretende serlo, pero es un sacerdote, en suma, un hombre de bien.

Los superiores debieron comprenderlo así, porque Gracián, a pesar de que el General se refiera a la conveniencia de que se le trasladase a otro Colegio, continúa en Huesca más de año y medio, y sólo se ausenta de su ciudad predilecta para ocupar cargos de delicada confianza.

ESTANCIA EN LA CORTE

En la vida gustosamente meditativa, que hasta entonces había hecho Gracián en gratos ambientes provincianos, rodeado del halago de amigos cordiales, contando con los elementos precisos para su labor, como son las sugerencias del arte y de los libros —aunque esta paz creadora fuese interrumpida por las incidencias de carácter interno dentro de su Orden, que le reprochaba su efusión cordial—, en su vida retirada se produce de pronto una brusca interrupción.

A finales de 1639 es trasladado a Zaragoza, como confesor del Virrey Duque de Nocera [1], al que le unirá siempre inquebrantable amistad. Debió seguirle a Navarra, como vemos por una carta del P. General Muzio Vitelleschi al Provincial de Aragón, P. Fons, con fecha 6 de julio de 1640, comisión que representa una honra para Gracián, sin que haya que conceder trascendencia alguna a las reservas que expresa el P. General:

> ...Bien hizo V. R. en dar gusto al señor duque de Nochera concediéndole por confesor suyo, y que le siguiese a Navarra, el P. Balthasar Gracián. Con las últimas cartas é recebido una suya en que me pide lo mismo, y le respondo que vengo en ello; y considere V. R. si dicho padre necesita de alguna advertencia para que proceda sin ninguna offensión...

En la primavera de 1640 aparece en Madrid, acaso como acompañante del magnate.

---

[1] Don Francisco María Carafa Castriota y Gonzaga, Duque de Nocera (pronunciado y escrito por muchos *Nochera,* a la italiana), Príncipe de Scyla, Marqués de Civita Sant Angel, Conde de Soriano, militar napolitano que sirvió a España y desempeñó el cargo de Virrey de Aragón y Navarra.

Tiene treinta y nueve años y es autor de un pequeño libro ya famoso, que el propio Rey ha comentado con grandes alabanzas, en una exquisita antítesis muy de la época, en la que se alude a la brevedad de su tamaño y a la magnitud de su contenido.

Así, pues, cualquier suspicaz podría sospechar que el joven jesuíta va a la Corte para formar en el número indefinido de los pretendientes. Nada más lejos de eso. Es no conocer a Gracián, bravo temperamento, que no aspira a otra cosa más que a poder disfrutar, dentro de su modesto estado religioso, de una cierta paz adecuada al desarrollo de sus aficiones literarias, allá en cualquier tranquilo rincón provinciano, sin prisas, sin afanes adjetivos, sin vanidades.

Le complace, como es natural, ser testigo presencial del fasto cortesano, que le seduce en un primer momento. El palacio del Buen Retiro, centro político de las Españas, sobrepasaba todo lo imaginado, y él no puede menos de sentir asombro ante las múltiples riquezas que allí se acumulan.

Algo le reconcilia con la Corte, y son los nobles sedimentos del arte y del saber que ella contiene: visita las casas del Duque de Veragua, del Duque de Feria, del sacerdote don Juan de Espina, que contienen valiosas colecciones. Dales noticias a los amigos del libro que acaba de salir, y aun con legítimo orgullo díceles haber encontrado en la librería de Palacio un ejemplar de *El Héroe,* que allí era leído y tenía acogimiento. Ya un poco contagiado del infatigable afán de novedades, característico de las grandes ciudades, cuéntales las últimas noticias políticas.

Entre tantas gentes como debió conocer entonces, la amistad con algunos, muy pocos, le atará con efusivas cadenas. Por ejemplo, con el poeta Antonio Hurtado de Mendoza, Secretario íntimo del Rey, al que se le llamaba "el discreto de Palacio". Gracián le elogiará sin reservas y reiteradamente en su *Agudeza* y aun, después de muerto, en *El Criticón.*

Son escasos meses los que Gracián pasa en la Corte en su primer viaje. Regresa a Zaragoza en los últimos meses de 1640. Asiste entonces al Duque de Nocera, Virrey de Aragón, que está enfermo. Por esta época se publica la primera edición de *El Político Don Fernando el Católico,* que nos era desconocida hasta ahora, pero de la

cual, por fortuna, ha aparecido un ejemplar en Lisboa, que posee el
Prof. Asensio. Es precisamente a este magnate italiano al servicio
de España, su gran amigo, a quien va dedicado, aunque la dedicatoria no se publique independiente del texto, sino inserta en su
exordio, indicando además que le es acreedor de múltiples sugerencias, recogidas a lo largo de sus conversaciones con él.

Gracián vuelve a Madrid a mediados de 1641, ahora independien-
dientemente. Aún no ha hecho más que saborear lo agradable de las
primeras impresiones, sin llegar todavía a los posos amargos. Allí
reside hasta los primeros meses de 1642.

Durante esta nueva estancia en la Corte desarrolla una gran actividad como orador sagrado, hasta el punto de que algunos días de
fiesta predica dos veces, y con tal éxito y popularidad, que en ocasiones se llenaba la iglesia de bote en bote y quedaban fuera más de
cuatro mil personas, según testimonio de su hermano en religión, el
P. Hortigas.

Pero para Gracián, en la Corte, no es oro todo lo que reluce.
Pronto percibe lo que su deslumbrante brillantez tiene de ficticio y
áspero. Lo observa en la petulancia de los servidores, en el engaño
y doblez del trato, en el oropel e impudicia de las costumbres. Sus
escasas cartas desde Madrid reflejan a las claras su incomodidad
y su altanería [2]. El trato con las más diversas gentes, se reflejará
años más tarde en las páginas sombrías de *El Criticón*. Debió ser
en estos brevísimos contactos con la confusión cortesana donde él
—tan perspicaz observador— tomó los apuntes que, luego, decan-
tados por la experiencia y la reflexión, habrían de servirle para gra-
bar con mordentes ácidos sus atroces aguafuertes, ya que no es posible suponer que hallase la materia necesaria en las arcádicas y
pacíficas costumbres de una pequeña ciudad para el desarrollo de su
tremenda sátira social, ni que tampoco pudiera extraer de la imaginación un mundo tan fantasmagórico y realista a un tiempo, sino

---

[2]   Tampoco a Lastanosa, íntimo amigo de Gracián, tan afín a él en gustos,
le complacía la Corte. En 1676 le escribe al conde de San Clemente: "Volví
de la Corte deseoso de dar cuenta a V. S. de los empleos que en ella he tenido,
que sin ocuparme en oir quejas, advertir preñeces, abortos monstruosos, discursos políticos y pasquines desvergonzados, me acogí a platicar con los hombres virtuosos". Vid. Arco, *op. cit.*, pág. 301.

del mundo mismo, y en sus núcleos y manifestaciones más turbulentos.

A pesar de la buena acogida que debieron dispensarle las gentes selectas, de sus triunfos como predicador, repele la Corte. No habla como fracasado, como un hombre en derrota, aunque Critilo, él mismo, "salió de Madrid como se suele, pobre, engañado, arrepentido y melancólico" [3]. En todo este desengaño, arrepentimiento y melancolía, no hemos de ver sino repugnancia ética, pura antinomia entre su carácter entero e indomeñable y la capciosa venalidad cortesana.

Desde allí, desde aquel maremagnum que le conturba y desorienta e irrita, le escribe el 28 de abril de 1640, a su amigo Lastanosa, al que imagina divagando por los salones de su palacio o las avenidas de sus jardines primaverales: "Me volvería con mucho gusto al estudio de Vm.; todo es embeleco, mentiras, gente soberbia y vana, que les parece no hay hombres ni mundo sino ellos...".

No, no es la Corte su ambiente adecuado, y allá se vuelve a sus soledades sugeridoras, al calor afectuoso de sus amigos sinceros, a sus libros y a sus ideaciones. "Lo que es centro para uno —dirá años después [4], como si quisiera justificar esta renuncia—, es para el otro destierro, y aun la gran Madrid... algunos la reconocen madrastra. ¡Oh, gran felicidad topar cada uno y distinguir su centro! No anidan bien los grajos entre las musas, ni los varones sabios se hallan entre el cortesano bullicio, ni los acuerdos en el áulico entretenimiento".

---

[3] *Criticón*, I, 12.
[4] *El Discreto*, I.

GRACIAN Y LA ORATORIA BARROCA

Podría pensarse que a pesar de su vida agitada en la Corte, de su actividad de predicador, debió gozar Gracián de esas deliciosas horas vacías que tanto precisaba para su meditación y para su escrupulosa labor intelectual. En los meses finales de 1641 debió dar los últimos toques a una especie de compendio o exposición de sus ideas sobre estética literaria, y asimismo resumen de sus predilecciones, que titula expresivamente *Arte de Ingenio* y publica Juan Sánchez, en Madrid, el año 1642, y que vuelve a editarse en Lisboa en 1659 y en Amberes en 1669.

Se trata de un volumen en 8.º menor, de unas 320 páginas, pronto olvidado, ya que el propio Gracián refundirá este libro, dándole un mayor desarrollo, hasta el punto de que el número de capítulos pasa de cincuenta a sesenta y tres a base de aumentar el número de ejemplos poéticos, de ofrecer las traducciones castellanas de los epigramas de Marcial llevadas a cabo por el Canónigo Salinas, y al cual da el título definitivo de *Agudeza y Arte de Ingenio,* que en la edición de Huesca (Juan Nogués, 1648), constituye un volumen en 4.º, de 384 páginas, más 6 folios sin numerar.

Con todo, lo esencial del libro aparece ya, condensado, en la primera versión, que no ha vuelto a editarse. En ella se trasluce toda la sabiduría humanística de Gracián, acaso su experiencia de profesor de poesía y retórica en los colegios de la Orden, su gusto por la expresión complicada y difícil, acrecentadas luego por sus amplísimas lecturas de toda índole, especialmente las obras de los escritores barrocos de la generación anterior o coetáneos. Sin pretenderlo quizá,

Gracián ha codificado en este tratado de retórica los gustos y tendencias literarias predominantes en su época.

La Compañía había implantado en 1599 su *Ratio studiorum,* su plan de estudios, inspirada de cerca, para lo propiamente literario, en las doctrinas poéticas, filosóficas y retóricas de Aristóteles, Horacio, Cicerón y Quintiliano, que ha de dejar una huella muy manifiesta en la formación de sus educandos, y de modo especial en aquellos que, como Gracián, se hallaban especialmente dotados para el cultivo de las letras humanas. Si a ello se añaden las tendencias barrocas en boga, tan contagiosas, que se habían filtrado no sólo en los varios aspectos de la creación puramente literaria, sino también en la historia, en los tratados políticos, en la oratoria religiosa y, en general, en todas las artes, parece natural que las nuevas promociones de escritores y predicadores jesuítas se expresaran con un lenguaje florido y artificioso.

Por lo que se refiere concretamente a la oratoria sagrada, no hacía falta echar demasiada leña al fuego, por cuanto en el propio siglo XVI se había anticipado a usar y abusar de una retórica recargada, que, en muchos aspectos, podría asimilarse a la que, un siglo después, ponen en boga los predicadores barrocos. Resultan muy expresivos, aunque sean breves en relación con la amplitud de su obra, los testimonios que nos ofrece Fr. Luis de Granada, orador ciceroniano, de noble estilo rodio, en su *Retórica eclesiástica,* que se publica inicialmente en latín en 1576[1]. En ellos se censura la reiteración de sinónimos, en lo que parece apuntar al estilo de Fr. Antonio de Guevara:

> ... Cuánto se engañan los que piensan ser la elocuencia un tumultuario amontonamiento de vocablos sinónimos, y un afectado gracejo y donaire de hablar... (Libr. II, cap. I, 1).
>
> Otros por el contrario... dan en el vicio de expresar una misma cosa con muchas voces, que significan lo propio... lo que sirve más a la ostentación que al provecho (Libr. II, cap. X, 14).

Ataca, asimismo, la vana palabrería y la inmoderada exhibición de sabiduría, oscura y complicada más que profunda:

---

[1] *Retoricae Ecclesiasticae, sive de ratione concionandi,* Lisboa, Lázaro Rivero, 1576; en 4.º

Hay también en algunos una hojarasca de voces huecas; los cuales,
queriendo apartarse del uso común de hablar, agradados de ciertos fantásticos relumbrones, cargan de una copiosa locuacidad todo cuanto
quieren decir. (Libr. V, cap. III, 5.)

... cuando algunos predicadores proponen... cuestiones recónditas y
difíciles... para hacer con esto alarde de ingenio... (Libr. V, cap. III, 9.)

Más extrañas resultan las alusiones que hace del uso abusivo
del lenguaje metafórico y artificioso, en lo que parece adelantarse
un siglo:

Pero así como el moderado y oportuno uso de las metáforas, her-
mosea la oración, así el frecuente la obscurece o la hace fastidiosa,
y el continuo para en alegoría o enigma. (Libr. V, cap. VI, 8.)

Insiste en que las metáforas se usen con prudencia y moderación,

de manera que no sea demasiado frecuente la metáfora, ni tampoco
dura u obscura... Ni tampoco se alargue mucho, como hacen muchos,
que, una vez tomada la metáfora, no saben apartarse de ella. (Libr. VI,
cap. XII, 9).

Así amonesto a que se eviten... todos los vocablos inusitados y que
muestran alguna sospecha de artificio. (Libro VI, capítulo XII. 18.) [2]

También es significativo el texto de Bartolomé Jiménez Pa-
tón [3], que puede referirse a los últimos años del quinientos:

... ciertos caballeros, más amigos de chocarrerías que de doctrina
devota, en sabiendo cuando predicaba uno de los de este jaez, hacían
llevar con cuidado sillas, diciendo que no había comedia más barata
ni truhán Velasquillo más de balde.

Así, pues, podemos ver a través de estas censuras coetáneas
cómo a partir de la segunda mitad del xvi se manifestaba ya en la
oratoria sagrada una tendencia evidente al recargamiento y al ador-

---

[2]   Citamos por la traducción mandada hacer en el siglo xviii por el Obispo
de Barcelona D. José Climent, publicada en BAE, con el título de *Retórica
eclesiástica*.
[3]   *La Eloquencia Española en Arte* (Toledo, 1604), libr. 4, cap. 2, cit. por
el P. OLMEDO, *Decadencia de la oratoria sagrada en el siglo XVIII*, en *R y F*,
1916, XLVI, pág. 503.

no abusivos, a la ingeniosidad y a la fácil erudición, más divertidas y profanas que edificantes, características de estilo que han de amplificarse hasta límites increíbles en los oradores del siglo siguiente.

La *Ratio Studiorum,* implantada por la Compañía, que tanto se pliega a las novedades culturales de cada época, va a servir de acicate y de estímulo para que los oradores prediquen a la moda del tiempo.

Stinglhamber, que estudia incidentalmente esta influencia en los jóvenes predicadores jesuítas, nos dirá que "c'est surtout sous le généralat du P. Mucius Vitelleschi (1615-1646), quinze ans après la publication du Ratio Studiorum, qu'on peut constater parmi les jeunes gens de la Compagnie le goût du phébus et de la prédication en style maniéré ou, comme on disait alors, le travers de *darse a los conceptos"* [4].

El P. Vitelleschi, alarmado ante el peligro de esta artificiosa y vana elocuencia, trata de evitarlo a toda costa y a este fin escribe reiteradamente a los Provinciales. En la Carta que dirige al Padre Continente, provincial de Aragón (9 junio 1623), conmina duramente a quienes se entreguen a tales extremos oratorios:

> Dizenme que agora ay algunos que pareçe se suben al pulpito a hazer ostentación de su lengua e ingenio, y que sus sermones se endereçan a este fin y no a mover las voluntades de los oyentes a que aborrescan y huyan de los viçios... El principal remedio de falta tan perjudiçial depende de los superiores, los quales deben advertirla seriamente a qualquiera de sus súbditos en quien se hallare, y, si esto no bastare, darle muy buena penitencia, y, si fuera menester, quítenle del ministerio de predicador, pues no lo haze como se debe [5].

Al P. Crispín López, en 1 de mayo de 1630, le dice:

> Repárese que los hermanos estudiantes, quando predican en el refitorio, usan de un estilo y modo de deçir estraordinario, con frases poéticas y con muy poco fruto [6].

---

[4] Stinglhamber, L[ouis], *Baltasar Gracián et la Compagnie de Jésus,* en *HR,* 1954, XXII, 195-207, pág. 198.
[5] Astrain, Antonio, *Historia de la Compañía de Jesús en la Asistencia de España.* Madrid, t. IV, 1916, pág. 111.
[6] Cit. por P. Batllori, *Gracián y el barroco.*

Insistirá en el tema en la que remite al Provincial de Toledo en 1631:

> Le encargo mucho el remedio de la falta que se nota en no pocos de nuestros predicadores, que no predican con el espíritu y fervor y santo celo que deben, sino que todo se les va en conceptos agudos, y no pocos dellos muy extravagantes, dichos con un estilo y palabras tan afectadas, que la mayor parte del auditorio no las entiende... Escríbenme que los Hermanos predican con el lenguaje oscuro y afectado que he dicho, y son aplaudidos de no pocos de los nuestros, como se vió en Madrid... [7].

De poco debieron servir tales admoniciones, cuando vemos que significados miembros de la Compañía, como el P. Jaime Albert, que en 1633 es nada menos que Rector de Gandía, el gran colegio de la Orden, había publicado por estas fechas uno de sus sermones con el título —tan ajustado a la tendencia en boga— *Circuncisión de comedias* (Lérida, 1629).

Desde los púlpitos de la Corte, donde predicaba Fr. Hortensio de Paravicino y Arteaga —acaso con el afán de agradar [8] más que con el propósito de conmover—, haciendo uso de una verdadera pirotecnia barroca, hasta el último templo parroquial, y de modo más intenso en seminarios y noviciados, por ser los jóvenes más dados a novedades, y muy especialmente en los Colegios de la Compañía —adiestrados en la elocución artificiosa, como en ninguna otra Orden, por la *Ratio Studiorum*—, el conceptismo, el culteranismo, ya por separado o fundidos, se habían generalizado en la sagrada cátedra hasta extremos desmesurados.

La reacción no habría de hacerse esperar. La artificiosa elocuencia de Paravicino, sobrecargada de ornamento y floripondios, oscura a veces y difícil siempre, inadecuada para los fines espirituales que se proponía, tenía que concitar, como en el caso de Góngora, corifeo del culteranismo, las más encendidas diatribas, así

---

[7]   ASTRAIN, *op. cit.*, pág. 111.

[8]   El propio Paravicino declarará: "por nuestra desgracia han llegado los sermones a la necesidad misma de agrado que las comedias". (*Oraciones Evangélicas y Discursos Panegyricos y Morales*, Madrid, Ibarra, 1766). Vid. EMILIO ALARCOS, *Los sermones de Paravicino*, en *RFE*, 1937, XXIV, 162-197, 249-319.

como las más entusiastas adhesiones y la más ciega sumisión a su estilo, que influye decisivamente en la oratoria sagrada, no sólo en la de su tiempo y de su siglo, sino también en la de la primera mitad del siglo XVIII.

Entre las primeras, quizá la más apasionada, referida no sólo a la oratoria, sino al cultismo en general, sea la que Fr. Diego Niseno estampa al frente de sus *Asuntos Predicables para los tres días de la Cuaresma* [9], que vale la pena de citar en toda su amplitud:

> ... porque ahora corre una lengua castellana intrusa, a quien ciertos comuneros del decir llaman culta... Y así yo digo que va en la lengua que hablo y de que me precio, y no de ese monstruo de tantas cabezas, como de voces impropias, entrincadas y advenedizas que tiene... Porque si yo pretendo que me entiendan, ¿cómo saldré con mi intento hablando culto? Porque *culto* y *oculto* todo es uno. Porque esta es lengua que los que la hablan pienso que no la entienden, como algunos malos escribanos que no aciertan a leer lo mesmo que han escrito... Por eso el otro para decir que una noche era *muy escura,* decía que era *muy culta,* y llegando a pedir dos paños de diferentes colores, uno claro y otro oscuro, pidió *azul castellano* y *verde culto,* esto es, *azul claro* y *verde escuro.*

El P. Bautista de La-Nuza, en sus *Homilías sobre los Evangelios,* cuya "segunda impresión" se publica en Barcelona, 1633, el mismo año en que muere Paravicino, se referirá a aquellos

> que hablaban con frases subidas de punto, palabras nunca oídas, retruécanos engarzados y en un lenguaje... que está todo puesto en correspondencia de las primeras palabras con las postreras y en hablar de manera que con la corriente y trabazón artificiosa o afectada menos se entienda lo que quiere decir.

A su vez, el Licenciado Francisco Cascales [10], que ya había arremetido contra las *Soledades* gongorinas, se revuelve contra los predicadores al uso, diciendo que "lenguaje crítico y culto es lenguaje intrincado y obscuro, ambagioso y enigmático, de manera que el

---

[9] Madrid, Diego Flamenco, 1627. "Al discreto lector".
[10] *Al licenciado Andrés de Salvatierra. Epístola VI. Sobre el lenguaje que se requiere en el púlpito entre los predicadores,* 1634. En BAE, LXII, página 532.

concepto y pensamiento del predicador no viene a ser entendido".

El propio Lope de Vega, a pesar de su amistad con Paravicino, al que tributa grandes elogios [11], no podrá por menos de intervenir en la cuestión con un virulento soneto, "Contra los que predican en culto" [12], en el que aprovechará la ocasión para zaherir a su gran enemigo:

> ¡Oh, palabra de Dios, cuanta ventaja
> hicieron con sus puras elocuencias
> Herreras, Delgadillos y Florencias
> a la cultura que tu nombre ultraja!
>
> Ya no eres fuego que del cielo baja,
> mas hielo a nuestras almas y conciencias,
> después que metafóricas violencias
> te venden como nieve envuelta en paja.
>
> ¿Quien dijera que Góngora y Elías
> al púlpito subieran como hermanos
> y predicaran bárbaras poesías?
>
> ¡Dejad, oh padres, los conceptos vanos!
> Que Dios no ha menester filaterías,
> sino celo en la voz, fuego en las manos.

Es significativo también el ataque contra la expresión barroca en el púlpito del P. Juan Rodríguez [13] en *Súmulas de Documentos de la Predicación Evangélica* (Sevilla, 1641):

> Este lugar del Apóstol, *Recte tractantes verbum Dei,* nos avisa que huyamos de vestir la divina palabra de un traje muy vano y lenguaje culto con que algunos la visten en estos tiempos míseros, tanto por este abuso cuanto por otras culpas, que necesitamos un vocabulario particular de la lengua nueva que han inventado.

De poco debieron servir las críticas y admoniciones de los contemporáneos, entre las que hemos escogido unas muestras. Que la moda de la predicación barroca persistía bastantes años después entre los miembros de la Compañía, por ejemplo, lo indica a las

---

11 Vid. Alarcos, *op. cit.*, pág. 178 y s.
12 En BAE, XXXVIII, pág. 394.
13 Cit. por Miguel Herrero, *Sermonario clásico,* Madrid, 1942, pág. XII.

claras la reconvención que el Padre General Goswin Nickel dirige al Provincial de Aragón, P. Piquer, en 20 de mayo de 1657:

> ... de los Hermanos, cuando les hacen predicar en refitorio, dicen que les avisan mucho antes, dándoles más tiempo del que se acostumbra para aparejar el sermón, con dispendio de los estudios. V. R. dé orden que no se altere el estilo que siempre ha habido, conforme a la regla 54 del Retor; y atienda a que no usen de lenguaje extraordinario y que huela a vanidad o poco espíritu; y esto lo digo también por nuestros predicadores, y porque hay quien avisa que algunos necesitan de ser avisados y corregidos en esta parte... [14].

De nada valen órdenes de los superiores de la Compañía, ni cartas pastorales de Arzobispos y Obispos ni críticas acerbas contra la vanagloria y el derroche expresivo de la oratoria en boga, en un estilo barroco de similor, que sólo es vencida, como los libros de caballerías, con las armas del ridículo, al hallar su justa repulsa un siglo después en la novela paródica del P. Isla, precisamente jesuíta.

Gracián ha de ser, inevitablemente, un hijo de su tiempo. Si a su profundo conocimiento de las letras humanas y divinas, encauzado por el riguroso plan de estudios latinistas —de los que se enorgullece en su carta a Salinas— que regía en los colegios de la Orden, se añade un desmesurado afán de originalidad, un auténtico *furor ingenii,* acuciados por las tendencias literarias de la época, pero que podríamos considerar connaturales en él, especie de segunda naturaleza que constituía su propia personalidad, el fruto lógico, la culminación de estos conocimientos y estudios y de su singular temperamento habría de ser el *Arte de ingenio,* expresión, cuando menos, de sus ideas y gustos iniciales, juveniles, que han de predominar en él hasta el declive de su vida intelectual [15].

---

[14] COSTER, *Baltasar Gracián,* Apéndice III, carta XXII.

[15] El P. BATLLORI, *op. cit.,* estudia estas influencias en el capítulo *La barroquización de la "Ratio Studiorum" en la mente y en las obras de Gracián,* págs. 101-106, donde ofrece una razón convincente de la adecuación de la *Agudeza* al espíritu que informaba la enseñanza literaria de los colegios de la Compañía: "Y que no se consideró entonces contraria a las tendencias clasicistas de la *Ratio,* se deduce del hecho de haber sido la *Agudeza* una de las poquísimas obras que Gracián sometió, sin temor, a la previa censura de su Orden, que la aprobó con loa y encomio" (pág. 105).

En *Agudeza y Arte de Ingenio,* por lo que a la oratoria se refiere, sus gustos están representados en los vivos elogios que hace
a la elocución artificiosa de los poetas conceptistas como Horozco,
Ledesma o Bonilla; al arte complicado de Carrillo y Sotomayor o
Góngora, al que alude sesenta y seis veces, aunque se refiera a sus
obras ingeniosas con marcada preferencia a sus poemas culteranos;
en su entusiasmo por la retórica complicada de su hermano el Padre Felipe Gracián, y, sobre todo, en su pasión por Paravicino, al
que elogia reiteradamente, aunque reconozca que "es más admirable que imitable" [16], como culto, aliñado o ingenioso. Por más que
sean abundantísimos los laudatorios juicios que hace de otros escritores y oradores que cultivan un arte depurado de frondas super-
fluas —indicio de un espíritu superior, equilibrado y ecléctico—,
Gracián no puede liberarse del influjo de su época, de su propio
temperamento, de su irónica y satírica genialidad, y así son también innumerables las alabanzas que tributa a este o aquel orador
o poeta, autores de emblemas o anécdotas, tratadistas políticos o
biógrafos, en tanto son agudos, sutiles, ingeniosos, conceptuosos,
bizarros o cultos.

De lo que debió significar su oratoria, pueden ser indicios su
popularidad en Madrid; el propio recurso, efectista y original, que
pretendió utilizar en Valencia, al anunciar para el siguiente día
la lectura de una carta llegada del infierno, y, tal vez, las meditaciones de *El Comulgatorio,* que pudieran considerarse, ya coordi-
nadas, y con más sosegada y serena concinidad, fragmentos de sus
sermones y pláticas.

El *Arte de Ingenio* se publica en 1642. Su refundición, ampliada,
convertido en *Agudeza y Arte de ingenio,* en 1648. Pero, a comienzos de 1655, el incidente de Valencia, que tuvo tan dolorosas
consecuencias en su vida, debió actuar de revulsivo en su ingenuo
entusiasmo. Se produce a partir de entonces una manifiesta reacción en su espíritu. Ya no le atraerá el arte de la palabra por sí
mismo, sino que buscará su dimensión profunda, aguda o sarcástica. En 1651, al frente de *El Criticón,* se referirá a "su más sutil
que provechosa *Arte de Ingenio*", y en 1657, en la Tercera Parte,

---

[16]   *Agudeza,* LXII.

al declinar su vida, como si al igual que el Ingenioso Hidalgo en
la hora de la verdad volviese a la razón, repudiará el vano floripondio, las pueriles sutilezas de la oratoria al uso:

> Lo mismo que en la Cátedra sucedía en el púlpito, con notable va-
> riedad, que en el breve rato que se asomaron a ver la rueda, notaron
> una docena de varios modos de orar. Dejaron la sustancial ponderación
> del Sagrado Texto, y dieron en alegorías frías, metáforas cansadas,
> haciendo soles y águilas los Santos, mares las virtudes, teniendo toda
> una hora ocupado el auditorio, pensando en una ave o una flor. Deja-
> ron esto y dieron en descripciones y pinturillas; llegó a estar muy
> válida la humanidad [las humanidades], mezclando lo sagrado con lo
> profano, y comenzaba el otro afectado su sermón por un lugar de
> Séneca, como si no hubiera San Pablo; ya con trazas, ya sin ella; ya
> discursos atados, ya desatados; ya uniendo, ya postillando; ya echán-
> dolo todo en frasecillas y modillos de decir, rascando la picazón de las
> orejas de cuatro impertinentillos bachilleres, dejando la sólida y sus-
> tancial doctrina, y aquel verdadero modo de predicar del Boca de Oro,
> y de la Ambrosía dulcísima y del néctar provechoso del gran prelado
> de Milán [17].

Es la trayectoria lógica de un espíritu señero, equilibrado, contenido, para quien contaba más lo trascendente de las ideas que la
complacencia de las formas, aunque esta evolución natural aparezca
contradicha por otros dos significativos escritores barrocos, Góngora y Calderón, monstruos del intelectualismo, que en sus años de
madurez intensifican su expresión complicada, de oscuro ornamento, hasta el límite de lo difícil y abstracto.

[17] *Criticón,* III, 10.

SU ENCENDIDO PATRIOTISMO

Por cartas suyas, fechadas en Zaragoza, sabemos que se hallaba en esta ciudad en los primeros meses de 1642. Consta también que en mayo de dicho año asiste como profeso a la Congregación provincial que la Compañía celebra en Zaragoza por entonces. Son los años tristes de la sublevación de Cataluña, que, ya sea por abandono de los débiles Gobiernos, descuidados de los problemas y afanes peculiares de esta región, o por un cierto espíritu individualista latente en los catalanes, se proclama república independiente, bajo el protectorado de Francia, a cuyo suceso sigue la sublevación de Portugal.

La unidad hispánica, lograda a costa de tantos esfuerzos inteligentes, se quiebra por estos años en pedazos. Una España enteriza era un peligro para Francia, y había que desmenuzarla y partirla en voluntades y pueblos diferentes. Del mismo modo que al león es más fácil vencerle con astucia que de frente, se consigue debilitar la fuerza española con una guerra interna y fratricida. Ya no son los enemigos exteriores los que nos acosan, sino que el enemigo ha penetrado en nuestra propia casa y se vale para vencernos de los mismos españoles descontentos.

Gracián, desde Aragón, tierra leal, "la buena España", como él dirá en una ocasión, recordando el dicho de los extranjeros [1], contempla desde cerca con indecible emoción e interés la secesión catalana. En sus escasas cartas que de esta época nos quedan, a vuelta de rasgos de humor —escasos en él, tan dado al amargo subterfugio de la ironía—, nos relata doloridamente los hechos que acontecen en

---

[1] *Criticón,* II, 1.

Cataluña. Se manifiesta en ellas su vivísima preocupación por los temas de la guerra que se está desarrollando, que tanto significa e importa para el bienestar y la grandeza de España. Su información es veraz y certera y pintoresca como la de un embajador veneciano que no pudiese disimular su exaltado patriotismo. Nos cuenta cómo los religiosos catalanes vienen a refugiarse a Zaragoza, y cómo se rindió a los franceses el castillo de Monzón, considerado inexpugnable, por falta de agua para resistir el asedio. "¡Quién se lo dijera al rey don Jaime de Aragón o al rey Católico don Fernando!", exclamará, evocando los grandes ejemplos pasados. El enemigo va arrasando los lugares que encuentra a su paso. Los vecinos de Monzón, aragoneses, antes que rendir pleitesía al rey intruso de Francia, prefieren morir pidiendo limosna como vasallos de su señor legítimo. Las gentes de Cataluña y de las ciudades aragonesas fronterizas huyen al interior en busca de amparo. Gracián, a través de referencias directas, en suelto y natural estilo, va describiéndonos un atroz cuadro de guerra.

Y luego, en otra carta, pasa a relatar y enumerar, con minuciosa descripción de cronista oficial, el fasto y boato de la entrada de Felipe IV y su cortejo en Zaragoza. No se le escapa detalle de las prendas que visten el rey y los cortesanos, del lugar que ocupa cada uno en el desfile, hasta del color de los caballos o de las plumas de los sombreros o el valor aproximado de las carrozas. No podemos pensar que el jesuíta contemplase el desfile con el ingenuo asombro del vulgo, sino que, por el contrario —si esto fuese posible en una época en que el principio monárquico era intangible, aunque la monarquía pecase de los máximos errores—, sentiría viva irritación larvada ante tal parada brillante y fastuosa, absolutamente inútil. ¡Cómo recordaría a aquellos reyes sencillos y combatientes, cuyos nombres tan insistentemente se le venían a la memoria!

Que al menos sentía profundo desdén nos lo muestra la brusca transición que en su carta hace para pasar a referirse a la guerra, que es, no esta graciosa exhibición de Su Majestad y sus lindos cortesanos por las calles de la ciudad, sino la cuestión palpitante, candente, lo auténtico y perentorio, que le obsesiona. Ahí está Perpignan en estado de sitio, que el francés quiere rendir por hambre, porque la entrega significa la pérdida del Rosellón. Llevar auxilio a esta plaza es ardua cuestión, y aquí tenemos a Gracián, teorizante del heroísmo, siempre concentrado en sus propios pensamientos o sumergido en el brumoso recuerdo de la historia, en el mundo ideal de los libros, que se plantea, como un estratega práctico y realista, el dificultoso problema de ayudar a estos españoles sitiados que defienden con honor la plaza de Perpignan. Hay varios modos de lograrlo: "el camino de tierra que es el mejor, está cortado de partes en partes; estacadas de punta para mancar los caballos; en tres partes trincheras y artillería. Todos dicen es una cosa muy dificultosa. El otro, que es por Urgel y Puigcerdá, es malísimo. El de mar no lo está menos, porque el armada enemiga, aunque quedó muy mal parada y peor que la nuestra, está en Barcelona al paso".

Calcula nuestras probabilidades con sumo cuidado. La flota está reparándose en Mahón. Han llegado veintiocho galeras de Italia. Los franceses no tienen sino dieciséis. España reúne un total de cuarenta, "pero para la caballería que es menester llevar, no bastan". Incluso da la nota precisa: "Los galeones no tienen viento estos meses", para terminar diciendo en consecuencia: "Así que milagrosamente ha de ser este socorro y a puro valor y oraciones".

Su corazón se llena de amargura ante los tristes acontecimientos que destrozan su patria. Todo lo fía ya al puro valor de los soldados y a la intercesión providencial, sus dos grandes esperanzas, ya que renuncia a confiar en las dotes de gobernante que puedan poseer aquellos cortesanos de alfeñique que ha visto desfilar con tanto rumbo. Nos imaginamos a Gracián, en esta época, unas veces en oración, pidiéndole a Dios que salve a España, y otras, al tener noticia de algún desastre, lleno de coraje e ímpetu, deseando en lo más íntimo de su corazón ser un guerrero más frente al enemigo.

Que el P. Gracián no era un pusilánime, que era todo un hombre, con vocación de combatiente, enardecido de valor, nos lo demostrará el hecho de que, cuando es más viva la guerra de Cataluña, a mediados del año 1642, aparece en Tarragona, no ya como simple jesuíta, sino como Vicerrector de su colegio, y en realidad Rector interino ("superior entonces de nuestra casa", se dice en un documento del

P. Martín Pérez) [2], y por ello con toda la responsabilidad que esto significa en días de tal turbulencia y en una ciudad situada en la misma línea de fuego. No solamente no rehuye el peligro, sino que se aproxima a él y va a su encuentro. Meses después de su llegada podrá decir: "Aquí no estamos sitiados, pero en vigilia". En septiembre de 1643 el ataque se produce, pero las gentes de Tarragona saludan al francés con toda su artillería, mientras que la caballería sale a campo abierto. El enemigo se retira, dejando guantes bordados por el suelo, lo que hace suponer que fué herida gente principal. Aunque se exprese con gran objetividad, y pase a hablar que en Barcelona va muy caro el trigo, que los catalanes no andan muy conformes con los franceses, o de un fenómeno meteorológico, que pudo observar estando en la huerta con los demás Padres, de una estrella tan resplandeciente, "con cuya luz vieron en tierra hasta las menudas hierbecitas", vésele orgulloso de este triunfo militar.

No pudo tomar parte activa en él, porque según nos informa la carta Annua de la casa de Tarragona, correspondiente a 1644, firmada ya por su sucesor, el P. Cererols [3], Gracián pasó una grave enfermedad "al tiempo del sitio", pero a él se debió sin duda la admirable y organizada actividad y celo desplegados por los jesuítas en lo espiritual, acudiendo en todo momento a asistir a los soldados en las propias trincheras, en los momentos de mayor peligro, y aun en lo temporal, llevando a cabo los más humildes menesteres de enfermeros en el hospital.

Las cartas de estos años no poseen ciertamente un gran valor literario, pero tienen en cambio una alta calidad expresiva, porque nos muestran el encendido patriotismo de un Gracián vitalísimo, hombre de carne y hueso, desdoblado en hábil observador, en insinuante diplomático, en político realista, en preocupado estratega. No es un espíritu de gabinete, ajeno a lo humano, recluído en estéril intelectualismo, sino un hombre entero, realista, objetivo, con hondas raíces en su tierra nativa, en su patria hispánica, plantado frente a la vida y a sus problemas, que exigen resolución inmediata, y ante los cuales no desdeña el proponer soluciones.

---

[2] Vid. P. Batllori, *op. cit., Documentos,* 25.
[3] *Ibid.*

Lo que no impide que, siempre fiel a la amistad, se consagre, asimismo, en la vieja Tarraco, donde cada piedra y cada monumento es un vivo recuerdo de la antigua cultura de Roma, a recoger cuantas monedas considera interesantes para remitirlas como delicado presente a su amigo Lastanosa [4], que en su *Museo de las medallas desconocidas* se referirá repetidas veces a estos preciosos obsequios.

Y así dará a Dios lo que es de Dios, y a España, a su preocupación española, y al arte y a la inteligencia, su vida partida por gala en dos vertientes.

---

[4] "Cuando esto se escribía [1643], envió a don Vincencio Juan de Lastanosa el Padre Baltasar Gracián, de la compañía de Jesús, Rector que fué del Colegio de Tarragona, conocido por el *Arte de Ingenio* y por otras doctas fatigas, tres suelos de vasos rojos, con algunas medallas que se hallaron en aquella ciudad", dirá el cronista JUAN FRANCISCO ANDRÉS DE UZTARROZ en su *Monumento de los Santos Mártires Justo y Pastor,* Huesca, Nogués, 1644, fol. 243.

AÑOS DE VALENCIA

En el año 1644, Gracián pasa a Valencia, quizá para convalecer y descansar después de su grave enfermedad de Tarragona. Lo sabemos por una carta suya, fechada a 21 de diciembre, la única que se conserva de su estancia en la ciudad levantina. En ella discurre con sosiego de sus aficiones favoritas: los libros, la arqueología. Por ver la biblioteca del Hospital, por contemplar las ruinas de Sagunto, en Murviedro, valía la pena de que su gran amigo, el doctor Francisco Andrés de Uztarroz, a quien va dirigida, se diese una vuelta por allí. Por donde va, Gracián ha de recordar a sus excelentes amigos, y así con esta carta le remite otra para Lastanosa, al que no olvida nunca, para el que sigue en búsqueda paciente de monedas y sellos anulares, tan contento y feliz a cada nuevo hallazgo como si él mismo fuese el coleccionista.

Pero esta existencia tranquila, que se desarrolla serenamente entre sus obligaciones eclesiásticas y sus aficiones intelectuales, se habrá de interrumpir por un hecho de inesperadas consecuencias, que a la larga ha de ser funesto y decisivo en su vida. No tenemos referencias directas de lo acontecido a través del propio Gracián, sino por un libro que contra él se publica.

Durante su estancia en Valencia debió consagrar gran parte de su actividad a la predicación, con la que tanto éxito había obtenido en la Corte. Parece ser que en cierta ocasión quiso atraer a su auditorio, anunciándole que en su próximo sermón abriría una carta recibida del Infierno.

Pero lo que no pretendía ser otra cosa que un ingenioso exordio, muy acorde con el gusto que privaba en la oratoria religiosa de la

época —como hemos visto—, dió lugar a que el jesuíta fuese amo-
nestado por los Censores a que se retractase públicamente de tal
invención [1].

Mucho debió doler al P. Gracián —tan puro y tan entero— que
su ingenuo recurso oratorio fuese torcidamente interpretado, y que
se le obligase a desdecirse. Debió aceptar con dolida resignación su
absurdo fracaso, pero, atribuyendo quizá el origen del incidente a
émulos valencianos que le estimasen en poco, inicia desde su próxima
obra, *El Criticón,* una serie de ataques, no contra ellos mismos, que
conocería muy bien, sino contra Valencia y contra todo lo que oliese
a valenciano. La sátira de Gracián, que no perdona el vicio donde lo
halla, destaca también los más mínimos defectos de Valencia y de
sus gentes. Su animosidad se manifiesta en toda ocasión, aunque su
nobleza le obligue a hacer las necesarias salvedades: "Agradábale
mucho la alegre, florida y noble Valencia, llena de todo lo que no es
substancia" [2]. Del carácter terco y porfiador de los valencianos, dirá:
"*Si uno no quiere, dos no barajan.* Esto no tiene lugar en Valencia,
porque allí, aunque uno no quiera empeñarse, le obligan y ha de
porfiar, aunque reviente de cuerdo" [3].

La reacción de los valencianos no se hizo esperar. La última parte
de *El Criticón* ve la luz en 1657. Al año siguiente se publica en
Valencia un libro titulado *Crítica de reflección y censura de las cen-
suras. Fantasía apologética y moral, escrita por el dotor Sancho
Terzón y Muela, professor de Mathemáticas en la villa de Altura.
En Valencia, por Bernardo Nogués, junto al molino de Rovella.
Año 1658.* Se trata de una obra de difícil hallazgo, de la cual existe
un ejemplar en la Biblioteca de la Real Academia de la Historia.

El injusto ataque, que responde con verdadera saña a las alegres
alusiones o ingeniosas punzadas que Gracián da a los de su región,
fué tardío, pues se publica el mismo año en que muere el gran escritor. Quizá amargó sus últimos momentos, ya que muere el 6 de
diciembre, aunque no tengamos noticia alguna de que llegase a conocerlo.

_____

[1] "Lo supieron los censores y mandaron que en público confesases el embeleco". *Crítica de reflección.* Valencia, 1658.

[2] *Criticón,* I, 10.

[3] *Ibid.,* III, 6.

Era evidente que la obra se publicaba por alguien encubierto con un seudónimo. ¿Quién era su verdadero autor? ¿Quiénes andaban por medio o eran los inductores?

La Compañía, dolida todavía por la rebeldía del escritor, puesta en evidencia por elementos malévolos ajenos a ella, que la acuciaban al castigo, se apresura a aclararlo, no tanto por salir en defensa de uno de los suyos, que tanto la honraba, como porque en ella se atacaba asimismo a Lastanosa, un poderoso magnate con el que no era conveniente enfrentarse, y porque en un principio se supuso que el autor de la *Crítica de reflección* fuese un hermano en religión, el P. Paulo de Rajas, Prepósito de la casa que los jesuítas tenían en Valencia.

Que fuese su posible autor nos lo mostraría el hecho de que manejase con soltura la expresión literaria, como nos lo prueba el delicado soneto que Gracián había elogiado y reproducido en su *Agudeza,* y tantas otras obras suyas en castellano o latín, y también su exaltado amor a Valencia. El General de la Compañía, Goswin Nickel, escribe el 24 de marzo de 1656 al Provincial de Aragón, P. Piquer:

> ... También reparan algunos que el P. Prepósito es muy desigual con sus súbditos, y favorece en demasía a los valencianos y muestra hacer poco caso de los de Aragón, y de estas cosas refieren casos singulares...

La correspondencia sostenida por el General de la Compañía P. Vitelleschi con el P. Provincial, nos da luces evidentes. En 26 de julio de 1659, le dice:

> ... Lo que yo escribí a V. R. cerca de la respuesta que había salido al *Criticón* del P. Gracián, lo avisaron diversas personas, diciendo que el autor era el P. Paulo de Rajas, y no don Lorenzo Matheu, Juez de la Audiencia civil de Valencia, y lo colegían, no sólo del estilo, sino de otras circunstancias y principios que tenían para decirlo. V. R. no me dice que haya hecho diligencia ninguna para averiguarlo, y se contenta con escribir que es público en Valencia, que dicho don Lorenzo es el autor, y que puso su nombre en anagrama, y que no lo niega...

Es decir, que en un comienzo se supuso autor de este durísimo ataque contra Gracián a un jesuíta, hombre de letras, apasionado amante de su tierra valenciana, que tan malparada quedaba en *El Criticón,* y acaso estuviesen en lo cierto quienes tal cosa sospechasen, pero iniciada la rigurosa investigación convendría que no apareciese como tal autor alguien tan allegado, y él mismo sería el primero en evitar que su nombre y su acre actitud se pusieran en evidencia, y entonces se recurriría a la pueril coartada de buscar un autor que sirviese de testaferro: Un *Lorenzo Matheu y Sanz,* que ejerce su profesión de Juez de Valencia el año en que el libro se publica, más tarde Alcalde de Casa y Corte en Madrid e individuo del Consejo de Indias y del Supremo de Aragón, del cual ninguna otra obra suya de carácter literario se conoce, a no ser la traducción que de la *Emblemata centum Regio Politica,* de Solórzano Pereyra, con el título de *Emblemas regio-políticos, distribuídos en décadas,* comienza a publicar en Valencia, el mismo año de 1658, en que ve la luz el libro contra Gracián.

En nueva carta de 16 de enero de 1660, el General ya aceptará como buena la versión que le da el Provincial de Aragón:

> ... Estoy en lo que avisa V. R. del P. Paulo de Rajas, que no fué autor del libro que se estampó contra aquel otro del *Criticón* ..

¿Podremos nosotros hacer lo mismo? La erudición latina, las menudas censuras filológicas, el continuo tuteo con que se dirige a Gracián, parecen señalar como autor indudable a este P. Rajas, al que movían su apasionamiento regionalista y, sin duda, ciertos inconfesables celos literarios por quien, tan próximo a él, había logrado con sus obras fama y renombre.

Escrito lo que antecede en la *Introducción* que figura al frente de las *Obras completas de Baltasar Gracián* (Madrid, 1944), ha dado lugar a que dos críticos autorizados en la materia discutiesen nuestras conclusiones en contra y en pro. Don Miguel Romera-Navarro, sin duda el erudito que con mayor ahinco, preparación y fruto trabajó en los temas gracianistas, publicó en *Estudios dedicados a Menéndez Pidal,* I (1950) un estudio sobre *El autor de Crítica de reflección,* que luego recogió en su libro *Estudios sobre Gracián* (Austin, "University of Texas Hispanic Studies", 1950), págs. 15-20, en el que rebatía con aparente fundamento nuestras aserciones. De esta última obra hizo una amplia recensión (en *Archivum Historicum Societatis Iesu,* Roma, XXII, 1953, 14-18, refundida en su libro *Gracián y el barroco,* Roma, 1958, págs. 117-122) el

P. Miguel Batllori, sabio jesuíta a quien se debe la aportación de importantes
noticias sobre la biografía de Gracián, el cual se inclina, más que a los juicios
de Romera-Navarro, a nuestra suposición. Sinteticemos el debate, limitados los
nombres de cada uno a sus iniciales, sustituyendo por puntos suspensivos las
palabras que no consideramos esenciales. Van en cursiva nuestras propias palabras del último párrafo, que cada uno de los contendientes examina punto por
punto, y entre corchetes algunas aclaraciones oportunas.

1. *La erudición latina.*—R.-N. dice que "en efecto el P. Rajas debía de
ser buen latinista porque... revela él mismo bastante familiaridad con los autores romanos y considerable dominio del latín en su discurso sobre *Las medallas
desconocidas españolas...* [El libro de Lastanosa (Huesca, Nogués, 1645), en el
que figura en las págs. 117-134]. Pero, preguntamos, don Lorenzo Matheu
¿no era también latinista? Este caballero... no sólo tenía el título de Doctor
en Leyes, título que presuponía el conocimiento de la lengua latina, ni sólo
fué traductor del *Emblemata centum Regio Política* de Solórzano y Pereyra...,
sino que don Lorenzo —lejos de no conocerse "ninguna obra suya de carácter
latino" [*literario,* dice nuestro texto, que aquí aparece tergiversado]— compuso
e imprimió varios en latín. De los dos, pues, el P. Rajas y don Lorenzo, éste
fué el que nos dejó más abundantes testimonios de su superior latinidad". A
esto responde el P. B.: "Cierto que Matheu habría de conocer el latín como
cualquier jurisconsulto del siglo XVII, pero en verdad ¿nos dejó más abundantes
testimonios de su superior latinidad con respecto al P. Rajas? De aquél se
citan tres obras latinas, *todas de asuntos jurídicos, no literarios* [subrayamos
nosotros] y una traducción castellana de los *Emblemata...* De Rajas se conocen nueve escritos latinos publicados y veinte inéditos, más una traducción
castellana de Tertuliano..., y nótese que por lo menos el elogio de Fernández
de Heredia, la oración "in obitu Philippi terti", y sus poemas latinos conservados en la Real Academia de la Historia, son obras primariamente literarias.
Mas este punto probaría muy poco aun en el caso de que Matheu hubiera
escrito veintinueve obras en latín y Rajas sólo tres".

2. *Las menudas censuras filológicas.*—R.-N.: "Por lo que antecede podría
juzgarse quién estaría más experimentado en filología". P. B.: "Por lo que
antecede —(repito yo, pero con signo contrario)—, podrá juzgarse quién estaría
más experimentado en filología". Ambos usaron el latín en sus obras, pero no
consta que Matheu hubiese enseñado nunca las letras humanas, y Rajas, sí,
y en varios colegios; aquél no dejó ninguna obra latina estrictamente literaria,
éste, sí".

3. *El tuteo.*—R.-N.: "Sí, el P. Rajas, más adelantado en la Compañía,
como prepósito de la Casa de Valencia, y más anciano, tutearía al P. Baltasar.
Pero ha de tenerse en cuenta que la *Crítica de reflección* está en forma de

examen académico", y a continuación explica que en la Universidad de Alcalá esta clase de actos tenía entonces mucho de vejamen, lo que respondía "al propósito general de probar, junto a la sabiduría y luces del examinando, sus dotes de carácter y su *humildad*". P. B.: "Ni Rajas tutearía a Gracián en la Compañía, dados los antiguos —y actuales— usos de España. Pero tratándose de una ficción literaria, la circunstancia de haber sido el P. ... Rajas prefecto de estudios del colegio de Zaragoza cuando Gracián estudiaba las humanidades... explicaría más la ficción del examen en la hipótesis... de una intervención del P. Rajas en la *Crítica de reflección* de Matheu y Sanz".

4. *El apasionamiento regionalista.*—R.-N.: "Lo mismo que al P. Rajas, podía mover tal apasionamiento a don Lorenzo Matheu, nacido igualmente... en Valencia. Que el P. Rajas fuese un apasionado de su región valenciana se puede conjeturar razonablemente... De que don Lorenzo lo era, ciertamente, tenemos abundantes pruebas en las seis obras que escribió sobre temas y glorias valencianas". P. B.: "El apasionamiento regionalista nos consta muchísimo más en Rajas que en Matheu. Este pudo dedicar seis obras a temas y glorias de Valencia, pero el "nacionalismo" valenciano de Rajas —en la terminología del tiempo— nos consta no sólo por la carta del P. Nickel al provincial Padre Piquer..., sino por un sinfín de cartas del General P. Vitelleschi a los provinciales y superiores [4]; más aún, Rajas era el más calificado regionalista valenciano de toda la provincia jesuítica de Aragón; y, en el aspecto cultural, si de Matheu se conservan seis obras sobre Valencia, de Rajas se conocen hasta once".

5. *Los celos literarios.*—R.-N.: "No veo el fundamento de esta conjetura, puesto que desconocemos totalmente cuál era el carácter y condición moral del P. Rajas". P. B.: "Los celos literarios de Rajas para con Gracián no constan, es verdad; pero ya no puede afirmarse que se desconozca "totalmente cuál era el carácter y condición moral del P. Rajas". Sus cualidades [5] documental-

---

[4] El P. BATLLORI hace referencia a su trabajo *La vida alternante de B. G.*, en *Gracián y el Barroco,* en el que transcribe (pág. 65, n. 39) una carta que el P. Vitelleschi escribe al P. Vidal, del colegio de Barcelona, en 1629, en la que dice del P. Rajas: "á mucho tiempo que está notado de muy naçional, y de no tan advertido como conviniera en el hablar, y juntamente dizen que se entremete demasiadamente en negoçios de personas de fuera", y otra del mismo P. General al P. Aguirre, de Zaragoza, en el mismo año, en la que se dice, entre otras cosas: "...los Padres valençianos se apassionan mucho por los sujetos y cosas de su nación...".

[5] Vuelve a referirse a su trabajo citado en el que dice (pág. 96) al hablar del P. Rajas: "...hombre de gobierno en la Compañía, poeta alabado por el propio Gracián en la *Agudeza,* escritor fecundo y publicista plurifacético: humanista, teólogo, numismático, escriturista... —era advertido frecuentemente de ser apasionado "nacional" hasta tener que alejarse de Valencia por orden del

mente conocidas, no excluyen *a priori* cierta celotipia literaria antigraciana; ni sería demasiado aventurado sospechar que las acusaciones contra la segunda parte de *El Criticón*... [partieron], si no del mismo Rajas —cosa muy posible, pero no probada—, por lo menos del grupo nacionalista valenciano, que hubo de verse retratado demasiado al vivo en *El yermo de Hipocrinda,* y sobre esto último la documentación es copiosa y concluyente...".

6. *El conocimiento personal.*—R.-N.: Pudieron conocerlo ambos. "El Padre Rajas, es verdad, con mayor motivo y ocasión". P. B.: "El conocimiento personal prueba bien poco. Gracián pudo conocer a Matheu en Valencia no sólo en 1644, sino antes ya, en 1630-31; pero no consta que lo conociese, y para explicarse la alusión de Matheu a la ruindad del aspecto exterior de Gracián, basta suponer que lo hubiera visto en alguna parte, tal vez en el púlpito de la Compañía, sin que hubiera tenido que tratarlo personalmente. En cambio Gracián conoció y trató personalmente a Rajas, tal vez antes de su ingreso en la Compañía y en las congregaciones provinciales de Valencia, 1645 y 1649 y de Zaragoza 1651". [Incluso pudiera pensarse que coincidieron en el palacio de Lastanosa múltiples veces].

7. *Otros datos sobre la verdadera paternidad de la* Crítica de reflexión.— R.-N. considera como refuerzo de su atribución de esta obra a Matheu el hecho de que aparezca citado en ella —"el Doctor Lorenço Matheu"—, el cual tiene la juvenil pedantería de incluirse a sí mismo en la lista de los célebres, aunque sin resultar del todo descarado, ya que no aparecía en la portada del libro su verdadero nombre, y que el P. Rajas sea citado también, pero ya con un adjetivo antepuesto y el nombre alterado: "el Doctísimo moderno Pablo de Rajas"; que menciona "repetidamente, con inclinada preferencia" a Solórzano y Pereyra, autor del cual Matheu traduce los *Emblemas,* cuyos dos primeros volúmenes se imprimieron en el mismo año y ciudad a costa del mismo librero que la *Crítica de reflexión;* que el P. Rajas y Lastanosa fueron amigos cordiales, que el jesuíta valenciano compone un *Discurso* para el *Museo de las medallas desconocidas* que escribe el prócer aragonés [en 1645, es decir, trece años antes que se publicase la *Crítica,* suficientes para que pudiese tornarse esta amistosa relación], el cual le cita a su vez con elogio y se refiere

Visitador, de poco edificante en su conducta, de extremada dureza en su gobierno...—". A esto último parece que se refiere la carta que el General, Padre Nickel, dirige en 1653 al Provincial, P. Alastuey, y que el P. B. da en nota: "He visto por lo que se refiere a V. R., las muchas quexas que ay del govierno poco suave del P. Prepósito de Valencia, y lo que me respondió a la carta en que con prudencia y cortesía le avisara V. R. de los reparos de su rigor. No se puede negar sino que su condición no es muy apacible". Asimismo, en la página 97, el P. B. habla del P. Rajas como "práctico ya en punto de ediciones clandestinas".

a sus obras que salieron a luz "debaxo de misteriosos Anagramas" [lo que prueba la afición del P. Rajas a las ediciones clandestinas, que practicó con frecuencia, y de las que pudo ser una más la *Crítica* contra Gracián]; que es inverosímil que el P. Rajas, amigo de Lastanosa, al que trata con tanto respeto en el *Discurso* citado, pudiese ser el autor de la injuria que se hace a *Salastano,* anagrama de Lastanosa, en las páginas 176-177. [Pudiera justificarse por resentimientos posteriores, quizá por la manifiesta preferencia que Lastanosa tuvo precisamente por otro jesuíta, Gracián, que era además poco amigo de los valencianos. En cambio, nada justifica el motivo de esta injuria en Matheu, que ni siquiera conocería a Lastanosa]; y, en fin, que el seudónimo *Sancho Terzón y Muelas* es un anagrama perfecto de Lorenzo Matheu y Sanz [como ya sabían las altas jerarquías de la Compañía]. El P. B., contra estos datos probatorios, dice que no hay "ninguno que excluya del todo una posible colaboración del P. Rajas, colaboración, además, probable, dado su carácter entrometido y polémico, su apasionado "nacionalismo" y la sospecha que de ello se tuvo inmediatamente, y tal que se creyó conveniente advertir de ello no ya al P. Provincial, sino al mismo P. General".

Este es, en síntesis, el debate a que dieron lugar nuestras conclusiones entre dos críticos de tanto relieve como son Romera-Navarro y el P. Batllori, y en el cual nos inclinamos, como muy probables y verosímiles, por las afirmaciones del último.

Con todo, hoy, al cabo de los años, el incidente de Valencia no es sino una curiosa anécdota en la biografía de Gracián, y las consecuencias que de él se derivan —reiteradas alusiones a Valencia, en *El Criticón* y publicación de la *Crítica de reflección,* como réplica a ellas— no pasan de ser una polémica literaria sin trascendencia, si bien la tuvo entonces, porque, unido a otros hechos a que nos referiremos, dió lugar a que se exteriorizase la malevolencia latente en algunas gentes que rodeaban a Gracián, hasta vencerle y dominarle, colmando de amargura sus últimos años.

GRACIAN, HEROE EL MISMO

Desde su estancia en Valencia, a partir del 21 de diciembre de 1644, y del incidente referido, que debió ocurrir por entonces, no volvemos a tener noticias del escritor hasta fines del año 1646. Debieron ser años de dolor y soledad, en los que Gracián se consagró a meditar, en el aislamiento de su celda, los "realces" de *El Discreto,* que se publica en dicho año y hacia el mes de julio o agosto, según el cálculo de Adolphe Coster [1].

Pero en este mismo año de 1646 tiene lugar un acontecimiento excepcional en su vida, que interrumpe su monótona labor de religioso, de escritor, que ilumina con viva claridad esta época de su tenue biografía.

Sus primeras obras —*El Héroe, El Político*— manifestaban su entusiasmo juvenil por los grandes hombres antiguos, a cuyas virtudes heroicas rendía culto y homenaje. Pero tanto como la persecución de una didáctica política y guerrera, parecía expresar en ellas su propio afán y vocación de grandezas, su propósito de superación, que nos lo presentan como un hombre de acción frustrado.

La coyuntura para que esta ansiedad combativa saliese al exterior se le presenta a nuestro escritor cuando el Patriarca de Valencia le escoge, con otros más, como Capellán del ejército que se formaba al mando del Marqués de Leganés, para ir en socorro de Lérida, que estaba en poder de los franceses.

Con insuperable arte de narrador militar, entreverando el relato de natural y justificado orgullo, nos cuenta el mismo Gracián el des-

---

[1] *Op. cit.,* pág. 399 y s.

arrollo de la acción en una larga carta fechada en Lérida el 24 de
noviembre de 1646, tres días después de haber tenido lugar la batalla,
que fué coronada por la victoria de las armas españolas.

Manda la tropa francesa que guarnece la plaza de Lérida el invencible conde de Harcourt, y al frente de los españoles figuran
grandes capitanes como el marqués de Leganés, el duque del Infantado, el portugués don Pablo de Parada, don Alonso de Villamayor
y don Rodrigo Niño.

De todos los religiosos nombrados por el Patriarca, unos enfer-
man y otros son hechos prisioneros. Queda sólo Gracián como
Capellán, que ha de desarrollar una actividad extraordinaria para
acudir a todas partes. Preparados los soldados para el ataque, va
exhortándoles de uno en uno. Todos arrodillados, los absuelve y
concede el jubileo. Esto les enardece y anima para la lucha. "Venían
a porfía por mí los maeses de campo para que les diese ánimo a su
gente y absolverlos, y hubo cabo que dijo que importó tanto esto
como si les hubieran añadido 4.000 hombres más". Gracián es incansable, dándose cuenta de la importancia de su misión, indiferente
al peligro: "...estuve exhortando los tercios, así como iban entrando
a pelear: por señas que dieron dos balas de artillería en el mismo
escuadrón donde yo actualmente estaba entonces y muchas balas de
mosquete que pasaban zumbando. Toda la noche confesé marchando
y cuando hacíamos alto: en mi vida trabajé más".

La gente española embiste de noche, con un viento furioso y frío,
que, por especial favor del Señor, cesa y se serena una vez iniciada
la pelea. Los primeros en acometer son el valeroso General don Pablo de Parada, al frente del Tercio de "los Guapos", y don Alfonso
de Villamayor con los suyos. El fuerte Real está guarnecido por cuatro baluartes, fosos y escarpas, pero para los soldados no existen
obstáculos y con escalas e instrumentos de garfios logran penetrar
en su recinto. El primero en subir es el Capitán Matías Cacho. Entonces se produce una honrosa pugna de valor entre el General y el
soldado, que Gracián registra. Un soldado arrima una escala y va a
subir por ella. Llega el General don Pablo de Parada, y el soldado le
arroja a un lado. "¡Oh, traidor! ¿A tu Maese de campo no dejas
subir?" Responde humilde el soldado: "Perdone Vm. y suba, que

no le había conocido". Pero queriendo subir luego otro caballero, el soldado le rechaza, diciendo: "Eso, no; suba Vm. después de mí".

Una vez en el interior del fuerte, hacen los españoles cruel matanza entre los defensores, y abren brecha en los muros para que penetre la caballería del duque del Infantado. El francés reacciona, y de nuestra parte caen mortalmente heridos varios prestigiosos adalides, lo que da lugar al desconcierto entre sus hombres. Sólo queda indemne entre los generales don Pablo de Parada, que recoge la gente al Fuerte Real, desmantelado, donde resiste hasta nueve veces los ataques del conde de Harcourt y sus tropas. Matan lo mejor de sus hombres y él mismo luchó tan denodadamente y vióse en tanto peligro que mataron su propio caballo. "Entonces dos caballeros suyos le retiraron, diciendo que el lugar del general no era donde le matasen, sino donde matase él".

El conde de Harcourt, el Invencible, renuncia a domeñar a aquella brava gente, y se retira al fuerte de Vilanoveta para consultar y resolver de qué nueva estratagema habrá de valerse para vencer.

Una ayuda providencial e inesperada decide la victoria de las armas españolas, y los franceses se dan a la huída, dejando sobre el campo cuatrocientos muertos, blancos como la nieve, de rubias melenas, revueltos entre los cadáveres de los caballos. El botín del triunfo es grande. Llevan los franceses en su retirada más de dos mil heridos, aunque muchos se retuercen entre los muertos. "Confesé algunos que aún estaban vivos —dirá Gracián—; otros no querían confesarse, que decían ser de la religión, esto es, herejes".

Gracián, al relatarlos, se extasía ante estos hechos de heroicidad estupenda, comparables a los más hermosos ejemplos de la valentía y de la honra antigua. El, que en su iniciación literaria rindió tan fervoroso culto al Héroe, siente ahora una íntima complacencia en comprobar que, apremiado por las circunstancias, ese hombre de excepción reaparece con la misma grandeza e idénticas virtudes. No es necesario renunciar doloridamente a la utopía de un arquetipo de perfecciones guerreras y políticas, puesto que tal figura ideal surge en el clima favorable, ni tampoco al porvenir de España, con hombres como éstos, como don Pablo de Parada, el más valeroso entre todos.

Para que sea más firme la esperanza, comprueba que, dentro de la limitada misión que le correspondía en la lid, es héroe él mismo, y así puede decir con humilde y disculpable vanagloria: "...Confieso a V. R. que yo tuve alguna parte, de modo que ahora todos los soldados y aun señores, cuando me ven, me llaman el Padre de la Victoria. Dióme el Señor su espíritu aquel día para exhortarles y disponerlos y una voz de clarín".

¡El Padre de la Victoria! He aquí que estas palabras expresivas vienen a ser como el vértice en que concurren su vocación de religioso, que es en él una segunda naturaleza, y su admiración por lo heroico y combativo, eco quizá de una afición dormida y latente. Ya su profesión en la Compañía significaba en cierto modo la conjugación de ambas predilecciones, la de religioso y la de soldado, por lo que tenía de Orden militar, pero si Gracián había podido satisfacer plenamente su vocación religiosa a lo largo de su vida ejemplar, no así la de heroico combatiente, que apenas había podido manifestar en sus primeros libros o en algunas de sus cartas. Al intervenir en este magnífico hecho de armas y ser uno de los factores de la victoria, siente la alegría de ver cómo, al menos en un momento de su vida, ambas vocaciones se aunan y culminan en un momento glorioso.

EL "ORACULO", "AGUDEZA" Y "EL CRITICON"

Vuelve Gracián a su amada ciudad de Huesca donde le espera la afectuosa acogida de los excelentes amigos y el silencioso Museo, en el cual ha pasado tantas horas muertas dedicado a la lectura y a la contemplación. Después de su hazaña castrense, bien merece este reposo en sus actividades eclesiásticas.

Lo que no admite descanso es su imaginación creadora incansable, que urde a todas horas nuevas obras, en su ansia de trasladar al papel, de dar forma y vida a doctrinas, sugerencias, donaires y pensamientos y, sobre todo, su concepción del mundo y de las cosas.

Por este tiempo —días finales del año 1646, primeros meses de 1647— anda dándoles vueltas a dos ideas que le preocupan. Una, la publicación de una selección de los aforismos contenidos en sus obras anteriores, para satisfacer una iniciativa y deseo de su amigo don Vincencio Juan de Lastanosa, que había ido trasladando al papel, en ausencia de Gracián, aquellas sentencias, ideas y doctrinas que más le habían complacido en sus detenidas lecturas de *El Héroe,* de *El Político* y de algunas otras inéditas —todavía inconclusas— que él guardaría celosamente en su escritorio. Hay que suponer que habiéndole mostrado estas escuetas recensiones, que reducían todavía a síntesis su lenguaje aforismático, el escritor considerase conveniente darles mayor coherencia, coordinarlas, para que de ellas no se pudiese decir también que eran arena sin cal. Este enlace de unas sentencias con otras, hasta formar cierto cuerpo y volumen, sin duda lo llevó a cabo el propio Gracián. Si se hiciese un estudio comparativo entre los libros de donde fueran extraídas y la versión que de

ellas se da en el *Oráculo,* se podría comprobar cómo los engarces
tienen asimismo el estilo inconfundible del jesuíta.

Así, pues, correspondería a Lastanosa, en la publicación del
Oráculo Manual y Arte de Prudencia, cuya primera edición ve la luz
en Huesca, en la imprenta de Juan Nogués, el año de 1647 [1], el propósito de darlo a la luz, la primera labor de selección y, desde luego,
el título afectado y petulante —que Gracián cita casi siempre, modes-
tamente, por su segunda parte: *Arte de Prudencia*—, acaso inspirado,
como supone Coster [2], por el de *Oracle Poétique* que el humanista
francés François Filhol, gran amigo suyo, había dado a sus versos.

En otra obra trabaja durante este año fecundo. Allá por el
año 1642 había publicado su *Arte de Ingenio. Tratado de la Agudeza,*
y piensa ahora en ampliarla, aumentando el número de los ejemplos.
La primera edición contenía los epigramas de Marcial, aunque sin
su correspondiente traducción. Por estos años uno de sus amigos de
Huesca, contertulio de la casa de Lastanosa y algo pariente del magnate, consagraba sus ocios a traducir al poeta bilbilitano, pensando
acaso en publicar sus versiones en volumen independiente, como da
a entender Gracián, cuando dice al insertar en su *Agudeza* el primer
epigrama de Marcial: "Tradúcele ajustadamente el canónigo don
Manuel de Salinas, con otros muchos selectos del agudísimo Marcial,
para darlos a la estampa; asunto que será tan agradable cuanto de-
seado" [3].

Acaso desistiese de tal proyecto el humanista oscense al hallar la
coyuntura de intercalarlas, en su mayor parte, en la refundición que
del *Arte de Ingenio* preparaba el P. Gracián. Coster [4] da a entender
que el jesuíta quizá lo hubiese hecho a pesar suyo, a invitación de
Lastanosa, su gran amigo, emparentado con Salinas, lo que no parece exacto si se tiene en cuenta las numerosas veces que cita al
traductor con espontáneo e innecesario elogio, incluso por sus poesías

---

[1]   Esta edición era absolutamente desconocida hasta que en 1947 llegó a
manos de Romera-Navarro un rarísimo ejemplar de ella, procedente de la
librería Dolphin Book Co., de Oxford, quien la dió a conocer en la edición crítica y comentada que publicó en *RFE,* Anejo LXII, Madrid, 1954, haciendo
con ello un relevante servicio a la bibliografía de Gracián.

[2]   *Op. cit.,* pág. 502.

[3]   *Agudeza,* IV.

[4]   *Op. cit.,* pág. 407 y s. *et passim.*

originales [5]. El libro que se publica en Huesca, por Juan Nogués, "al Coso", en 1648, lleva un nuevo título: *Agudeza y Arte de Ingenio,* e indicará en la portada: "Illústrala el doctor don Manuel de Salinas y Lizana, canónigo de la Cathedral de Huesca, con saçonadas traducciones de Marcial". La refundición tiene, con esta aportación y con las innumerables composiciones que le añade, de desigual valor y de la más diversa procedencia, un desarrollo desmesurado.

Halla Gracián en esta obra una oportunidad para mostrar su afecto, su amistad a muchas gentes de letras que le rodean o conoce —poetas, historiadores, predicadores—, insertando composiciones o fragmentos suyos. Honestas damas aragonesas o que en Aragón residen —sor Ana Francisca de Bolea, doña María Nieto de Aragón— figurarán con versos suyos en este tratado. Recordará a los poetas aragoneses, aunque su labor sea poco conocida o de escaso valor, destacando, eso sí, por las múltiples veces que los cite o por las alabanzas de que los rodee, aquellos que ya son famosos o merezcan serlo. Como miembro que es de una Orden religiosa, reiterará insistentemente los nombres de muchos escritores u oradores que pertenecen a la Compañía o a otras Ordenes, sin olvidar a sus propios hermanos, todos ellos religiosos, y que cultivan el ingenio alguna que otra vez.

Se trata, pues, de una generosa demostración de su aptitud para la cordialidad, de una antología del afecto, que predomina en ella sobre el sereno juicio. Quizá los aditamentos amistosos sean lo único que pudiese considerarse superfluo y pegadizo en *Agudeza y Arte de Ingenio,* y, sin embargo, es en estos elogios, a veces inmerecidos, donde tienen origen, entre otras causas, las amarguras y sinsabores que en la última etapa de su vida pesan sobre el gran escritor.

Pero observemos que lo que Gracián publica en estos años es tan sólo labor de recensión y perfeccionamiento, por lo que hay que suponer que él, creador infatigable, preparaba entonces alguna obra nueva de mayor aliento.

Las vagas noticias que tenemos de su vida en el lapso de tiempo que transcurre desde el año 1648 hasta 1651, lo sitúan en distintos

---

[5] Vid. *Agudeza,* XII y XXXI.

pueblos de Aragón, alguna vez en Zaragoza, incluso una vez más en
Valencia para tomar parte en la Congregación provincial de 1649,
y sobre todo en Huesca, donde estaría consagrado a su tarea de predicador o de profesor en los colegios de la Compañía.

Podemos imaginarlo en sus horas de silencio y descanso dedicado
a escribir febrilmente, gozoso de ir venciendo las dificultades pro-
puestas, pero tachando y añadiendo, como el jinete que frena el
ímpetu del caballo fogoso. No eran en este caso máximas sueltas,
producto de un instante de meditación, sino que las especulaciones
se iban engarzando por medio de una trama novelesca, de una fantástica alegoría, apenas perceptible en su anécdota tenue, ya que lo
importante eran las motivaciones y divagaciones a que daba lugar,
del mismo modo que un breve cauce de agua provoca la lozanía de
sus riberas.

Como quiera que la novela es un género libérrimo, aunque haya
de sujetarse a una arquitectura íntima, secreta, a fin de darle la
obligada coordinación, por mínima que sea, Gracián hallaba un delicioso placer en ir escribiendo hojas y más hojas sobre aquella
fantasía, sin que los límites y las normas le coartasen, como cuando
escribía ensayos, tratados o máximas sobre un pensamiento o propósito concretos.

La vida del hombre, bien mirado, podría dividirse en cuatro períodos, comparables a las cuatro estaciones del año. El comenzó,
como es natural, por *La Primavera de la Niñez*, y siguió luego elucubrando sobre *El Estío de la Juventud*. Pensó, acaso, que habría
que cerrar este ciclo vital con *El Otoño de la varonil edad* y más
tarde con *El Invierno de la Vejez*.

Faltábale un título genérico para esta fantasía satírica —de la
que llevaba ya escrito el trasunto de la Infancia y de la Juventud—,
y entonces, luego de meditarlo mucho, escribe al comienzo del rimero
de páginas, dos palabras: *El Criticón*. ¿Pensaba en *El Satyricón*, de
Barclay, que a su vez lo había tomado de Petronio?

La primera parte de *El Criticón* se publica en Zaragoza, por Juan
Nogués, "y a su costa", el año de 1651. Va dedicada a don Pablo
de Parada, aquel valeroso portugués, el más destacado entre todos

los guerreros que tomaron parte en la conquista de Lérida, con el cual Gracián, héroe él mismo en aquella circunstancia, establece estrecha amistad para toda la vida. Ahora, el caballero sin tacha es gobernador de Tortosa, y Gracián, significativamente, le dedica su primera obra de consideración, no contento con las reiteradas y encomiásticas alusiones que a él había hecho en *Agudeza,* como si le fuese grato rendir homenaje al héroe con esta dedicatoria y, al mismo tiempo, sintiese nostalgia de su propia actuación heroica.

LA OPOSICION DE LA COMPAÑIA

Gracián publica sus obras con nombres supuestos o simples anagramas, a excepción de un solo libro que firma con su verdadero nombre. ¿Qué le induce a ello? Quizá el escrúpulo de no firmar obras profanas con su nombre de religioso, aunque los iniciados estuviesen en el secreto.

El más usado de estos seudónimos es el de *Lorenzo Gracián,* que en *El Héroe* aparece complicado con un segundo apellido o título: *Lorenzo Gracián Infanzón.* Sólo una vez utiliza el anagrama de sus apellidos, *García de Marlones,* para firmar la edición de la Primera Parte de *El Criticón.*

El reiterado uso que hace de este nombre de Lorenzo Gracián, hizo pensar en un principio en la existencia de un posible hermano del escritor, y aun, a algunos extranjeros poco avisados, que éste fuese su verdadero nombre, y no el de Baltasar.

Tal ingenua estratagema era demasiado transparente para que se pudiese pensar que pretendía, más que disimular, ocultar su verdadera personalidad. Ya en 1646 figura al frente de *El Discreto* un *Soneto acróstico al autor,* del canónigo Salinas, en el que bien claro aparece el auténtico nombre de *Balthasar Gracyán.* El mismo, en el único libro que aparece con su firma verdadera, *El Comulgatorio,* que se publica en 1645, cuando la Compañía arrecia en su severidad, imponiéndole obediencia, declara noblemente ser el autor de las obras que con distintos nombres hasta entonces se habían publicado, al dedicárselo a la marquesa de Valdueza: "Emulo grande es este pequeño libro de la mucha cabida que hallaron en el agrado de V. E. *El Héroe, El Discreto* y el *Oráculo,* con otros sus hermanos". El mismo hecho de que firmase con su nombre y apellido y títulos eclesiásticos —"de la Compañía de Jesús, Lector de Escritura"—, su única obra religiosa justificaría que firmase con nombre supuesto, aunque evidente, sus escritos de carácter profano.

Sus amigos, seglares o religiosos, no lo ignoran. Sus lectores, tampoco, porque más tarde o temprano lo llegan a saber. Así don Cristóbal de Salazar Mardones le escribe a Uztarroz, desde Madrid, en 1642: "...Creía que su autor era el de la fachada, mas huélgome de conocer que el verdadero es el Padre Balthasar Gracián, de la Compañía de Jesús..." [1].

Que sus superiores no lo desconocían bastaría a demostrarlo *Agudeza y Arte de Ingenio*, donde Gracián prodiga los elogios a poetas y predicadores jesuítas contemporáneos suyos, que serían los primeros en indagar quién fuese el que con tanta consideración los recordaba. Otros muchos hermanos en religión serían sus amigos y confidentes.

Pero la Compañía siente cierta inquietud y desasosiego al ver cómo uno de los suyos publica con cierta periodicidad libros de temas mundanos, ajenos en apariencia a su misión propia. Aunque nada reprobable aparezca en ellos, el escritor tiene la pluma suelta y alguna vez trasluce rasgos de carácter poco adecuados a su estado. Admira lo heroico, lo cortesano, alude a la política, propone dechados, elogia el estilo sutil y vano, recuerda profusamente ejemplos de autores profanos y aun se permite satirizar con acritud a las gentes y costumbres. No ven la finalidad que, en última instancia, persigue en todas su obras, el logro de la perfección moral y de la virtud, sino lo adjetivo y externo, que, en apariencia, se concilia de modo forzado con su profesión de religioso.

La oposición de la Orden contra la labor literaria de Gracián debió iniciarse pronto y trascender fuera de su órbita. En 1646, don Jerónimo de Ataide, marqués de Colares, escribe desde Madrid a Uztarroz, aludiendo a Gracián: "Juzgo de su carta que le cuesta más que escribir el escribir por la oposición de su Provincia y no veo que sus libros tengan cosa que desdigan con el hábito..." [2].

---

[1] Vid. COSTER, *op. cit.*, pág. 394, *n.*
[2] *Ibíd.*, pág. 412, *n.*

En el año 1652 se publica la obra póstuma de un joven jesuíta, el P. Pedro Jerónimo Continente, que se titula *Predicación fructuosa, Sermones al espíritu. Sobre los motivos que ay más poderosos para reduzir los hombres al Servicio de su Criador. Van conformados con raras historias.* Está impresa en Zaragoza, con las necesarias licencias, y dedicada por Gracián al Obispo de Huesca, don Esteban Esmir, magnánimo protector de los jesuítas. El P. Pedro Jerónimo Continente, acaso compañero de predicación de Gracián, y que había muerto el año anterior, debía ser sobrino o allegado del ilustre Padre Pedro Continente —ambos nacieron en Azuara, Aragón—, que había sido Rector del Colegio de Calatayud en la época que allí reside Gracián, y, más tarde, dos veces Provincial de Aragón y siempre protector decidido del escritor.

No hay que pensar que con esta publicación y su dedicatoria pretendiese Gracián suavizar sus relaciones con la Compañía, ni que lo considerase necesario, dado su temperamento independiente, tan amigo de la verdad y la justicia, porque esta obra ajena no es sino un compás de espera para continuar con más vigor su labor propia, sin reparos ni paliativos.

Reside Gracián, por entonces, en Zaragoza, donde desempeña la cátedra de Escritura en su Colegio. La Compañía reconocía en él, personalmente, los méritos y virtudes necesarios para el desempeño de este honroso cargo, aunque le reprochara sus obras, publicadas sin licencia de la Orden y aun al margen de ella.

Es General de la Compañía en esta época el P. Francisco Piccolomini, y, aunque de natural suave, trata de corregir cierto relajamiento que se observa en la disciplina de los Colegios, y así dice en carta al P. Fons, Visitador en la Provincia de Aragón:

> Dícenme que los Hermanos Novicios no se crían con la devoción y mortificación que antes se criaban; que hablan poco de Nuestro Señor, que tratan de cosas de gobierno, materia bien ajena a su estado; que se nota alguna libertad en los Hermanos Estudiantes, y alguna demasía en beber vino... [3].

---

[3] Para la correspondencia de los Generales de la Compañía con los Provinciales de Aragón, véase COSTER, *op. cit.,* Apéndice III, pág. 780 y ss.

En 1651, el 17 de junio, muere el General Piccolomini y es sustituído por el P. Goswin Nickel, más rígido y severo, que continúa con mano dura y firme la campaña de rigor y reforma, a fin de que se cumplan estrictamente los reglamentos interiores. Ya en 11 de septiembre del mismo año, le escribe al P. Fons:

> Dicen... que algunos guardan en sus aposentos las maletas o alhajas de camino, y que hay facilidad en conceder llave para el cajón de la mesa donde ponen algunas cosas, que contradicen a la santa pobreza.

En este año difícil, en que se extrema la disciplina de la Orden, ve la luz la Primera Parte de *El Criticón,* obra en que el genio satírico de Gracián adquiere una amplificación extraordinaria. Todos los estamentos, todas las clases sociales, todos los países y modos de vida aparecen vapuleados sin compasión en sus debilidades y caídas. Nuevas Cortes de la Muerte, fustiga despiadadamente donde halla mal y corrupción, como si con ello pretendiese corregir los defectos y vicios humanos.

Todo ello sería admisible, porque, en fin de cuentas, el escritor persigue una finalidad docente y moralizadora, muy en correspondencia con su profesión de religioso, pero Gracián inicia también en esta obra sus buídas ironías contra Valencia —de la cual guarda tan desagradable recuerdo, después del incidente del sermón por el que se le obligó a retractarse en público—, y estas burlas y verdades, que solivianten el orgullo local de los valencianos, han de dar lugar a que se concilien en contra suya los resentimientos de una serie de gentes de aquella región, a que se forme un frente cerrado contra él.

Quizá por entonces surge la idea de publicar la *Crítica de reflección* —en la que posiblemente colaboraron varios—, y es muy probable que de Valencia surgiesen las oscuras delaciones, las encubiertas insidias, que, llenas de rencor y malquerencia, no se contentan con la respuesta adecuada y en el mismo tono, sino que llegan a lo más alto, a quien ejerce suprema autoridad sobre el escritor, al General de la Compañía.

La labor de zapa se pone de manifiesto en la carta que sigue, dirigida por el General al Provincial de Aragón, P. Jacinto Piquer, el 13 de abril de 1652:

Avísanme que el Padre Balthasar Gracián a sacado a luz con
nombre ajeno, y sin licencia, algunos libros poco graves, y que desdicen
mucho de nuestra profesión, y que en lugar de darle la penitencia que
por ello merecía ha sido premiado encomendándole la cátedra de Escritura del Colegio de Zaragoza. V. R. examine con diligencia si esto es
así, y tratándolo antes con sus consultores, si se averigua es culpado,
désele la penitencia que se juzgará sea proporcionada a su culpa...

La carta sigue, pero ya el P. Goswin Nickel hace referencia a
asuntos generales de orden interior:

De ninguna manera permita V. R. que cuando uno se muda de un
Colegio a otro, lleve consigo libros sin expresa licencia, la cual no dará
el Provincial sino cuando mucho para llevar uno u otro libro; porque
lo demás es contra el estilo común de nuestra Compañía y contra la
santa pobreza. Lo mismo advierto a V. R. cerca de lo que algunos
practican, que es tener en sus aposentos los libros comprados con limos-
nas sin escribir el nombre del Colegio, ni aplicarlos contentándose con
poner unas letras o cifras a su modo. Haga V. R. que con efecto cese
luego ese abuso, y que los que tuvieren semejantes libros los apliquen
a algún Colegio y escriban el nombre de él, para que conste cuyos son...

En tales órdenes no se nombra ya a Gracián, pero todo parece
indicar que a él se aludía, por cuanto el P. Baltasar no consideraba
incompatible con el voto de pobreza el poseer unos cuantos libros
amigos, una pequeña y selecta biblioteca, que era su instrumento de
trabajo y su gozo en las horas de vagar, que llevaba consigo de un
lugar a otro, en sus traslados.

Los delatores han conseguido su propósito: Poner en evidencia
ante la más alta jerarquía de la Orden la aparente incompatibilidad
entre su sagrado ministerio y sus actividades de intelectual.

La tensión entre el General, que cree cumplir con sus obligaciones de fiel guardador de la disciplina y pureza de los estatutos de la
Compañía, y Gracián, que se considera inocente, se intensificará en
años sucesivos, hasta la muerte del escritor.

Sin tener en cuenta la represión de sus superiores, considerando
acaso que, más que en la justicia serena y elevada, pueda tener origen
en la malevolencia e insaciable afán de revancha de sus enemigos,

creyendo firmemente sin duda que no existe contradicción entre sus obras y su estado religioso, y que, aun en el caso de que en algún pasaje pudiera existir, se amortiguaría por figurar al frente de ellas. un nombre supuesto, Gracián continúa impertérrito en su propósito, y así en 1653 publica la Segunda Parte de *El Criticón,* cuya redacción debía tener muy avanzada al publicar la Primera, como da a entender en las líneas preliminares que van al frente de ésta: "Si esta primera te contentare, te ofrezco luego la segunda, ya dibujada, ya colorida, pero no retocada".

LA POLEMICA CON SALINAS

En 1651 se resquebraja la apretada, la cordial unión que existía entre el grupo de amigos que concurría a la casa de Lastanosa en Huesca, como consecuencia de un acontecimiento familiar, en el que interviene Fray Jerónimo de San José, Padre carmelita descalzo, autor del *Genio de la Historia*.

Don Vincencio Juan de Lastanosa había tenido catorce hijos, de los cuales sabemos vivían siete en 1644. La segunda hija de su matrimonio, Catalina, nace el 10 de abril de 1631. A los veinte años, en 1651, siente vocación religiosa y profesa en el convento de las Monjas carmelitas de Zaragoza, acaso fomentada su decisión por Fray Jerónimo, con grave disgusto y oposición de su padre don Vincencio Juan y de su tío el Canónigo don Orencio.

Conocemos todas las incidencias del hecho a través de la numerosa correspondencia que Fray Jerónimo dirige a Juan Francisco Andrés de Uztarroz [1]. A través de ella se refleja nítidamente el hombre vanidoso, entrometido, y también curioso y erudito, que era Fray Jerónimo de San José. Las relaciones epistolares entre ambos duran muchos años. Las cartas conservadas van desde el año 1638 hasta el de 1653, y aparecen fechadas desde Gerona, Madrid, Nápoles, Zaragoza, Tarazona, Huesca y Daroca. En 1646, Fray Jerónimo hace referencia por primera vez al grupo de Huesca, elogiando la *Agudeza y arte de ingenio,* en especial por las traducciones de los epigramas de Marcial hechas por el Canónigo Salinas que en ella se

---

[1] *Cartas de Fray Jerónimo de San José al cronista F. Andrés de Uztarroz.* Edición preparada por José M. BLECUA, Zaragoza, Archivo de Filología Aragonesa, 1945.

insertan. A partir de entonces, su amistad con este último es de día en día más estrecha, lo que da lugar a que se forme un triunvirato independiente constituído por Fray Jerónimo de San José, Salinas y Uztarroz. Los Lastanosa y Gracián van quedando un poco al margen de estas relaciones triangulares. Fray Jerónimo en 1649 se refiere a Lastanosa, al que envía desde Tarazona curiosos caracolillos para su Museo, diciendo a un tiempo unas frases enigmáticas: "Desgraciado soi con el Señor Don Vincencio..., de quien parece huyo con el cuerpo quanto más le busco, i me acerco con la voluntad" [2]. Que por entonces frecuentaba Huesca, yendo desde Tarazona, lo muestra el párrafo de otra carta: "En casa de Lastanosa se me olvidó una caxa de antojos" [3]. En todas sus cartas envía "saludes" y recados para "nuestro Salinas", al que prodiga elogios sin cuento, y, por el contrario, jamás alude a Gracián, que por aquellas fechas residía en Huesca.

En 1651 el grupo de amigos se desintegra definitivamente. En las cartas que desde Huesca, en cuyo convento reside, dirige a Uztarroz, Fray Jerónimo de San José declara su intervención directa en la decisión que toma la hija de Lastanosa. En 4 de febrero alude al gran señor y a la profesión de su hija: "...aunque andamos algo retirados, pero *amantium ira amoris rednite gratia est*. A lo menos por mi parte así lo será, i algun día sabrá Vm. grandes historias" [4]. Y como pudiera sospechar los desfavorables comentarios a que había dado lugar al asunto, añade: "Suplícole detenga el juicio si tiene barruntos". En la postdata de la misma carta añade:

> Ahora recibo el papel del señor canónigo Lastanosa lleno de amor, pues se firma *de Vp. siervo enamorado,* i le respondo con mil dulçuras i requiebros, así espero que mañana nos veremos i abraçaremos con más amor que antes, i todo quedará en paz, i su hija con el estado que desea; i Nuestro Señor, gloriosísimo, i el demonio, corrido. Que él sin duda levantó con rabia toda esta tempestad, porque teme le ha de venir mal de nuestra amistad y de la vocación deste ángel.

---

[2] *Op. cit.*, pág. 55.
[3] *Ibíd.*, pág. 61.
[4] *Ibíd.*, pág. 67 y s.

Pero Lastanosa y su hermano don Orencio son irreductibles y se enfrentan decididamente con el entrometido fraile que ha llevado al claustro con suasorias y melifluas persuasiones, a la hija, a la sobrina más querida. No le basta esto, sino que trata de justificarse con los amigos comunes, en perjuicio de los Lastanosa, e intriga contra ellos, procurando enfrentarlos con sus parientes:

> Compadézcase Vm. de nuestro amigo, que anda triste i arredrado i con menos gusto con toda su parentela, la cual toda, digo las casas de los señores Salinas i Almançor, están tan de mi parte, que me confunde la caricia i regalo con que me favorecen [5].

Que ni Uztarroz ni Fray Jerónimo merecían la generosa amistad, la cordial hospitalidad que Lastanosa les había dispensado, nos lo demuestra otra carta del fraile carmelita, fechada el 15 de marzo:

> Muchas veces me acuerdo de Vm., quando me repetía: "Yo no he ido a su casa por mi gusto i mi bien, sino por el suyo dellos". Lo mismo digo yo, que no afecto el volver a la comunicación por interés mío, sino por beneficio suyo... [6].

Tan identificados se hallan ambos, que Uztarroz se excusa de ir a Huesca para no tener que encontrarse con Lastanosa.

Sin dejar por ello de tratar de los elogios que deben figurar al frente de su *Genio de la Historia* —que tanto le preocupan, y que la Orden, con buen sentido, le limita— y de recordar siempre con alabanzas desmesuradas al Canónigo Salinas —que le ayudó a convencer a la monjita—, el intrigante Fray Jerónimo no ceja en sus dicterios contra los Lastanosa. Llega incluso —1.º de junio— a desafiarlos con la excomunión:

> I así no pensamos ni piensa nadie en desenojallos, sino en alabar a Dios, i en reirnos i pedir al Padre de las luces se las de para salir de tanta ceguedad. Que a fe clama toda la teulogía moral contra quien resiste i detiene las vocaciones de las hijas, i el concilio tridentino con descomunión mui notoria [7].

---

[5]   Carta a Uztarroz, 19 de febrero de 1651. *Ibíd.*, pág. 71 y s.
[6]   *Ibíd.*, pág. 76.
[7]   *Ibíd.*, pág. 93.

Pero lo que más duele al frailecito es que hubiesen prescindido de su oficiosa amistad:

> I el quitar el habla por esto a los amigos i deudos, no sé yo quien lo librara de ser culpa gravísima.

En la misma carta parece insinuarle a Uztarroz su deseo de que intervenga en el asunto:

> I no sería mala amistad el aconsejar más piedad i circuspeción en esto, que la dotrina católica es mui delicada. I no digo más. La caridad obra i cubre muchas cosas, i más de los amigos; pero "magis amica veritas". I esto sería verdaderamente amigo, decirles lo que importa, para no caer en un barranco.

No vuelve a hablarse del asunto, sino meses más tarde, al suponer Fray Jerónimo que don Vincencio ha muerto de la peste, "cosa que no lo sé con certidumbre ni lo querría por mucho". Nada indica tampoco que se reanudase la antigua amistad de Lastanosa con el carmelita, el Canónigo Salinas y el cronista Uztarroz.

Y Gracián, entretanto, ¿a qué grupo se inclina? La última carta suya (entre las que conocemos, y que comienzan en 1641) a su, hasta entonces, íntimo amigo Uztarroz, tiene la fecha de 30 de marzo de 1648, lo que hace suponer un enfriamiento de estas relaciones cordiales. Sus nombres no vuelven a aparecer unidos hasta 1653, y para eso sin cordialidad alguna, como ya veremos.

Su amistad con Lastanosa es, en cambio, permanente y fidelísima. Con la mayor intimidad, seguirá comunicándose con él hasta tres años antes de su muerte. Y que en el vidrioso asunto de la profesión de su hija Catalina debió estar a su lado, a pesar de su carácter de religioso —como lo estuvo su propio hermano, el canónigo don Orencio—, lo muestra a las claras la animadversión con que el grupo contrario se enfrenta con él.

Y así vemos que el asedio contra Gracián, por parte de los valencianos y algún hermano en religión, recibe un importante refuerzo con la defección de estos que hasta entonces se habían llamado sus amigos. La ayuda que prestan a sus antagonistas es considerable, porque parte de su misma intimidad.

En 1651 el Canónigo Salinas, al que con tanta magnanimidad y excesiva complacencia había tratado, publicando sus traducciones de Marcial en la refundición del *Arte de Ingenio,* colmándole de elogios, incluso por algunos sonetos originales, hace llegar a sus manos el poema *La casta Susana,* dedicado a la Reina Margarita de Austria, y asimismo un romance latino, para que el gran escritor y latinista dé su visto bueno y haga los reparos pertinentes.

No tenemos conocimiento de la carta que debió enviarle Gracián, pero de la que le dirige el Canónigo Salinas en respuesta (17 de marzo de 1652) podemos deducir lo esencial de su texto. No debía ser demasiado acre ni áspera, sino más bien conciliadora, porque el bueno del Canónigo reitera sus protestas de amistad: "aunque le amo como antes y creo le merezco el mismo afecto". En ella debía aludir el P. Baltasar a las paces entre Lastanosa y Salinas, alteradas por los incidentes de la profesión religiosa de la hija del gran amigo.

Pero el Canónigo Salinas, aunque al final de su carta le dice: "mi deseo es de aprender y para conseguirlo aprouecharme más de su grande erudición y censura", y aún se justifique: "He hecho esta defensa, no como igual, sino como discípulo humilde que venerará siempre a V. Pd. como maestro y verdadero amigo", se revuelve airado ante las correcciones que le hace Gracián, que debían referirse a vocablos y epítetos poco literarios, por lo que se refería al poema castellano, y a algunos solecismos, españolismos e impropiedades en el romance latino. "Cierto, mi Padre —dirá el Canónigo, invocando el afecto para sobornar el juicio—, que si no conociera a V. Pd. o si hubiera dádole alguna ocasión de oluidarse de mi amistad, pudiera creher que estas notas no son de amigo, sino de los que leen y escudriñan las obras con ansia de zaherirlas y de hallar tropiezos en ellas".

En efecto, el jesuíta es en este caso más amigo de la verdad y de la perfección poética que de Salinas. Ha corregido matices de estilo, con la meticulosidad y escrúpulo de un verdadero hombre de letras, que cuenta, pesa, mide, aquilata las más mínimas expresiones, pero son éstos matices sutilísimos que el Canónigo, humanista apenas iniciado en los mágicos enigmas de la poesía, no comprende. Se irrita con las correcciones que Gracián —que está en el secreto y el *quid divinum* del arte, aunque sea dándole un sentido barroco—, hace a su laborioso trabajo.

Por el tono empleado podemos suponer que la antigua cordialidad que existía entre los dos se ha quebrado con anterioridad, sin duda con motivo de la profesión de la hija de Lastanosa, en la cual Salinas ayuda a Fray Jerónimo de San José. Toda la carta de Salinas es de franca rebeldía contra el que llama maestro suyo, palabras que no tienen mayor significación que la de una pura fórmula, pues, frente a la opinión del jesuíta, como si ésta no le mereciese crédito, trae a cuento textos y autoridades de poetas clásicos, de humanistas y gramáticos. Cada palabra, cada variante sintáctica, de la que Gracián le corrige, aparece apoyada por Apuleyo o Marcial, Virgilio o Cicerón, Plauto o Quintiliano, Horacio o Plinio, Nebrija o Policiano, Pico de la Mirandola o Justo Lipsio, en un alarde de erudición impertinente.

La respuesta de Gracián, desde Zaragoza, en fecha que desconocemos, pero que debió escribir muy poco después, no podría ser otra de la que es: dura, violenta, descarnada. A un discípulo —como a tal le trata— que se ha desmandado, ha de corregírsele severamente.

Empieza diciéndole que dió su opinión, porque le obligó a ello, exponiendo tan sólo una parte de lo que sentía, sin atreverse a declarar el juicio que había merecido *La casta Susana* a un gran ingenio, al decir que parecían versos de ciego. El se limitará a opinar que "era poema humilde, lo asonante bulgar, los epítetos pobríssimos, la agudeza rara, la prolijidad summa, algunas palabras ciuilísimas, que aunque no haya otros como *candil, cedazo, orinal,* etc, que no son para el verso…".

No quiere hacer hincapié en el poema castellano, como tampoco lo había hecho Salinas en su carta. "Pero lo que no puedo disimular es lo que Vm. responde a las objecciones del Romanze, y dejando que todo él está lleno de hispanismos, improopriedades, barbaridades, sólo voy a lo de los solecismos…". Comienza Gracián a rebatir una por una las razones del Canónigo poeta, sus errores de interpretación, sus lecturas defectuosas, las autoridades que cita. Hay un momento en que el orgullo de latinista que siente Gracián, aparece: "Y esto, señor mío, es hablar con fundamento y como quien a leído retórica y prosodia y mayores y seminario en mi religión: y crea Vm. que quien a de dar a los latinos de mi religión vn tapabocas avría de tener mas abiertos los ojos".

Cuando Salinas inventa algún vocablo latino le sale al paso: "...en el latín no se puede inventar ahora, sino en algún término de cosa que no le había entonces... En el castellano puédese inventar ahora, porque estos autores van haciendo la lengua. La latina, como no es usual, ya se supone hecha, ni hay salir de lo que se halla, ni se puede dar casos a los nombres que no le tienen".

Alguna vez hace uso de la ironía, como cuando dice: "el caso tras el verbo es composición de niños...: seguidito, llanito, no caiga el niño: y con todo eso da de ojos".

Gracián termina con un juicio sangriento: "Señor mío, el papel para quien no saue la latinidad es gran cosa y espantosa, pero quien la sabe y la ha leydo, como son ocho Padres aquí, todos maestros de mayores, los mejores latinos que se hallan en gran parte y que han leydo los seminarios de la Compañía, que es lo que más se puede decir, todos se an reido y dado la sentencia de Martial, que sólo vn borrón desde el principio hasta el fin puede ser enmienda...".

Aunque la fórmula final de la carta sea correcta ("Siempre me tiene Vm. muy a sus órdenes"), les separa desde estos momentos una profunda sima.

Las cartas cruzadas dan lugar a un gran revuelo entre los escritores y eruditos aragoneses. Una Academia de Zaragoza, quizá la de los *Anhelantes* o la que se reunía en el palacio del conde de Aranda, toma baza en el asunto, y andan de por medio los nombres de don Francisco de la Torre —desde entonces gran amigo de Gracián, quien le dirige dos cartas muy expresivas— y don Juan Lorenzo Ibáñez de Aoiz. Tenemos conocimiento de ello por las cartas del P. Jerónimo de San José, del cual Gracián había insertado un soneto en *Agudeza*, a lo que había correspondido diciendo de este libro: "...sólo hallo que reprender lo que se alarga en honrarme, con que los elogios de otros pueden parecer menos dignos. Pero es muy loable culpa, derramar alabanzas..." [8]. De su gusto y predilecciones da

---

[8] Carta a Francisco Andrés de Uztarroz, desde Zaragoza, el 8 de abril de 1646. *Op. cit.*, pág. 32.

idea otro párrafo de la carta: "Es un general minero de muchos i varios tesoros este libro; un cielo senbrado de estrellas, un canpo de flores, una tienda de pedrería rica. Todo es mui rico, precioso, frondoso i brillante; pero confesando a Vm. la verdad, lo que me ha llevado el gusto y la admiración con mayor lisonja, han sido las traducciones de nuestro amigo Salinas. I digo nuestro aunque apenas le conozco, porque siéndolo de Vm., lo juzgo por mio y yo mucho suyo. Digo çierto que tal gala i facilidad i propiedad apenas la he visto en otro i en tanta abundancia que me ha admirado. Doi la norabuena al gremio de la erudición, de que se nos haya manifestado ingenio tan feliz i que ostenta i promete tanto, i a este reino se la doi de que tenga tal hijo".

Hay que suponer que quien así elogiaba del libro de Gracián su parte más endeble, padecía una miopía literaria evidente o, lo que es más probable, pretendía con ello manifestar su malquerencia contra el autor.

El P. San José, que tan desigualmente juzgaba a Gracián y a Salinas, se entera pronto de las cartas cruzadas, y el 2 de abril de 1652, desde el convento de Daroca, donde por entonces reside, solicita de Uztarroz [9] una copia de la respuesta del Canónigo. Veinticinco días más tarde vuelve a escribir a su correspondiente hablando del asunto, lamentándose de que haya trascendido a la Academia que se reunía en Zaragoza. Su parcialidad es evidente —"Pocos tienen la fidelidad i candidez de mi buen coronista y canónigo Salinas"—, aunque al final de la carta exprese su deseo de que no pase adelante la disputa. El 17 de mayo vuelve a escribir a Uztarroz [10]. Ha leído ya la contestación de Salinas, de la que dice: "...se responde al papel contrario mui razonadamente i adecuadamente. Buena parte de la admiración carga sobre el ocuparse aquel personage [Gracián], en cosas tan acusadas i tan injustas, en que por mucho que se esfuerçe i replique no puede quedar airoso ni con nonbre de cuerdo...".

Ningún dato más tendríamos sobre esta polémica —que Coster [11] trata con cierta amplitud, aunque no haya acertado a explicar sus

⁹ *Ibíd.*, págs. 107 y s.
¹⁰ *Ibíd.*, pág. 112.
¹¹ *Op. cit.*, págs. 418 y ss.

verdaderos móviles y orígenes—, de no haber salido a luz, posteriormente a su trabajo, nuevas noticias sobre ella. En 1916, Bonilla San
Martín, al publicar dos cartas inéditas del gran escritor aragonés,
nos da a conocer datos sobre su continuación [12].

Tan interesante como las mismas cartas descubiertas, que acre-
cientan el epistolario de Gracián y nos ofrecen curiosos aspectos de
los últimos años de su vida, es la réplica del Canónigo Salinas a la
segunda carta que Gracián le dirige, que figura en dicho códice,
aunque Bonilla, desgraciadamente, por considerarla acaso de menor
importancia, no la dé sino en extracto [13].

Está fechada en Huesca y en abril de 1652. Comienza el bueno
del Canónigo en un tono aparentemente divertido:

> Nunca he tenido Pascuas más gustosas y entretenidas que ésta, por
> haber recibido (bien que sin tiempo para responder con el mismo correo),
> la rescripción de V. P. sobre sus notas a mi obrilla latina, porque,
> cuantas veces la leo, perezco de risa, de ver que haya sacado a V. P. tan
> del todo de sus casillas y trabucádole el juicio una carta que dicté
> estando dos veces sangrado, y tan sin tiempo para pensar lo que había
> de responder y haciendo tan poco caso de lo que escribía...

Es decir, que a los graves reparos de Gracián ha contestado im-
premeditadamente, con vana ligereza. Como lo hará ahora. No ha-
llando razones con qué responder a su severo censor, se revuelve con
vesania, como animal acosado. Cuando no puede morder, desafía. Habla de la "vana presunción" del jesuíta; se lamenta de haberle autorizado "que me echase a perder muchas traducciones de Marcial que
puso en su *arte*"; dice que ya los eruditos dudan "si hay dos Gracianes: uno que escribe *Héroes* y *Discretos,* y otro que predica y
habla tan bajamente" y que comienza a creer que "fué plagiario de
aquellos libritos tan bien hablados, pues ya se ha descubierto"; dice
de *El Criticón* que es un "maremagnum de necedades"; que Gracián
era "amigo de cristal, mejor dijera de vidrio, pues siempre ha sido
V. P. con sus amigos el Licenciado Vidriera". Para envenenar sus

---

[12] A. BONILLA SAN MARTÍN, *Un manuscrito inédito del siglo XVII con
dos cartas autógrafas de Baltasar Gracián*, en *Revista Crítica Hispano Ame-
ricana*, 1916, II, pág. 121 y ss.

[13] *Op. cit.*, págs. 123 y 127 y s.

relaciones cordialísimas con Lastanosa, insinúa que "ha tenido tan mala correspondencia de V. P. a tantas liberalidades y finezas que le tiene hechas, *que aun aquí me corriera de acordar los sucesos*". Según Salinas, Gracián "sólo sabe clavar el aguijón para que le cueste la vida del crédito y estimación, si no porque V. P. ha sido siempre oficial de molinero de papel". Hace un parangón entre sus primeras obras y *El Criticón*:

> Recogió al principio algunas pizcas (si es que son de V. P.) de materia buena y sutil, y con ellas obró unas cuantas hojas de papel bueno; pero después, cansado de trabajar tan violentamente y contra el natural, se resolvió a contentarse con la más vil ganancia, que es el aplauso del vulgo, y se ha empleado todo en revolver los cienos hediondos y pestilentes de libros de comedias (por tales los tiene con razón su religión de V. P., y por esto callara lo que digo, si no le constara por el libro del *Arte*), novelas, romanceros, libros de caballerías, etc., y siendo, lo más que ha recogido, sucios, groseros y vilísimos andrajos, aunque más ha trabajado en componerlos, no ha podido sacar sino un papel de estraza, y tan de estraza como *El Criticón*.

Conociendo la evidente tirantez que existía entre Gracián y el P. Jerónimo de San José, todavía le echa en cara: "A V. P. nadie le busca; sus obras son libritos en todo; los del P. Jerónimo, libros grandes por la materia y erudición, y grandes por el volumen".

A la última invectiva —él, que tanto amaba los libros breves y densos de contenido— parecía haber contestado ya, al decir: "Estiman algunos los libros por la corpulencia, como si escribiesen para ejercitar antes los brazos que los ingenios".

No hay razones en esta airada respuesta de Salinas, sino rencores antiguos e insidias. Ahora desdeña sus obras y cae en la cuenta de que pudieran no ser suyas, aunque sin dar prueba alguna de ello (cosa que hubiese hecho con verdadera complacencia, de haberla tenido), trata de malquistarle con los amigos leales, hace referencias a la hostilidad de la Compañía, a su carácter altanero y difícil, juzga *El Criticón* como una concesión al aplauso vulgar, compara sus obras con las de un enemigo, que le llevan ventaja incluso por el tamaño...

Debieron herir profundamente al escritor tantas viles insinuaciones, tan bajas maniobras, tan venenosas palabras, que no podían sorprenderle. Tenía larga experiencia y conocimiento del corazón humano, de sus flaquezas y maldades, para descubrir ahora, tardíamente, la verdad de aquella definición que se hallaba ya en la *Asinaria* de Plauto: "El hombre es el lobo del hombre".

No poseemos noticia alguna de que esta nueva carta haya sido contestada por Gracián. Lo más probable es que no saliese ni un lamento de su noble entereza, aunque le hubiese herido en lo más sensible del corazón.

No ignoraría que su antiguo amigo el cronista Juan Francisco Andrés de Uztarroz, al que le había ligado grande amistad, se inclinaba ahora en favor de sus contrarios, que acaso fuese cómplice de los innobles ataques del canónigo Salinas —con el que correspondía a correo seguido—, y a pesar de ello, cuando publica la Segunda Parte de *El Criticón* en 1653, cuando todavía estaban en el aire los improperios del canónigo, al hacer el elogio de los grandes historiadores —Caterino, Guicciardini, José Pellicer de Ossau, Commines—, Gracián pone al margen de su Crisis IV: *El doctor Juan Francisco Andrés,* y escribe en el texto unas palabras enigmáticas, que pueden considerarse como un elogio: "La que celebró mucho y por eso la dió a Aragón fué una [pluma] cortada de un girasol.

—Esta, dijo, siempre mirará a los rayos de la verdad".

Pero Uztarroz, más que mirar a la luz, se deja arrastrar por su larvado rencor cuando escribe la *Censura* de esta Segunda Parte de *El Criticón,* "por comisión del ilustre señor don Luis de Ejea y Talayero, del Consejo de Su Majestad, y su Regente en la Real Cancellería en el mismo Reino". Empieza por decir que en el libro "no se encuentran oscuridades que mancillen el resplandor real [14] ni enturbien las luces claras de la virtud", es decir, contra la Monarquía y la Religión. Hace luego un formulario elogio del libro en varias líneas, para entrar seguidamente a exponer su teoría del estilo totalmente opuesta a la de Gracián, con lo cual este escrito viene a ser una auténtica censura crítica del autor. Subrayamos algunas frases y palabras para que se vea a las claras cómo Uztarroz escribe del mismo modo que lo haría un enemigo declarado, no sólo de Gracián, sino también

---

[14] *real* = regio.

de su estilo y cómo se hace eco de las opiniones y vituperios del canónigo Salinas:

La acrimonia de este libro censura, a mi entender, a algunos sujetos severamente (*pero en algún modo tiene excusa la especulación rígida de un ceño crítico*) pues *todo lo que no es breve lo juzga por disgustado* [15]: estilo en que han dado algunos ingenios modernos, *procurando introducir el laconismo, pareciéndoles que solo es plausible la concisión.* Y de aquí se origina tener por prolijos a los historiadores abundantes, como lo significó el padre Antonio Possevino, hablando del Secretario Jerónimo Zurita, cuya copia la tuvo por exceso, y el padre Juan de Mariana, por afectar esta brevedad, despreció a todos los historiadores que le precedieron, sin advertir que le habían servido de pauta para sus escritos. Empero yo tendría por más acertado el estilo que usa Zurita en sus *Anales,* porque es propio para referir las hazañas, que si éstas se cifran en cláusulas breves, tal vez se confunden y quedan defraudados los hechos dignos de memoria, *que la brevedad está muy cerca de la lobreguez.* Demás que fué de este sentir Cayo Plinio Cecilio Segundo. Escribiendo a Tácito, dijo que *de los libros buenos el mejor era el de más volumen* [16]. "Ita bonus liber quisque melior est quo maior" Teniendo tan elocuente apoyo, tendrá alguna eficacia esta opinión, pues no se puede negar sino que Plinio en lo elocuente y sentencioso excedió a muchos, y que pocos le aventajan, cuyo testimonio irrefragable es aquel gran *Panegírico a Trajano,* idea de elogios y *admiración de los ingenios sutiles* [17]. El cariño que tengo a estos escritores que se censuran en este escrito [18] me ha dado ocasión de dilatarme más de lo que permite la brevedad de una aprobación...

Termina Uztarroz con una fórmula amable en apariencia para disimular su malevolencia: "Pero esta obra contiene tan primorosos

---

[15] *disgustado* = desabrido.

[16] Uztarroz quiere remachar aquí el menosprecio que Salinas le hacía a Gracián comparando sus libros breves con los de Fray Jerónimo de San José, de mucho mayor volumen.

[17] Uztarroz vuelve contra Gracián sus propias armas, por cuanto conocía su dilección por Plinio el Joven y su *Panegírico,* al que cita muchas veces a lo largo de sus obras.

[18] En la censura a los historiadores de retórica altisonante, vería Uztarroz una crítica encubierta del estilo de su amigo Fray Jerónimo, que en su *Genio de la Historia* se derrama en una elocución asiática.

desvelos y *tantas ingeniosidades,* que merece a su autor se le dé licencia para que se publique".

¿Cómo reacciona Gracián contra estas insidias, contra estos ataques encubiertos? Si acaso, el suave subterfugio de la ironía, de la sátira disimulada. En la Tercera Parte de *El Criticón,* en la Crisis VI, en un desfile de tipos pintorescos, aparece el Marrajo: "No sé si te le podré dar a conocer así como quiera, que yo ha años que le trato y aun no le acabo de sondar ni acertaré a definirle", "si con otros para conocerlos es menester comer un almud de sal, con este doblada, porque él lo es mucho", que pudieran creerse alusiones a Uztarroz. En la misma crisis alude a un canónigo Blandura, "que todo lo hace bueno". Romera-Navarro [19] supone que Gracián pudiese referirse en ambos casos a Salinas.

También podría pensarse que otros tipos que desfilan en el mismo pasaje, como el Dropo (en aragonés, 'haragán', y *drope,* en castellano, 'despreciable') o el Zaino ('traidor'), de los que dice:

—¿Creerás que no veo alguno de estos, que no me asuste? Heles cobrado especial recelo.

—No me admiro, porque a ninguno llegan a hablar que no le suceda lo mismo. Todos los temen y se previenen.

pudieran reflejar la turbia personalidad de Salinas y Uztarroz.

De cualquier modo, aunque así fuese, son tan inocentes e inofensivas estas ocultas alusiones, que nos mostrarían cómo Gracián estaba por encima de las mezquindades de sus antagonistas. Más que un ataque concreto contra ellos, hemos de ver su respuesta en esta amargura con que ve a los hombres, diluída a lo largo y a lo hondo de su obra.

---

[19] M. Romera-Navarro, *El Criticón.* Edición crítica y comentada, Londres, 1938-1940, III, págs. 180 y 186, notas.

La polémica epistolar entre Gracián y Salinas trae como desagradable consecuencia nuevas denuncias al General de la Orden, en las que puede verse la mano oculta del canónigo o de alguno de sus amigos.

Gracián, en esta ocasión, debió ser reconvenido severamente por el Provincial de Aragón, que lo era entonces el P. Francisco Franco, porque el 12 de junio de 1652 le escribe a su fidelísimo Lastanosa: "Me impiden que imprima y no me faltan envidiosos, pero yo todo lo llevo con paciencia, y no pierdo la gana de comer, cenar, dormir...".

Quizá la represión no pasó de ser una llamada a la obediencia, hecha con prudente suavidad. El P. Baltasar contaba con la decidida amistad y protección de poderosos señores, como Lastanosa, el obispo de Huesca, don Esteban de Esmir; el virrey de Aragón; don Pablo de Parada, gobernador de Tortosa, y aunque el General de la Compañía en carta latina de 29 de junio dirigida al Provincial, reprochaba las intercesiones y patrocinios de elementos ajenos a la Orden en los asuntos internos de ella y en las decisiones que se tomasen con sus subordinados, el Provincial procede con un cierto ten con ten respecto al caso de Gracián, ya que, por otra parte, sería el primero en reconocerle, más que como culpable, como una víctima de sus enemigos.

En diciembre de 1652, Gracián se halla en Graus. El obispo de Huesca, gran protector de los jesuitas, había regalado los terrenos necesarios para que la Compañía edificase un convento en dicha villa, donde había nacido —que dotará más tarde con veinte mil ducados y mil más cada año para su construcción—, indicando al mismo tiempo su deseo de que fuesen enviados al nuevo Colegio determinados padres que indicaba nominalmente. Es posible que entre ellos nombrase a su excelente amigo Baltasar Gracián, que le había dedicado un año antes la obra póstuma del P. Continente. Ello constituía una magnífica oportunidad para alejar del centro de interés al padre Gracián, envolviéndole en penumbras de distancias y ausencias, y los superiores le envían allá.

Aunque las opiniones que merecía a unos y otros la situación del nuevo Colegio eran contradictorias, ya que si de la información del Provincial se deducía que el sitio era muy adecuado, de otras referencias que dan al General era "muy desacomodado, fuera de la villa, sin agua, debajo de un monte o peña muy alta, donde en invierno se han de helar de frío los moradores y en verano abrasar de calor, con otros achaques; y concluyen que ha de ser el destierro de la Compañía" [1], el envío de Gracián a Graus no debía tener carácter de castigo, porque pronto regresa a Zaragoza.

Desde allí escribe a su amigo Lastanosa sobre las más varias cosas, indiferente al peligro que sobre él se cernía; de una librería que se vende, de que se juega en el palacio del virrey, de un caso de caridad extemporáneo, para terminar con un dicho gracioso.

Entre tanto, sus enemigos no cejan en su afán de venganza. Las denuncias siguen llegando hasta el General, que las refleja en su correspondencia:

> ...Del P. Baltasar Gracián se nos ha escrito que no satisface al oficio de Maestro de Escritura, ni es apropiado para la educación de nuestros Hermanos Estudiantes. V. R. vea si esto tiene fundamento, y cumpla con su obligación, poniendo otro maestro en su lugar, si se verifica lo que se me ha avisado... [2].

El P. Diego de Alastuey, que por entonces se halla al frente de la Provincia de Aragón, es suave, blando y sociable en extremo —lo

---

[1] Carta de 26 de septiembre de 1652. Vid. COSTER, *op. cit.*, Apéndice III, pág. 734.

[2] Carta del General P. Goswin Nickel al Provincial P. Diego de Alastuey, de 8 de diciembre de 1652. *Ibíd.*

que el General, rígido y enérgico, le reprocha en carta de 31 de octubre de 1653— y debió informar favorablemente de su subordinado, porque la nueva tentativa de sus enemigos para lograr humillarle, no prospera, aunque la intención haya dado en el blanco.

Tampoco el incidente debió afectar demasiado al escritor, porque le vemos, seguro de sí mismo, dedicado por entero a su labor literaria.

Durante el año 1653 reside en Zaragoza, y como si ningún peligro le amagase, dirige la segunda edición del *Oráculo* y la aparición de la Segunda Parte de *El Criticón*, que se publica en Huesca por Juan Nogués, en dicho año, entre los meses de marzo y julio. Con cierta temeridad renuncia a firmarla con el seudónimo de *García de Marlones*, más discreto, que había utilizado en la primera, para volver al uso de su *Lorenzo Gracián*, fácilmente identificable, por el que ya se le conocía, como si nada debiera temer. Su desobediencia a las órdenes superiores de su instituto era manifiesta. Casi simultáneamente a la publicación de la obra profana, somete al juicio y censura de las jerarquías de su Orden el original de un pequeño libro del más puro carácter religioso: *El Comulgatorio*, serie de "Varias meditaciones, para que los que frecuenten la sagrada Comunión puedan prepararse, comulgar y dar gracias". El proceso de revisión y aprobación es lento y meticuloso. En 31 de octubre, el General, desde Roma, accede a que se nombren censores, y un año después autoriza la impresión, de acuerdo con el fallo favorable de los revisores. Todavía falta la licencia del Provincial, que éste concede el 2 de febrero de 1655, en el curso de cuyo año se publica la obra en Zaragoza por Juan de Ibar. Va dedicada a la Marquesa de Valdueza, camarera mayor de la Reina, y aparece firmada con el propio nombre y apellido de Gracián, bajo los cuales se lee: "de la Compañía de Jesús, Lector de Escritura".

Su publicación debió surtir efectos ante sus superiores, porque sigue a ella una larga etapa de tranquilidad en la vida del escritor. Conociendo su modo de proceder, recto y justo, no puede pensarse que Gracián publicase esta obra con el propósito de mitigar la reacción que pudiese producir la publicación de *El Criticón*, de conciliarse con las jerarquías de la Orden y contener sus admoniciones.

No hay en ella concesión alguna ni podría violentarle escribir sobre un tema que habría tratado reiteradamente en sus sermones, que ya se hallaba en germen en distintos capítulos de *Agudeza*. Respondía a un ciclo vital perfectamente manifiesto, en el cual *El Comulgatorio* representaba el eslabón final, hasta el punto de que podríamos pensar que, de prolongarse su vida, acaso no escribiese sino sobre los más fervorosos temas devotos, como lo da a entender cuando dice al frente de este libro: "Si éste te acertare el gusto, te ofrezco otro de oro pues de la preciosa muerte del Justo con afectuosos coloquios, provechosas consideraciones y devotas oraciones para aquel trance" [3].

Durante la larga tramitación por que pasa la aprobación y censura de esta obra, Gracián desarrolla una gran actividad literaria. En el año de 1654 se publica en Zaragoza, en las prensas de Juan de Ibar, una antología titulada *Poesías varias de grandes ingenios*. El colector es José Alfay, editor de la ciudad del Ebro. Aunque el nombre de Gracián no aparezca para nada en dicha obra, puede suponerse que él haya sido en realidad quien llevó a cabo la selección de autores y composiciones, como lo comprueba una carta que en agosto de 1654 le dirige el marqués de San Felices [4]. Los poetas que figuran en esta escolma coinciden en su mayor parte con los que cita con predilección en *Agudeza*: Antonio Hurtado de Mendoza, Quevedo, Góngora, Argensola, Lope, Baltasar del Alcázar, Montalbán, Morlanes, Diego de Frías, etc.

Al mismo tiempo, dueño de sí, escribe en estos años la Tercera Parte de *El Criticón*. No ignora que con ello se atraerá la indignación de sus "padrastros", como les llama a algunos jesuítas, sus perseguidores, en una carta que escribe a Lastanosa en 18 de febrero de 1655. Latassa la extracta en sus *Memorias literarias*: "...como no entienden el asunto ni el intento, con sólo el nombre de *Criticón* se quedan y con brava ojeriza contra él". Se siente seguro de su

---

[3] *El Comulgatorio*, "Al lector".

[4] "Mi padre Gracián: Los desvelos de V. Pd. dan motivo a los aficionados a las buenas letras para no tener ocioso el discurso, y aunque el libro que ha sacado Iusepe Alfay no sea hijo del discurso de V. Pd., pero se le debe mucho por el cuidado que ha tenido en hacerlo dar a la estampa y por haber hecho un ramillete de tan fragantes flores, dignas de su buen gusto y mejor empleo...". Vid. Coster, *op. cit.*, pág. 429, *n*.

inocencia, convencido de su buena intención, y se decide a arrostrar una vez más el juicio que pueda merecer tal obra a los superiores, que sin la comprensión suficiente del asunto y el intento que en ella desarrolla, la juzgan, más que a través de su propio criterio, por las opiniones insidiosas de sus émulos que hasta ellos llegan.

En este año de 1655 es asimismo frecuente su correspondencia, si tenemos en cuenta que se conservan tres cartas suyas a Lastanosa, al que nunca olvida, y dos más a don Francisco de la Torre Sevil, lo que hace sospechar que otras más se han perdido. En las que envía a este amigo leal, que se conservan íntegras, y que son un verdadero alarde de ingenio y desenfado, como si sobre él no pesase ninguna grave preocupación personal, se refiere a menudos hechos de la vida zaragozana, a la política, a las guerras de Italia y de Flandes, a las intrigas inglesas, a las novedades que han acontecido por las cortes europeas. Se le ve en ellas a Gracián desvelado y atento a todo cuanto le rodea, a cuantas noticias llegan hasta él. Su desesperación ante la impotencia española es muy manifiesta en ciertas frases que le salen espontáneamente a los puntos de la pluma, como éstas:

> De suerte que no hay otra nueva de consuelo en España sino el estar preñada la reina y pasar adelante con ello.
>
> Todo va de malo en peor, porque de Cataluña dicen está sitiado Palamós con 28 navíos, y por tierra, y por eso se ha retirado el enemigo de acá hacia el campo de Urgel; y es tal nuestra flaqueza y falta de gente y de todo, que cualquiera plaza que sitiare se la llevara.
>
> En Flandes, peor... Nuestra gente anda de acá para allá, haciendo lo que se puede, que es harto poco.

Luego de referir nuestras desventuras de Italia, resumirá: "De suerte que en todas partes nos quiebran la cabeza". Como un amarguísimo estribillo, reiterará en su segunda carta a don Francisco de la Torre: "no hay otro de consuelo, sino que el preñado de la Reina va muy adelante y felizmente".

Si no lo hubiésemos visto de modo patente en otros textos suyos, bastarían estas dos cartas de Gracián para percibir cómo le dolía la irremediable decadencia de su patria, cómo adivinaba con tristeza su declive y ocaso.

En otras dos de las que le dirige a Lastanosa alude al envío de capítulos de la obra que prepara, para que el inteligente amigo los censure y revise. ¿Qué significa esto? ¿Una cordial colaboración, que ya venía de antiguo, de sus anteriores obras, realizada oralmente, cuando residían en la misma ciudad, y que ahora se manifiesta por escrito? No es probable, ya que tendríamos numerosas muestras e indicaciones de ello, sobre todo en boca de sus contrarios, por ejemplo, el canónigo Salinas, que lo sabría y lo proclamaría con gran complacencia.

Quizá no pasase de ser, simplemente, un exceso de cautela por parte del escritor, temeroso de que en sus palabras pudiesen deslizarse conceptos, ironías o palabras reprobables. Su situación es delicada con relación a la Compañía, y habrá de andar con pies de plomo. El juicio que pueda ofrecerle el amigo, al que en tan alto lugar pone, es de todo crédito, y si él falla favorablemente nada debe temer.

ULTIMOS AÑOS DE SU VIDA

Desde el 21 de octubre de 1655, fecha de su última carta conocida, pasa una larga temporada sin que volvamos a tener noticias de Gracián.

Hemos de suponerlo, pues, dedicado al trabajo de la enseñanza, en su cátedra de Escritura en Zaragoza, y a escribir, en las horas de descanso, los últimos capítulos de *El Criticón*. Los protagonistas, después de las mil peripecias alegóricas por que pasan en el transcurso de la vida, arriban al fin al sosiego y apoteosis de la Isla de la Inmortalidad. Quizá el P. Baltasar escriba a escondidas, robando horas al sueño, aunque gozoso de ir llegando, como sus personajes, al final y premio del camino. Ha inventado una fábula, que en un comienzo imaginó dividida en cuatro estaciones, y desea con ansia darle su total desarrollo y desenlace, para que no ocurra con su obra como le ha acontecido a don Luis con su poema de las *Soledades*, cuyo plan y asunto, que tanto le ha complacido, quedó inacabado apenas en su iniciación. Al fin logra Gracián dar forma a la última *crisis*.

Debió finalizar su libro en los primeros meses del año 1657, pues aunque la dedicatoria que va al frente aparece sin fecha, no así la censura del P. Esteban Sánchez, de la Orden de los Mínimos de San Francisco de Paula, fechada el 6 de mayo de dicho año, ni la licencia de impresión del doctor don Pedro Fernández de Parga y Gayoso, canónigo lectoral de Santiago y Vicario de Madrid, que lleva la de 5 del mismo mes. La aprobación del P. Alonso Muñoz de Otalora, de los Clérigos Menores y calificador de la Suprema

Inquisición es de 10 de junio, y la fe de erratas, del 30 de julio. En estas idas y venidas han pasado tres meses.

Así, pues, el libro, impreso por Pablo de Val, a costa del impresor Francisco Lamberto, debió ponerse a la venta por agosto de 1657.

Gracián sabe cuánto va a significar en su vida la aparición de esta nueva obra, que la Compañía considerará como un desafío, pero, al mismo tiempo, olvidado de la tormenta que pueda provocar y de los rayos que esta tormenta fulminará sobre su cabeza, da un suspiro de alivio, y siente la alegría de quien ha vencido a la inteligencia y la imaginación, reacias y rebeldes, oscuras fuerzas que ha domeñado. Ningún goce tan delicado como aquel que el intelectual puro siente cuando escribe las últimas páginas de una obra, que en ocasiones ha fluído con espontaneidad a los puntos de su pluma, con obstinado esfuerzo otras, que ha salido a su gusto, que responde a su deseo, que considera perfecta. No es la vanagloria del aplauso ni otras consecuencias adjetivas las que le satisfacen, sino el placer íntimo de vencerse a sí mismo, de saberse creador y demiurgo, como quien ha concertado tantos elementos dispares y confusos que le bullían en la mente.

No publicaba Gracián la última parte de *El Criticón* porque, con ella, aspirase al aplauso vulgar ni la vil ganancia, ni tampoco por tesonería aragonesa o rebeldía ciega y sistemática contra los suyos, sino por sentir ese placer oculto, íntimo, de ver finalizado su intento. Tenía plena conciencia de que al darle justo acabamiento realizaba una labor trascendente. "Confieso que hubiera sido mayor acierto el no emprender esta obra —dirá—, pero no lo fuera ya el no acabarla" [1]. Las primeras partes eran como la flecha en el aire, que necesariamente habría de continuar su trayectoria hacia la meta o remate. Exponían el proceso de la vida del hombre, y faltábale, justamente, dar el trasunto de su última etapa, que la saeta llegase al blanco, que el hombre llegase a la muerte y a la inmortalidad.

Pensaría, asimismo, que nada debía temer con la publicación de esta parte final, pues si en las dos primeras había descrito con cierto realismo y desenfado las turbulencias del mundo, y también, al des-

_____

[1] *Criticón*, III, "Al que leyere".

gaire, sus encantos, sus más acérrimos censores se verían obligados a reconocer que esta parte última contenía la más austera lección de moral, ya que no era sino una ascética y suasoria invitación a la vida virtuosa. Así lo entiende el P. Muñoz Otalora cuando por encargo de la Suprema Inquisición la aprueba: "...en disfraces curiosos aplaude la virtud, condena el vicio, da lugar a la verdad, destierra el engaño, favorece el desinterés, reprende la lisonja, y dando lucido principio a la vida, la esmalta peregrinamente con el feliz suceso que pone a la muerte...".

La reacción de la Compañía fué muy diferente. No vió en la obra el buen propósito, la solución cristiana y hondamente aleccionadora que daba al divagar errabundo de sus héroes, sino la reiterada rebeldía de su autor, uno de sus subordinados, que elementos ajenos a ella se encargarían de poner inmediatamente en evidencia.

Ha cesado en el cargo de Provincial de Aragón el P. Alastuey, amable y contemporizador, y le sustituye el P. Jacinto Piquer, que actúa contra Gracián con la máxima rigidez, a lo que el General, todavía más severo, asiente:

... Harto manifiestos son los indicios que hay para creer *sine formidine* que el autor de aquellos libros 1.ª, 2.ª y 3.ª parte de *El Criticón* es el P. Baltasar Gracián y V. R. hizo lo que debía dándole represión pública, y un ayuno a pan y agua y privándole de la cátedra de Escritura y ordenándole que saliese de Zaragoza y fuese a Graus. Si él tiene juicio y temor de Dios, no ha menester otro freno para no escribir ni sacar a luz semejantes libros que el que le ha puesto V. R. de precepto y censura. Pues se sabe ya que no ha guardado el que se le puso cuando sacó dicha Segunda Parte, conviene celar sobre él, mirarle a las manos, visitarle de cuando en cuando su aposento y papeles y no permitirle cosa cerrada en él, y si acaso se le hallase algún papel o escritura contra la Compañía o contra su gobierno, compuesta por dicho P. Gracián, V. P. le encierre y téngale encerrado hasta que esté muy reconocido y reducido, y no se le permita mientras estuviere incluso tener papel, pluma ni tinta; pero antes de llegar a esto, asegúrese bien V. R. que sea cierta la falta que he dicho, por la cual se le ha de dar este castigo. Para proceder con mayor acierto será muy conveniente que cuando hay tiempo, oiga V. R. el sentir de sus Consultores, y después nos vaya avisando de lo que ha sucedido y de lo que ha obrado. El valernos del medio de la inclusión, ya que otros no han sido de provecho, es medio necesario y justa defensa de nuestra Compañía, a la cual estamos obligados en conciencia los Superiores de ella... [2].

El castigo impuesto por el Provincial y la severísima carta del General, que aparentemente se extralimita en su celo, podrían parecer excesivos si no se tuviese en cuenta varias eximentes en favor suyo.

El escritor había concitado la envidia y el rencor de una serie de oscuras gentes, religiosos algunos de ellos, pertenecientes a otras Ordenes e incluso a la misma Compañía, que al menor éxito de Gracián dentro de la misma —su nombramiento de Lector de Escritura, por ejemplo— o a la aparición de sus libros, se apresuraban a hacer llegar sus delaciones hasta las supremas jerarquías, declarándolo inepto para el desempeño del cargo o destacando en sus escritos equívocas doctrinas o sátiras irreverentes. Si nos fuese posible conocer el texto insinuante y venenoso de estas denuncias, apoyadas muchas veces en el interés por el buen nombre y salud de la Compañía, podríamos explicarnos en gran parte la actitud que con él se sigue. El General no conocería sus obras sino a través de estas malignas referencias de sus adversarios.

Por otra parte, la Orden castigaba en Gracián, sobre todo, la grave culpa de ser reincidente en rebeldía. De los cuatro votos que le ligaban, dos se referían justamente a la obediencia. Quien ingresa en ella ha de someterse a sus mandatos como un cadáver, *perinde ac cadaver,* como indica su glorioso fundador. La Compañía no podía ver con buenos ojos que uno de sus componentes dedicase gran parte de sus actividades al cultivo de un tipo de literatura mundana, ya que, al pronto, no podía entrar en sutiles averiguaciones de la finalidad moralizante y educadora que perseguía. Sólo sabía que elementos extraños a ella, con buena o pésima intención, se apresuraban a delatar la contradicción manifiesta de que un jesuíta se ocupase en escribir sobre temas que debían serle ajenos. Lo que en un principio no pasaron de ser suaves reconvenciones, se convirtieron luego en duras prohibiciones y castigos, ante la indiferencia del escritor, que al publicar sus obras se consideraría inocente, sin pensar que

---

[2] Carta del P. Goswin Nickel, General de la Compañía, al P. Jacinto Piquer, Provincial de Aragón, Roma, 16 de marzo de 1658. Vid. COSTER, *op. cit.,* Apéndice III, pág. 739 y s.

ello significase rebeldía contra los principios fundamentales de su instituto ni infracción de los sagrados compromisos que había contraído. La prohibición de que escribiese y publicase, pensaría, ¿no era, acaso, un reflejo de la acrimonia de sus enemigos, que él sabía estaban atentos a todas sus actividades, de cualquier índole que fuesen? Lo que de reprobable podía hallarse en *El Criticón,* lo que pudiera prestarse a torcidas interpretaciones, la sátira de todos los estados, entre los que se hallaba el religioso, ante el cual la cáustica ironía de Gracián no se había detenido, se hallaba en las dos partes anteriores, como, por ejemplo, cuando describe *El yermo de Hipocrinda,* que se halla en la Segunda, y era preciso dar cabal continuación a esta gran fantasmagoría del mundo con un coronamiento virtuoso y ascético. Mostrar los honores y horrores de la Vejez, la repugnancia de la Embriaguez, los encantos de la Verdad; dar a conocer los defectos de los hombres *diptongos,* de los hombres *paréntesis,* de los *cutildeque* y *alterutrum,* de los charlatanes; presentar la hermosura del Saber y los peligros de la Nada; explicar por alegorías cómo es inútil buscar la Felicidad en la tierra; contrastar las dos faces de la Muerte, según la contemplen los pecadores y los justos; describir los atractivos de la Isla de la Inmortalidad, a la que tan sólo arriban aquellos que cuentan con suficiente viático de merecimientos y virtudes. Demostrar, en resumen, cómo lo humano para en desengaño y total inanidad, cómo no existe otra verdad que la de la vida que nos espera. Toda la obra, desde la aparición de los protagonistas, en la primera *crisis,* parece concurrir a este último fin, a esta solución cristiana, del mismo modo que las líneas de la pirámide ascienden y convergen a su agudo vértice. No importa que aparentemente desvíe su propósito con las más varias fantasías, símbolos, divagaciones o episodios, porque Gracián pronto volverá al rígido plan que se ha trazado. La escasa acción de sus personajes, que da unidad a la obra, no será un camino recto y escueto, que la convertiría en enojosa prédica didáctica, sino una senda amena y atractiva, por un terreno sinuoso, para dar lugar a las más variadas especulaciones. Pero por todos los caminos se llega a Roma, mejor aún, a Dios, que es lo que el escritor, a vuelta de mil incidencias, se propone en última instancia.

De la meditada lectura de *El Criticón* nos queda un amargo sabor a ceniza. Sin querer, miramos en torno nuestro y profundizamos en el interior de nosotros mismos, para examinar si nuestra vida está en regla y acorde con la grave lección que este libro nos da con mayor eficacia que cualquier tratado ascético. Toda esa tremenda sátira social, en que las gentes y las costumbres venales aparecen fustigadas con mayor dureza que en las antiguas *Danzas de la Muerte;* toda esa simbología fantástica, que recuerda los Autos Sacramentales, serán tan sólo la carne mortal del esqueleto de su ideología cristiana, con la que Gracián alecciona a los hombres.

No, no pretendía rebelarse contra los superiores de su Orden ni vencerles, sino convencerles de su honrado propósito. No podría hacerlo de acatar rigurosamente sus mandatos, porque a *El Criticón* le hubiera faltado su finalidad edificante.

Pero los momentos en que este libro aparece no son precisamente de paz octaviana, para que las jerarquías de la Orden puedan detenerse a ponderar la razón que asistía a sus adversarios en sus malévolas, venenosas acusaciones, de una parte, y las calidades educadoras y la purísima ortodoxia de la obra, en el otro platillo de la balanza. La Compañía, que había nacido bajo el signo del combate, que en el siglo XVI se había enfrentado contra la Reforma, en este siglo XVII tendrá que sostener batalla contra los jansenistas, como en el siguiente habrá de pelear contra el enciclopedismo.

Coincide con la Tercera Parte de *El Criticón,* por los mismos años, la publicación de las *Lettres provinciales* (1656-1657), de Pascal. Es la iniciación de la lucha sistemática contra la Compañía, a la que ha de responder ésta con una férrea disciplina de los suyos. Al relajamiento que se le reprocha, habrá de replegarse en sí misma, en un movimiento de defensa, evitando a toda costa que ninguno de sus miembros pueda justificar con su actuación o sus obras el rudo ataque de que es objeto.

Nada más elocuente en este aspecto que la carta latina circular que el General escribe en 12 de mayo de 1657, dirigida a todos los Provinciales [3]. Comienza recordando las órdenes taxativas, severísimas, que ha dado en otra de 4 de julio de 1654 a los revisores de

---

[3]   *Op. cit.,* Apéndice III, pág. 737 y s.

libros, a fin de evitar que en el catálogo del Indice de la Sacra Congregación deje de figurar siempre, como desde hacía varios años acontecía, el nombre de algún miembro de la Orden, para lo cual, a fin de evitarlo, hacía responsable a los censores de los libros que fuesen prohibidos. Son momentos difíciles, porque los jansenistas están al acecho de las debilidades y puntos flacos de la Compañía. Es preciso que sus subordinados no abusen de la doctrina de la probabilidad, que le echan en cara sus detractores. Los censores deben extremar su vigilancia en cuestiones tan delicadas.

En estos momentos de máxima tensión, en estas peligrosas circunstancias, se publica el libro de Gracián, reincidente en su desobediencia. No se le castiga concretamente a él, que hasta entonces ha escrito sin mayores trabas de los más varios asuntos, ni tampoco a sus obras mismas, sino al jesuíta rebelde, a fin de que sirva de ejemplo, para establecer la más rígida disciplina. Al final de su carta, el General, olvidado del caso concreto a que se refiere, invocará supremas razones: "...es medio necesario y justa defensa de nuestra Compañía, a la cual estamos obligados en conciencia los Superiores de ella...".

El escritor viene a ser la víctima propiciatoria de una época en que la Orden necesita reaccionar con firmeza y austeridad suma contra los enemigos que tratan de asaltar y rendir su fortaleza.

El grave dolor que debieron producir a Gracián los castigos impuestos, se refleja en otra carta del General al P. Piquer, Provincial de Aragón [4]:

> ...El P. Baltasar Gracián ha sentido mucho la penitencia que se le ha dado, y me pide licencia para pasarse a otra Religión de los monacales o mendicantes: no le respondo a lo del tránsito, pero le digo cuán merecidas tenía las penitencias que se le han impuesto por haber impreso sin licencia aquellos libros y por haber faltado al precepto de santa obediencia que se le había puesto. Y porque él refiere lo que ha trabajado en la Compañía y las misiones que ha hecho, también se lo agradezco, y después añado lo que he dicho. V. R. nos avise del estado y disposición de este sujeto y si ha habido alguna novedad...

---

[4] Carta fechada el 10 de junio de 1658. *Op. cit.,* pág. 740 y s.

Se adivina a través de esta carta, tan expresiva, la reacción que se produce en Gracián al sentir su amor propio herido, el súbito impulso de su carácter *cholericus, sanguineus,* que ya le había sospechado su maestro, cuando tenía tan sólo veinticuatro años, pero pronto dócil, sumiso y comprensivo, dispuesto a padecer toda injuria y vituperio por el bien de Dios. Ya de nuevo sosegado, recordaría aquellas palabras de los *Ejercicios,* que le decían: "En tiempo de desolación, nunca haber mudanza". Debió superar pronto sus instantes de tribulación con la grave meditación de sus deberes. Y si al mismo tiempo que solicitaba el paso a otra Orden, lo deseare firmemente y estuviese decidido a ello, ¿para qué recordar luego sus trabajos y misiones?

En la respuesta del General hay ya una gran piedad y compasión. Vuélvele a recordar las faltas cometidas, las admoniciones anteriores, las obligaciones que ha contraído al hacer sus solemnes votos de profesión, pero ya en el tono paternal de que se hace uso con el hijo díscolo que, con harto dolor, se ha tenido que disciplinar, que niño díscolo y desobediente era este ingenuo P. Baltasar. A pesar de sus cincuenta y siete años, no había aprendido a tener malicia, aunque en algunas de sus obras se hubiese esforzado en enseñársela a los demás, para que fuesen en el mundo gentes avisadas y zahoríes. El General, con un tacto exquisito, adivina en esta brusquedad, en este primer impulso, en esta entereza —¿aragonesa?— un corazón de oro, y dirá: "...no le respondo a lo del tránsito, pero le digo cuán merecidas tenía las penitencias que se le han impuesto...". Conociendo el carácter de Gracián, puede suponerse que la tormenta de su espíritu fué brevísima, pronto sustituída por la calma y serenidad de un más acendrado fervor, que la meditación pronto le hizo abdicar de su orgullo.

Que los correctivos impuestos no debieron pasar a mayores ni durar mucho tiempo las penitencias ordenadas, que fué tratado con la mayor benignidad y consideración, que su residencia en Graus debió ser breve —"toda la crisis había durado tres meses: de mediados de enero a mediados de abril", sintetizará el P. Batllori [5]—, nos lo muestra el dato de que en abril del mismo año de 1658 se

---

[5] *La vida alternante...,* pág. 100.

hallaba Gracián en la residencia de Tarazona. Lo sabemos por un Memorial en que consta la visita del Provincial, P. Jacinto Piquer, a dicho Colegio en el año de referencia, que hoy se halla en el Archivo Privado del Provincial de Aragón, en el Colegio Máximo de Sarriá, y que fué publicado por el erudito gracianista don José María López Landa [6]. En él figura Gracián como desempeñando los oficios de Prefecto de Espíritu, Admonitor y Consultor, cargos que, como dice el autor citado, "son los de mayor confianza en una Casa de la Compañía" [7]. Romera Navarro deducirá de su nueva situación: "Y su arrepentimiento debió impresionar al superior, que le otorga entonces un cargo de plena confianza: Prefecto de Espíritu del Colegio de Tarazona. Y quien había tantas veces quebrantado la regla, recibe ahora el oficio de Admonitor, con la misión de exhortar a sus compañeros a la observación de la regla" [8].

Tres meses después de la fecha en que tiene lugar la visita del Provincial al Colegio de Tarazona, en la que se registra la estancia de Gracián en dicha residencia, lo que hace suponer que ya llevaba algún tiempo en ella, se recibe una nueva carta del General, fechada en Roma el 16 de julio: "...Acerca de los demás que toca al Colegio de Zaragoza, sólo digo que me he consolado grandemente con el fruto que han hecho con sus sermones el P. Manuel Ortigas en Monreal y el P. Baltasar Gracián en Alagón...".

Plantea esta carta de 16 de julio de 1658 una importante cuestión si la relacionamos con el documento de que hemos hecho referencia, de fecha de 30 de abril del mismo año. Vemos a Gracián, en un pueblo próximo a Zaragoza, laborando a sus anchas en la predicación evangélica, que tanto debía complacerle, por lo que tenía de lucha y de victoria, en la que había obtenido tantos éxitos resonantes, aunque en cierto modo había sido también el origen de sus desventuras. ¿Cuándo desarrolla esta actividad misionera? ¿Después de su breve estancia en Graus, o bien, después de haber sido enviado

---

[6] J. M. López Landa, *Gracián y su biógrafo Coster,* en *Baltasar Gracián, escritor aragonés del siglo XVII. Curso monográfico celebrado en honor suyo por la Universidad Literaria y Ateneo de Zaragoza, en el año 1922.* Zaragoza, 1926, pág. 27 y s. En esta obra, en apéndice, se publica asimismo fotocopia de dicho documento.

[7] *Op. cit.,* pág. 23.

[8] Ed. cit., I, *"Introducción",* pág. 18.

a Tarazona, regresa de nuevo al Colegio de Zaragoza, para ser destinado a predicar en Alagón?

Que esto ocurría con posterioridad al correctivo que se le había
impuesto, nos lo dice la misma carta del General, que continúa para
exponer un grave escrúpulo. Ya no es el mismo el que habla, sino
los reglamentos internos de la Orden: "...sólo reparo en éste [Gra-
cián], que tratando de pasarse a otra religión, y siendo de las calidades que no ignora V. R., no es conveniente ocuparle en semejantes
ministerios, en conformidad con lo que se ordena en el capítulo 12,
ordin. Gener. de dimittendis...". No se trata de acentuar el castigo,
sino de una sencilla medida de prudencia, de acuerdo con lo que
mandan los estatutos de la Compañía.

Es posible que los superiores, con delicadísimo tacto, le evitasen
este nuevo dolor, encomendándole trabajos de otra índole. Quizá el
envío a Tarazona para desempeñar los difíciles cargos de Prefecto de
Espíritu, de Admonitor y Consultor, que mostraban cómo se ponía
de nuevo en él la mayor confianza, lo considerase como una honrosa
encomienda.

Es evidente que la última etapa de su vida, hasta que le visitó
la dulce muerte, que para él tendría el rostro sonriente y hermoso,
la pasó en esta acogedora residencia.

Coster, que trata la biografía de Gracián con admirable objetividad, apoyándose en documentos por él exhumados, al referirse a la
estancia del escritor en Tarazona, a falta de noticias directas, ya
que el Memorial referido fué dado a conocer con posterioridad a la
publicación de su obra, da suelta a la fantasía. Aunque enamorado
de las cosas de España y minucioso conocedor de ellas, el gran hispanista es, al fin y al cabo, francés, y sin darse cuenta se deja influir
por la "leyenda negra", que pinta lo español con luces y colores
sombríos. Según él, Tarazona era algo así como una residencia de
castigo, un lugar de destierro, al cual la Compañía enviaba sus subordinados inútiles o molestos.

López Landa [9] ha puesto las cosas en su punto. Tarazona, a través de los párrafos que recoge de un libro publicado por el padre
jesuíta Pascual Ranzón en 1708, aunque figure como anónimo, títu-

---

[9] *Op. cit.*, pág. 18 y ss.

lado *Gloria de Tarazona,* es una ciudad muy saludable, de templado clima y rica en frutos. "Nieva una o dos veces —dirá el P. Ranzón—, sin saber endurecer su blandura en la tierra, porque baxa a fertilizar las cosechas y no a probar la paciencia". Que estaba profundamente enamorado de su tierra nativa, lo comprueban estas palabras: "...es menester para que dexe uno su patria, o que sea el ascenso grande o que sea desterrado de este paraíso, como un Adán". Pero, por si estas consideraciones y entusiasmos filiales pudieran ser exagerados, recuerda López Landa que años antes de que allí residiera Gracián, había pasado el rey Felipe IV una larga temporada en la ciudad. No era tampoco un poblachón inculto, ni mucho menos, El Cabildo Catedral poseía una excelente biblioteca y el Seminario contaba con gran número de estudiantes.

Tanto los cinco conventos de religiosos —San Francisco, la Merced, los Carmelitas Descalzos, los Capuchinos, los Jesuítas— que en Tarazona existen como el clero secular que vive en torno de la Catedral, dan relevantes figuras dentro de las respectivas órdenes y en el mundo intelectual. Incluso destacan por este tiempo ilustres turiosanenses en la abogacía, en la medicina, en las más varias ciencias, en el arte. El propio rector del Colegio de la Compañía, el P. José Fernández, "era docto humanista, filósofo, teólogo, historiador y celoso misionero" [10].

No es, pues, Tarazona una ciudad hostil e inhospitalaria, sino un pequeño mundo tranquilo, silencioso, "logar cobdiciaduero para omne cansado", donde quien allí llega puede consagrarse al reposo, a la meditación y al cultivo de sus dilecciones. Las ocupaciones que pesan sobre Gracián no le embargan demasiado, y siempre habrá un cordial e inteligente fraile franciscano, mercedario, carmelita, capuchino, un hermano en religión, algún clérigo secular, sabio y discreto, con quien pasear por las afueras o, en un lugar acogedor, charlar despaciosamente sobre las más varias preocupaciones.

En este ambiente sosegado y amable, tan grato para quien tanta actividad física e intelectual había derrochado en su vida infatigable, se suceden los últimos días del P. Baltasar.

---

[10] LATASSA, *Biblioteca de escritores aragoneses,* I, pág. 484.

El secreto presentimiento de su fin le inclinaría a un más intenso cultivo de la ascesis, como quien se viste de gala para una fiesta. Olvidado del mundo y de sus vanos halagos, se consagra íntegramente a purificar su alma, como si recordase los versos de Alvarez Gato, aquel antiguo poeta, que habría leído alguna vez en el *Cancionero General*:

> Procuremos buenos fines,
> que las vidas más loadas
> por los cabos son juzgadas...

Su ánima inquieta gozó de la gran paz del Señor el 6 de diciembre de 1658, rodeado, sin duda, de la máxima solicitud, del cordial afecto, del silencioso respeto y consideración de los suyos.

SU RETRATO FISICO

Escasas referencias tenemos sobre la verdadera fisonomía de Gracián, si no es el retrato que la Compañía colocó en el claustro del Colegio de Calatayud, su patria, a cuyo pie figura un honroso vítor que dice:

"*P. BALTHASAR GRACIAN, ut iam ab ortu emineret, in Bello-monte natus est prope Bilbilim, confinis Martiali Patria, proximus ingenio, ut profunderet adhuc xristianas argutias Bilbilis, quæ poene exhaustae videbantur aethnicis. Ergo augens natale ingenium innato acumine, Scripsit ARTEM INGENII, et arte fecit scibile quod scibilis facit artes. Scripsit item ARTEM PRUDENTIAE, et a se ipso artem didicit. Scripsit ORACULUM et voces suas protulit. Scripsit DISERTUM ut se ipsum describeret. Et ut scriberet HEROEM heroica patravit. Haec et alia ejus scripta Mecenates Reges habuerunt, Iudicem Admirationem, Lectorem Mundum, Typographum Aeternitatem. Philipus IV saepe illius argutias inter prandium versabat, ne deficerent sales regüs dapibus. Sed qui plausus excitaverat calamo, deditus Missionibus excitavit planctus verbo, excitaturus desiderium in morte qua raptus est 6 Decembris 1658, sed aliquando extinctus aeternum lucebit.*"

Dicho retrato, que al ser disuelta la Orden desapareció del Colegio de Calatayud y más tarde fué encontrado por don José Sanz de Larrea, pasó a manos de su sobrino don Félix Sanz de Larrea, se hallaba felizmente en poder de don José María López Landa, director que fué de la "Biblioteca Gracián", de Calatayud, y minucioso y entusiasta investigador de cuantas cuestiones al escritor se referían [1].

No es precisamente tal retrato una excepcional obra de arte, pero logra el fin perseguido: dar la verdadera efigie de Gracián, que así debió ser y así al menos le imaginamos. Es de tamaño natural, y el escritor, vestido con su hábito y bonete, se halla sentado en un sillón frailero, ante un pupitre en el que aparece un libro abierto. La mano derecha, en alto, sostiene con dos dedos la pluma de ave, suspensa, mientras la izquierda, tendida y abierta hacia abajo, parece ayudarle a matizar lo que acaso esté meditando. Un cortinaje azul disimula el espacio vacío a su espalda.

¿Cuándo, a qué edad del escritor, fué pintado este retrato? Gracián se nos aparece en él todavía joven. Los cabellos semejan trigueños; por delante del bonete asoma un mechón de pelo, aunque se adivinan las profundas entradas de las sienes; los ojos grandes, quizá azules; la nariz, recta; la boca, breve y bien perfilada. Lo más interesante del retrato es la actitud extática, la mirada ausente, de quien está abstraído en un pensamiento, en una idea fija, y esa calma y dulce suavidad que se desprende de su rostro. No hay en él melancolía, sino profunda serenidad y ensoñación.

De no conocer tal retrato, sería ésta la manera como concebiríamos la representación física del escritor. Si acaso, cuando de su pluma surgiese alguna exhortación a lo heroico, sus ojos, habitualmente apagados y serenos, tendrían un imperceptible brillo metálico, o en sus labios finos se dibujaría una leve sonrisa, cuando se le viniese a las mientes alguna donosa ocurrencia.

Copia de este retrato, aunque obra de menos calidad y perfección, parece ser la estampa que se conserva en la Biblioteca Nacional, y que debió pertenecer a don Valentín Carderera, efigie en la cual se acentúa el rasgo de la boca con un rictus caricaturesco, y se deforman las demás líneas, convirtiéndolo en un personaje vulgar, sin espíritu ni personalidad alguna [2].

---

[1] J. M. López Landa, *El retrato de Gracián,* en *Athenaeum,* Zaragoza, mayo 1922.

[2] Puede verse reproducida en Ricardo del Arco, *La erudición aragonesa...,* en lámina entre las páginas 80 y 81.

Nada nos dice él mismo de su aspecto exterior, ni tampoco sus amigos. Sólo sus enemigos han tratado de describirle, pero esta versión apasionada no puede merecernos crédito. En la Segunda Parte de *El Criticón,* en la crisis XI, Gracián había descrito el tipo de Momo de modo burlesco, en caricatura. Pues bien, el autor de la *Crítica de reflección,* que sin duda le conocía personalmente (si insistimos en la atribución al P. Paulo de Rajas, como en un principio se creyó), ni siquiera se toma el trabajo de describir por su cuenta a Gracián, sino que se contenta con trasladar, casi con las mismas palabras, con ligerísimos variantes, el retrato que Gracián había hecho del bufo personaje: "Es un hombrecito tan nonada, que aun de ruin jamás se ve harto; tiene la cara de pocos amigos, y a todos la tuerce; mal gesto, y peor parecer; los ojos (aunque los trae con viriles) más asquerosos que los de un médico, y sea de Cámara. Brazos de acribador que se queda con la basura; de puro flaco, consumido, aunque todo lo muerde; robado de color, aunque le quita a todo lo bueno; su hablar es zumbir de moscón; nariz de sátiro, y aún más fisgona; espalda doble, aliento insufrible, señal de entrañas gastadas; toma de ojo todo lo bueno e hinca el diente en todo lo malo; tiene perversa vista, y con no tener cosa buena en sí, todo lo halla en los otros" [3].

La coincidencia en todos sus defectos de esta descripción personal del escritor con el pasaje de *El Criticón,* es exacta. Sólo añade algún dato nimio, como el de que el escritor usaba lentes, en lo que insiste al decir: "Por grave te tienes, pues te pones antojos, cosa que autoriza grandemente" [4], lo que, de ser cierto, justificaría su mirada un poco muerta que aparece en la pintura.

Si eliminamos todo lo que de recargado en sus tintas y de rencoroso tiene este vejamen, podríamos deducir que Gracián era de menuda figura, corto de vista, bastante delgado, de color pálido, de nariz grande, que en el retrato no se observa; un poco cargado de espaldas, de tanto estar inclinado sobre los libros; de estómago delicado, como quien desprecia a aquellos que "sólo toman de la vida

---

[3] *Crítica de reflección,* pág. 17.
[4] *Ibíd.,* pág. 56.

el comer, que es lo más vil" [5], y, sobre todo, desdeñoso y altanero con los necios.

Pero, más que su retrato físico, del que tenemos escasas referencias, debe importarnos en el gran escritor su efigie moral, su etopeya, y para ésta sí contamos con una serie de datos, ya sea al observar cómo reacciona ante la vida o valiéndonos de las intimidades y confesiones que en su obra ha ido sembrando involuntariamente.

---

[5] *El Discreto,* III.

ETOPEYA DE GRACIAN

La defectuosa transcripción del apellido Gracián por *Galacián*, que, como hemos visto, figura en su partida de bautismo y en las de sus hermanos, ha dado lugar a que el profesor Díaz-Plaja suponga origen judaico en el escritor, sin otro propósito que el de establecer la ecuación *barroquismo-judaísmo*. Toma como base para su tesis el hecho de que "en el bajo Aragón, de donde procede, abundan los judíos conversos de apellido *Jen* (gracia), llamados Gracián al cristianizarse" [1]. Según él, la confusión del apellido —que parece frecuente entre las gentes del pueblo aragonés, como indican Liñán [2] y Coster [3]— "pudo ser la deformación consciente de un apellido sospechoso". Hay que suponer que de esta "deformación consciente" fué autor el bueno de don Domingo Pascual, el sacerdote que le bautiza, porque Gracián, en cuanto tiene uso de razón, no utiliza jamás, ni una sola vez, el apellido que pudiera disimular su origen y sí, a mucha honra, el que podría parecer sospechoso.

Tal suposición debió parecerle certera al profesor Díaz-Plaja, porque varios años después [4] renueva la cuestión con más amplio vuelo y trascendencia, desarrollando sobre esta débil hipótesis y sobre la "actitud espiritual" de Gracián, que cree observar a través de una breve selección de sentencias suyas, espigadas intencionadamente al objeto que persigue, toda una teoría del barroco, como consecuencia del fermento judío que existe en Góngora y Gracián, a los que

---

[1] Díaz-Plaja, *La poesía lírica española*, Barcelona, 1936, pág. 171, *n.*
[2] *Op. cit.*, pág. 97.
[3] *Op. cit.*, pág. 357 y s.
[4] Díaz-Plaja, *El espíritu del barroco*, Barcelona, 1940, pág. 86 y ss.

considera escritores representativos de esta modalidad de estilo y
pensamiento, generalizada en el siglo XVII.

No es ésta la ocasión para que derivemos por nuestra parte hacia una interpretación del barroco, justificándolo como forma natural
de expresión de la gente española, que se intensifica en determinadas
personalidades señeras de las épocas de madurez —aunque otras
figuras relevantes, independientes, lo contradigan—, y en especial en
determinadas regiones más dadas al adorno y arrequives retóricos
en el habla. Es barroco el siglo I, final de una literatura áurea; lo
son el XV, en el que culmina todo el saber pueril de la Edad Media,
y el XVII, en el que alcanza su máximo logro el Renacimiento. Y
refiriéndonos a lo geográfico, la Bética tiene más propensión a la
expresión suntuosa que la Tarraconense, por ejemplo. Córdoba, ella
sola, nos ofrece desde la antigüedad una serie de escritores que podríamos considerar barrocos por naturaleza: Porcio Latron y los
demás declamadores cordobeses [5]; Lucano; más tarde, entre los mo-
zárabes, Alvaro Cordobés, cuyo linaje judaico, nos dirá Menéndez
Pelayo [6], "dista mucho de ser indiscutible", y Juan de Mena, antes
de que apareciese el suspecto Góngora.

No consideramos necesario recurrir, por tanto, a un supuesto
origen judío de determinados escritores, a fin de exponer toda una
ingeniosa teoría sobre el barroco, que pudiera tener aplicación y
validez en otros casos, pero no en el de Gracián. Y, sobre todo,
cuando el fundamento comprobable es tan tenue o no existe. Ha sido
siempre, por otra parte, la actitud más cómoda en España, donde
desde el pueblo hasta los más altos escritores (recuérdense las invectivas de Quevedo), se ha recurrido alegremente a este fácil vejamen, del que no se libraron las clases más selectas [7], difícil de desmentir, porque ello exigiría un minucioso análisis de sangre de todos
y cada uno de esos claros varones y honestas damas cuyos nombres
aparecen inscritos en las hojillas de los frondosos árboles genealógicos.

---

[5] P. P. MOHEDANOS, *Historia Literaria de España,* V.
[6] MENÉNDEZ PELAYO, *Historia de las Ideas Estéticas,* ed. 1940, I, pág. 333
y ss., *n.*
[7] Podría recordarse en prueba de ello, *El Tizón de la Nobleza o máculas
y sambenitos de sus linajes,* atribuído a don Francisco Mendoza y Bobadilla.

En el caso de Gracián varios datos de interés pueden servirnos para contradecir esta ascendencia que se le atribuye, y que, por el contrario, nada confirma. Si algún escritor español tuvo encarnizados enemigos, éste fué Gracián. Ahí están la *Crítica de reflección* y las cartas del canónigo Salinas, en las que hubiese sido oportuno, a sus fines denigratorios, recordarle su origen judío. Son variadísimos y venenosos los dicterios que injustamente le dedican, pero no aluden para nada a ello.

En cambio, Latassa nos dice que el escritor procedía "de una casa y familia infanzona" [8]. El propio Gracián firma *El Héroe* con el seudónimo de *Lorenzo Gracián* —que hizo pensar en la posible existencia de un hermano así llamado [9]— agregando la palabra *Infanzón,* ya como apellido materno, ya como título de hidalguía. Genealogistas tiene Aragón que podrán discriminarlo en los legajos de las Chancillerías. Porque la coincidencia de que usen el mismo apellido cristianos nuevos de Aragón e incluso "doctos rabinos", nada significaría en definitiva, ya que lo adopta sin escrúpulo alguno una noble familia, la de Diego García, cuyo apellido "se transformó en Gracián cuando estuvo de estudiante en Lovaina, por mala pronunciación, sin duda, por parte de sus compañeros, y en Gracián quedó" [10], y la cual constituye una verdadera dinastía en la Secretaría de interpretación de Lenguas de la Corte. Su hijo, Diego Gracián de Alderete, casado con Juana de Antisco, fué armero de los Reyes Católicos, en el momento álgido de la depuración semítica, precisamente en épocas en que tal apellido pudiera ser sospechoso, y más tarde Secretario de Lenguas de Carlos V y de Felipe II. Sus hijos, Jerónimo Gracián de la Madre de Dios, es el discípulo predilecto de Santa Teresa, y Antonio, Tomás y Lucas Gracián Dantisco, son, los tres, Secretarios de Felipe II. Lucas, autor de *El Galateo Español,* tuvo un nieto, Antonio Gracián y García de Solórzano, que ingresa en la Orden de Santiago, en 1652, tras pruebas de pureza de

---

[8] *Op. cit.,* III, pág. 267.

[9] M. ROMERA-NAVARRO, *Un hermano imaginario de Gracián.* en *HR,* 1935, III, págs. 64-66, refundido luego en su *Introducción* en la ed. cit., págs. 11-14.

[10] MARQUÉS DE SAN JUAN DE PIEDRAS ALBAS, *Fray Jerónimo Gracián de la Madre de Dios, insigne coautor de la reforma de Santa Teresa de Jesús.* Discurso de recepción en la Real Academia de la Historia, Madrid, 1918, pág. 26, *n.*

sangre rigurosas. El apellido, por tanto, no debía parecer suspecto
en tiempos en que se hilaba tan delgado en lo referente a ascenden-
cias familiares. Otro dato que puede ser significativo: Un Fr. J. Gracián y Salaverte, publica una expresiva obra, *Triunfo de la fe, vida
y prodigios de San Pedro Arbués, Canónigo de la Seo de Zaragoza,
primer inquisidor de Aragón* (Zaragoza, 1690), biografía y elogio
que serían insólitos en quien, por su apellido, pudiese tener posible
noticia de su origen mosaico.

Tampoco ningún sedimento de la raza semítica se hace visible
en el ambiente familiar del escritor. Todos sus hermanos, sin excepción conocida, profesan en distintas Ordenes religiosas. Su hermana
Magdalena, nacida en 1599, que toma el nombre de Magdalena de
la Presentación al entrar en las Carmelitas Descalzas, llega a ser
priora del convento de San Alberto. Su hermano, el padre Felipe
Gracián, profesor de Teología, predicador sutil, es una figura des-
tacada en la Orden de los Clérigos Menores; su hermano Fr. Pedro
pertenece a la de los Trinitarios; su hermano Fr. Raimundo ingresa en los Carmelitas Descalzos. Asimismo, un primo suyo, Raimundo, es dominico, y sacerdote seglar, un hermano de su padre.
Son muchos los casos de vocación religiosa en una misma familia
para que pueda pensarse existiesen en ella sedimentos hebraicos.

Dos veces alude Gracián tan sólo a los judíos en toda su obra, y
de forma muy expresiva: "Y ganó más Fernando el Católico con
haber echado de España a los judíos que con haberse hecho señor
de tantas naciones" [11]. "Y si no, decidme, aquel nuestro inmortal
héroe, el Rey Católico don Fernando, ¿no purificó a España de
moros y judíos, siendo hoy el reino más católico que reconoce la
Iglesia?" [12]. Habla sin conmiseración, lo que no se concilia con
la ascendencia que se le atribuye, que él no dejaría de conocer, y
que, en el caso de tener fundamento, respetaría, al menos, con pia-
doso silencio.

Existen, además, como pruebas concluyentes, los informes de
pureza de sangre que la Compañía llevaba a cabo respecto de los
novicios. En el caso de Gracián se realizaron con la mayor escru-

---

[11] *El Político.*
[12] *El Criticón,* II, 2.

pulosidad, al igual que con los demás. El P. Batllori, que trata por extenso el asunto [13], aunque en algún momento se muestre contradictorio y parezca aceptar la posibilidad de un vago origen judaico en el jesuíta aragonés [14], nos ofrece valiosas razones en contra, que merecen ser expuestas. La primera, el rigor con que la Compañía estaba obligada a estudiar el origen de cada uno de sus nuevos miembros. El Padre General Claudio Aquaviva, como consecuencia de la quinta Congregación general de la Compañía (1593-94), y de su decreto 54, envía una instrucción *Del modo de hazer las informaciones de limpieça a los que piden la Compañía,* en la que se ordena que, en España, tales informes se pidan a los inquisidores o personas de absoluta garantía, "christianos viejos, conocidos por tales":

> Haviéndose movido la Compañía, por muy justas causas, a hazer un decreto tan grave como el que hizo, de que no sean admitidos a ella los que tuvieren nota o raza de christianos nuevos en su linage etc., la razón y charidad obliga a tener todo cuydado y diligencia en hazerse las ynformaciones de limpieça de los que piden la Compañía, de suerte que ni la Compañía sea defraudada, en esta parte, de su intento, ni los que sean admitidos sean expuestos a peligro de tan grave daño, como sería el aver de ser despedido con nota y infamia suya y de sus deudos [15].

El informe sobre Gracián, de acuerdo con esta orden superior, lo suscribe don Cosme Ferrer, comisario apostólico y canónigo de San Juan de la Peña, quien afirma que sus padres y sus cuatro abuelos son "todos gente limpia y honrrada christianos viejos". El P. Batllori [16] interpreta con excesiva sutileza una nota aclaratoria que añade el informante y que no tiene otro alcance que mostrar un valioso antecedente religioso en la familia y que, en todo caso, probaría lo contrario: "Pero alguna duda hubo de suscitar su primer

---

[13] *Op. cit.,* pág. 13 y ss.

[14] "...me he detenido algo en este problema, no por creer que tal hipótesis fuese infamante para Gracián, sino para dejar hablar libremente a la nueva documentación sobre el caso, y para orientar hacia otros polos la investigación de las raíces de aquella riqueza introspectiva y de aquella penetración paradójica y retorcida que en la hipótesis hebraica tendrían plena y fácil explicación y sentido". *Ibíd.,* pág. 15 y s.

[15] *Ibíd.,* pág. 12.

[16] *Ibíd.,* pág. 13.

apellido Gracián, suspecto de judaísmo, más aún unido a la profesión de "dotor medico" que ejercía el licenciado don Francisco, y
quizás también el tercero, Cortés, cuando el comisario añadió una
nota especial, que no suele aparecer en otras partidas del mismo
Libro de pruebas; "y por calificar más al padre, se advierte que
Antonio Gracián, hermano suyo de padre y madre, es capellán en
la iglesia de Toledo, en la capilla de San Pedro de los Reyes".

Que no debió existir sospecha alguna respecto al origen de Gracián lo prueba el que su caso nunca fué propuesto a Roma, y en
cambio lo fuesen los nombres de otros religiosos de su época, como
el hermano Antonio La Cabra, en 1624, o el P. Cristóbal de Vega,
en 1628.

El P. Batllori añade todavía "dos buenos indicios: los retratos
antiguos que de él [de Gracián] conservamos, no acusan rasgo alguno semítico; y su actitud en la Compañía, más bien retraída y re-
servada, era todo lo contrario de los famosos memorialistas inquietos
del tiempo de Aquaviva, que luego se averiguó eran cristianos
nuevos" [17].

Tampoco nosotros creemos que la hipótesis de su posible origen
judaico pueda considerarse "infamante" para Gracián, pero si los
datos positivos con que contamos se oponen a ella, ¿por qué hemos
de aceptarla? ¿Y por qué, no pudiéndose afirmar nada en concreto,
se ha de recurrir a una obra tan diversa, de tan varias vislumbres
y matices psicológicos, como es la de Gracián, para rastrear a lo
largo de ella ciertos rasgos característicos que pudiesen servir para
asignarle tal origen?

El Prof. Díaz-Plaja sabe que edifica sobre livianos cimientos,
que apenas existe dato alguno en que pueda apoyar el supuesto
origen judaico del escritor [18], y deriva la cuestión diciéndonos que,
al igual que en Góngora, "la genealogía importa menos que su actitud espiritual. Es ahí donde hay que buscar el rastro posible de su

---

[17] *Ibíd.,* pág. 15.
[18] Paladinamente confiesa al iniciar su trabajo: "Es muy probable que
algunos de los elementos que dan pie a estos ensayos sean considerados como
traídos por los pelos *(Op. cit.,* pág. 10). "El acertar me es indiferente, pues
acaso la más fecunda prole de un libro así se haga de rectificaciones" *(Ibídem,*
pág. 15).

ascendencia" [19]. A este propósito, espiga una serie de máximas del escritor, para terminar deduciendo que "Gracián muestra ante la vida un guiño inicial de recelo y un gesto postrero de rencor", que "la doctrina de Gracián es la teoría del egoísmo más desenfrenado", que "todo el arte de Gracián consiste en eludir la franqueza", que en él existe "un afán de sabotaje", entre otros juicios categóricos en exceso.

Es Gracián, en puridad, un profesor de energía, un inductor a la victoria del héroe, del prudente, del discreto, sobre los demás hombres, que no son perfectos, que son sus enemigos naturales —"milicia es la vida del hombre contra la malicia del hombre" [20]—, y para lograrla, aconseja la máxima cautela y cordura en la pugna diaria, en la vida difícil, que él concibe como un batallar sin reposo ni tregua, aunque no siempre el combatiente haya de valerse de armas de doblez y recelo. Ni lo uno ni lo otro: "La sinceridad no dé en el extremo de simplicidad, ni la sagacidad, de astucia". En su densa obra pueden escogerse numerosas frases de signo contrario. Limitémonos a recordar tan sólo algunas del *Oráculo,* libro en el que se condensa su pensamiento:

Un bel portarse es la gala del vivir.

¡Infeliz eminencia la que se emplea en la ruindad!

El "hombre de entereza" debe estar siempre de parte de la razón, con tal tesón de su propósito que ni la pasión vulgar ni la violencia tirana le obliguen a pisar jamás la raya de la razón [21].

El constante varón juzga por especie de traición el disimulo; préciase más de la tenacidad que de la sagacidad; hállase donde la verdad se halla...

Esta sola es la ventaja del mandar; poder hacer más bien que todos.

Requiérese, pues, para la benevolencia, la beneficencia; hacer bien a todas manos; buenas palabras y mejores obras, amar para ser amado.

Dos cosas acaban presto con la vida: la necedad, o la ruindad.

---

[19] *El espíritu del barroco,* pág. 86 y ss.

[20] *Oráculo,* máx. XIII.

[21] Aquí aparece el tesón aragonés, que tan bien definía un familiar suyo: "Ponderaba el licenciado Antonio Gracián, mi tío, con quien yo me crié en Toledo, que en los aragoneses no nace de vicio el ser arrimados a un dictamen, sino que como siempre se hacen de parte de la razón, siempre les está haciendo gran fuerza". *Agudeza,* XXV.

Todo lo natural fué siempre más grato que lo artificial.

Señal de tener gastada la fama propia es cuidar de la infamia ajena.

Tienen su bizarría las almas, gallardía del espíritu, con cuyos galantes actos queda muy airoso el corazón; no cabe en todos, porque supone magnanimidad; primer asunto suyo es hablar bien del enemigo y obrar mejor.

Topar luego con lo bueno en cada cosa. Es dicha del buen gusto.

Siempre fué superioridad la generosidad; el hombre de bien nunca se vale de armas vedadas.

Nunca regirse por lo que el enemigo había de hacer.

Hase de hablar lo muy bueno y obrar lo muy honroso.

Saber jugar de la verdad. Es peligroso, pero el hombre de bien no puede dejar de decirla.

Podría ser ilimitado el número de todos y cada uno de los aforismos que, interpolados en su obra, nos muestran la altísima entidad moral de Gracián, que podrían contrarrestar con creces aquellas otras fórmulas que recomienda poner en práctica a quienes tengan que luchar denodadamente por la vida, y en especial en ciertos medios en que el engaño se disfraza con sonrisas de disimulo. "No ser tenido por hombre de artificio —recomienda con convencimiento, pero advierte asimismo—, aunque no se pueda ya vivir sin él." Y se lamenta luego: "Los sinceros son amados, pero engañados". Son tiempos duros, y hay que estar alerta: "Floreció en el siglo de oro la llaneza; en éste, de hierro, la malicia". Contra ella van sus advertencias y prevenciones.

Gracián exige una lectura reposada para su comprensión integral. No sólo por lo que se refiere propiamente a la expresión, en la que cada palabra tiene doble y hasta triple sentido, en un continuado juego de sus varias acepciones y equívocos, sino también por lo que atañe a su complicada elucubración doctrinal. No basta quedarse con una afirmación de sus máximas, sino que ésta ha de enlazarse con el contexto, con su continuidad lógica. Juzgarle por la enunciación de un tema, es anticiparse demasiado, pues con su pensamiento puede suceder, y sucede en muchos casos, que las premisas tengan, como acontece en la colocación de los números romanos, valor positivo o negativo con relación a lo que sigue. Romera-Navarro ha acertado a dar en el quid, cuando afirma: "Para juzgar la moralidad del autor, más importante que el consejo —que tiene que acomodarse en cierto modo al calibre moral de los presuntos lectores— es el comentario que suele acompañarle. Aconseja cierta vez la cuerda audacia para dar alcance a la ventura, y luego hace este comento: "Pero bien filosofado, no hay otro arbitrio sino el de la virtud y atención" *(Orác.)*. De esta manera procede constantemente, el consejo inspirado en la experiencia del mundo, y el comentario en la impecable moral" [22].

Y no sólo puede observarse este procedimiento estilístico en el caso particular de cada una de las máximas, sino que este bordón ético y aleccionador se percibirá asimismo al final de cada uno de sus libros profanos, como si fuese su corona y consecuencia.

Que no se nos diga que en el caso Gracián pueden ser éstas fáciles concesiones con que quiere encubrir su estado eclesiástico o disimular los temas mundanos en que se complace con una de cal y otra de arena, como si se tratase de un Maquiavelo vergonzante *. Son demasiado reiteradas e insistentes estas conclusiones para que no sean hondamente sinceras.

Gracián no rehuye, no puede rehuir la evidente realidad, y de ella toma pretexto para su didáctica trascendente. Nos lo dirá Vossler, con su visión zahorí del fenómeno español, que tan bien comprende y analiza: "Consideraba Gracián la vida terrenal como una híbrida y transitoria mezcla de valores falsos y verdaderos, como una especie de teatro, de farsa tragicómica, que traía su cabal sen-

---

[22] Ed. cit., I, *Introducción*, pág. 24.

* KLAUS HEGER, en su *Baltasar Gracián. Eine Untersuchung zu Sprache und Moralistik als Ausdrucksweisen der literarischen Haltung des Conceptismo.* (Tesis doctoral de la Universidad de Heidelberg, 1952; mecanografiada, portada impresa; en fol., 264 págs.), pág. 162, y en la versión española de esta obra, *Baltasar Gracián. Estilo lingüístico y doctrina de valores* (Zaragoza, Institución "Fernando el Católico", 1960), pág. 144, ha interpretado la frase "como si..." de modo muy estricto. En este caso concreto, no pretendemos dar un juicio de valor sobre el político italiano ni tampoco relacionarlo con Gracián, sino que damos a su nombre una acepción genérica, muy extendida en el habla coloquial española, en la cual decir *Maquiavelo* vale por 'hombre tortuoso', 'político sin escrúpulos', 'persona que disimula sus verdaderos propósitos con apariencias de lo contrario', y así en una extensa gama peyorativa, aunque tales conceptos no correspondan en realidad con las teorías expuestas en *El Príncipe,* libro que en España dió lugar a una verdadera hipertrofia de juicios adversos, y en consecuencia a este tipo de interpretaciones genéricas.

tido y su verdadera realidad de los ultraterrenales estratos del puro
y eterno ser y cuya existencia era algo por completo ambiguo, como
lo era la mundanal gloria, que Gracián apetecía y desdeñaba, al
mismo tiempo, como falsa imagen y auténtica sombra de la vida
eterna" [23].

Hay en su obra una arquitectura, una estructura tan firmes que,
a poco que se observe a lo largo y a lo hondo de sus páginas, se
percibirá cómo el escritor desarrolla su pensamiento, no en dualismo
simultáneo de idealismo y realidad, que viene a ser la fórmula más
constante de nuestra poesía, sino en dos planos yuxtapuestos, que,
sin contradecirse, se complementan, al modo de *El entierro del Conde de Orgaz,* del Greco, en el cual lo eterno gravita sobre lo mortal
y perecedero. Gracián parte, pues, de lo humano, que sería lo particular, lo anecdótico, hacia lo abstracto, lo divino, la categoría,
que es lo que a él justamente le llega al alma y le conmueve. "No
es éste el dechado que os propongo —parece decirnos cuando nos
muestra la humanidad pululante, encenagada en sus bajas pasiones—, sino esta apoteosis de lo alto en la cual las almas ya se han
liberado de tanta miseria." Es el suyo este debatirse tan hispánico
del Angel y el Enemigo, esta colisión tan entrañable que trasciende a
las letras españolas desde sus balbuceos, tiñéndolas de un severo, de
un angustioso claroscuro. En Mateo Alemán, pongamos por ejemplo, al alegre antruejo del pícaro seguirá la cruz de ceniza en la
frente, la coda meditabunda.

Aun suponiendo que algunos de sus avisos de cautela, de reserva,
de astucia, de prudencia, con que trata de preservar al hombre contra las garras y navajas de su antagonista, que es el propio hombre,
más temeroso que las mismas fieras, no se hallasen sobrepasados por
la ejemplaridad que se extrae de la consecuencia moral, no sería,
en todo caso, sino uno de tantos aspectos del complejísimo pensamiento de Gracián, que tiende su mirada insaciable hacia todas las
vertientes de la vida, porque nada de lo humano le es ajeno. Verlo
como un pensador rencoroso, que guarda sus espaldas, que se repliega en sí mismo, contra todo y contra todos, sería interpretarlo

---

[23] KARL VOSSLER, *Introducción a Gracián,* en *ROcc.,* 1935, CXLVII,
pág. 347.

parcial y venalmente, y, si acaso, en una de sus mínimas facetas, que son ilimitadas. La simplificación, la generalización es en éste, y en otros muchos casos, inaplicable.

¿Se puede decir, por ejemplo, que "el alma gracianesca lo conoce todo menos la efusión; sabe todas las cosas, pero ignora el arte de derramarse sobre los hombres" [24], si no es con precipitación excesiva y desconocimiento de su vida y su obra?

En el capítulo *"Gracián, hombre de bien"* ya nos hemos referido a un hecho conmovedor, que nos muestra su alma efusiva, llena de ternura. En 28 de mayo de 1638 el Padre General escribe al Provincial de Aragón diciéndole "que co[n]venía mudar al P. Balthasar [que entonces residía en el Colegio de Huesca], porque es cruz de los superiores y ocasión de disgustos y menos paz en dicho collegio, y por aver con poca prudencia tomado por su cuenta la criança de una criatura que se decía era de uno que avía salido de la Compañía, buscando dinero para este fin...", carta que el P. Batllori comenta certeramente: "nótense y subráyense aquí estos dos rasgos [el otro, su asiduo trato con seglares], tan humanos, amistad y conmiseración, en un hombre tildado siempre de deshumanizado" [25].

La piedad de su alma se derrama sobre el hijo ilegítimo del amigo, sobre la criatura de Dios abandonada, aunque se opongan a su caridad los superiores. No importa. Su compasión es tan grande que no puede ser contenida por las órdenes rigurosas. Y, además, andaba por medio la verdadera amistad, el antiguo compañerismo con el hermano descarriado.

Acaso pueda considerarse a Gracián el escritor español que ha puesto en más alto lugar las excelencias de la amistad, el que sintió con más embriagadora intensidad el dulce placer de la convivencia y del coloquio, el que escribió estas conmovedoras palabras, en las

---

[24] *El espíritu del barroco,* pág. 89.
[25] *Op. cit.,* pág. 77. No reparó ROMERA-NAVARRO, *Estudios sobre Gracián,* Austin, 1950, a pesar de que cita el estudio del P. Batllori (pág. 2), en esta noticia significativa, cuando dice: "En la inteligencia está su máxima estimación el valor grande, en ella el aprecio de sus familiares y su goce de la amistad. Es el menos sentimental de los escritores de España... Hombre intelectual, apenas cordial, es Gracián". (I, *Interpretación del carácter de Gracián,* pág. 4). Como no recordó tampoco otros ejemplos de abnegada amistad que nos ofrece la biografía cordial del escritor.

que pone su corazón en la mano: "El más poderoso hechizo para ser amado es amar" [26]. El, asimismo, escribe estas rendidas loanzas de la amistad: "No hay desierto como vivir sin amigos; la amistad multiplica los bienes y reparte los males; es único remedio contra la adversa fortuna, y un desahogo del alma" [27]. No se trata de vana literatura, sino que refleja su alma cálida y cordial, sedienta de afectos, insaciable de compañía. Dígasenos qué escritor español, entre nuestros clásicos, alaba tan reiterada, tan emocionadamente, los valores de la amistad, como lo hace Gracián en los pasajes que siguen:

> *Tener amigos.* Es el segundo ser. Todo amigo es bueno y sabio para el amigo. Entre ellos todo sale bien. Tanto valdrá uno, cuanto quisieren los demás; y para que quieran, se les ha de ganar la boca por el corazón. No hay hechizo como el buen servicio, y para ganar amistades el mejor medio es hacerlas [28].

> Que el que tiene amigos buenos y verdaderos, tantos entendimientos logra. Sabe por muchos, obra por todos, conoce y discurre con los entendimientos de todos. Ve por tantos ojos, oye por tantos oídos, obra por tantas manos y diligencia por tantos pies. Tantos pasos da en su conveniencia, como dan los otros. Mas, entre todos, sólo un querer tenemos, que la amistad es un alma con muchos cuerpos. El que no tiene amigos no tiene pies ni manos. Manco vive, a ciegas camina [29].

> ¡Oh gran prodigio de la amistad verdadera, aquella gran felicidad de la vida, empleo digno de la edad varonil, ventaja única ya del hombre! [30]

Concebía el sumo bien de la vida agradable como una reducida asamblea de amigos cordiales e inteligentes, que discurriesen sobre temas eruditos e ingeniosos:

> Fruición es el conversable trato y felicidad la discreta comunicación [31].

---

26 *Héroe,* XII.
27 *Oráculo.*
28 *Ibíd.*
29 *Criticón,* II, 3.
30 *Ibíd.*
31 *El Discreto,* I.

Es la noble conversación hija del discurso, madre del saber, desahogo del alma, comercio de los corazones, vínculo de la amistad, pasto del contento y ocupación de personas [32].

La dulce conversación, el mejor viático de la vida [33].

Y todavía:

Sea el amigable trato escuela de erudición, y la conversación enseñanza culta; un hacer de los amigos maestros, penetrando el sutil del aprender con el gusto del conversar... Hay señores acreditados de discretos, que, a más de ser ellos escuela de toda grandeza con su ejemplo y con su trato, el cortejo de los que los asisten es una cortesana academia de toda buena y galante discreción [34].

Con todo, el número de interlocutores habría de ser limitado a escasos amigos dilectos:

Recréase el oído con la suave música, los ojos con las cosas hermosas, el olfato con las flores, el gusto en un convite; pero el entendimiento con la erudita y discreta conversación entre tres o cuatro amigos entendidos, y no más porque en pasando de ahí, es bulla y confusión [35].

Parece como si quisiera señalar con el dedo al grupo de sus amigos de Huesca, especialmente a Lastanosa, a quien le une amistad constante e inquebrantable.

Sin embargo, su reacción ante la amistad no quedaría suficientemente manifiesta si nos limitáramos a recordar al grupo de sus amigos de Huesca, que le halagaban con sus homenajes, que admiraban en él su poderosa genialidad de creador. La lógica actitud de Gracián sería dejarse querer, aunque lo agradeciese con la correspondencia de su afecto cordial, como así lo hace, recordando nominalmente a cada uno en numerosas ocasiones, incluso presentándolos como prototipos de perfección.

Su amistad generosa se extiende a cuantos conoce, a cuantos han escrito algo que valga la pena de citar con elogio, como hace en la

---

[32] *Criticón,* I, 1.
[33] *Ibíd.,* 11.
[34] *Oráculo.*
[35] *Criticón,* III, 12.

Agudeza, donde alaba incluso a gentes mediocres y oscuras, lo que da por resultado que este libro, como decimos anteriormente, sea "una antología del afecto, que predomina en ella sobre el sereno juicio". Del mismo modo, *El Criticón,* con ser una creación del más puro carácter abstracto, constituye un verdadero censo de sus amigos, muchas veces citados con cálidos elogios como ejemplo de virtudes o cualidades, al lado de otros nombres famosos de la antigüedad para que sobresalga más su alabanza, técnica que ya inicia en sus primeros tratados. Por ello, es injusto el juicio de Romera-Navarro [36] cuando dice: "Sus demostraciones de expresiva y continuada amistad van dirigidas a sólo tres personas; ninguna de ellas es un condiscípulo del seminario, ni un compañero de la orden, ni un colega académico, ni un buen vecino de la ciudad; los tres amigos tan apreciados pertenecen a esfera superior". Cita a Lastanosa, a don Pablo de Parada y al Duque de Nocera, en aserto de lo expuesto. Bastaría repasar, como decimos, la *Agudeza,* para comprobar lo inexacto de tal afirmación. Refiriéndonos tan sólo a compañeros de la orden, diremos que el abuso con que cita a jesuítas más o menos famosos, llega en ocasiones a ser un lastre superfluo [37].

Pero veamos cómo se comporta frente a los grandes personajes, qué reacciones se producen en él ante las distintas y varias circunstancias en que se hallan.

En uno de sus escasos viajes a Madrid conoce al poeta Antonio Hurtado de Mendoza, al que elogia repetidamente en su *Agudeza y Arte de Ingenio.* Mendoza, llamado "el discreto de Palacio", era

---

[36]   *Op. cit.,* pág. 6.

[37]   Aparte de las grandes figuras de la Compañía —San Ignacio, San Francisco Javier, San Francisco de Borja, San Pablo Michi—, a las que cita una o dos veces, recuerda con elogio, reproduciendo en muchos casos textos suyos, al P. Tablares (Disc. V), al P. Matienzo (Disc. IX), el P. Remondo (Discursos XII, XIII y XXIV), al P. Mendoza (Disc. XIII, LIV y LXII), al Padre Céspedes (Disc. XIV), al P. Avila (Disc. XXIV), al P. Pinto (Discursos XXVIII y LIV), al P. Rajas (Disc. XXIX), al P. Rengifo (Disc. XXXII), al P. Azaola (Disc. XXXIV), al P. Dicastillo (Disc. XLVIII), al P. Usón y al P. Sanz (Disc. LI), al P. Alverite y al P. Bartoli (Disc. LII), al P. Baeza (Disc. LIX y LXI) y al P. Carrillo (Disc. LIX), de los que son contemporáneos suyos, al menos, el P. Matienzo, "nuestro grande amigo"; el P. Céspedes, el P. Avila, el P. Rajas, el P. Usón, el P. Sanz, el P. Alverite, el P. Bartoli, el P. Baeza y el P. Carrillo.

poeta de cámara y secretario íntimo de Felipe IV, lo que podría dar lugar a que se pensase que Gracián lo hacía por halago a quien ocupaba tan alto puesto. ¿Para qué habría de hacerlo? ¿Qué podría pretender con ello? Era demasiado altanero, con la virtud aragonesa de la entereza, para humillarse con quien no fuese su amigo.

Desde la Corte le escribe a Lastanosa (28 de abril de 1640), refiriéndose a la impertinencia de los servidores que rodean a los Grandes y Ministros: "Yo no los he menester a estos sujetos; ellos a mí, no sé. Me volvería con mucho gusto al estudio de Vm.; todo es embeleco, mentiras, gente soberbia y vana, que les parece no hay hombre en el mundo sino ellos. Yo soy poco humilde y zalamero, y así los dejo estar" [38]. Que quien con tal altivez hablaba no elogiaba a Mendoza por halago, sino por puro afecto, por haber hallado acaso en el poeta palatino una amistad recíproca, nos lo muestra el hecho de que lo siga haciendo después que el poeta ha muerto, en 1644, al decir [39]: "Este —ponderó— solía hacer un tan regalado son, que los mismos reyes se dignaban de escucharle, y aunque no ha salido a luz en estampa [40], luce tanto, que de él se puede decir: *El alba es que sale*".

Otros ejemplos de su constancia en la amistad (aparte de los veintidós años de relación fraternal con Lastanosa), los tendríamos en el elogio póstumo que hace del conde de Aguilar y marqués de la Hinojosa, en los testimonios de admiración y continuidad de afecto que tributa en sus libros al valeroso militar portugués don Pablo de Parada, su entrañable amigo, desde que le acompañó en el sitio de Lérida. Pero, entre todos, el que nos muestra de modo más patente la grandeza moral del escritor, es la adhesión que manifiesta

---

[38] Vid. R. DEL ARCO, *Lastanosa. Apuntes...*, pág. 47. ROMERA-NAVARRO, *Op. cit.*, pág. 1, comenta esta confesión del escritor: "Y pues esto se lo declara en carta particular a Lastanosa, hay que tomarlo al pie de la letra, porque ¿cómo decírselo en su misma cara a su mayor amigo, al que mejor había de conocerle, si su conducta no lo confirmaba? Consecuencia, también de decírselo a él: que Gracián no era zalamero ni con Lastanosa, su colaborador y Mecenas".

[39] *Criticón*, II, 4. Vid. ROMERA-NAVARRO, *Una página curiosa del Criticón*, en *HR*, 1936, IV, págs. 367 y 371, refundido en notas de la edición citada, II, págs. 135-139.

[40] En efecto, sus *Obras líricas y cómicas, divinas y humanas* no se publican hasta 1690.

a don Francisco María de Carrafa, duque de Nocera, magnate italiano al servicio de España, a la que había servido como aguerrido
militar en Túnez, Breda, Lombardía, Hungría y Nordlingen, y más
tarde como capitán general de Guipúzcoa y Virrey de Navarra.
Cuando le dedica *El Político* (1640) estaba el duque en su auge como
Virrey de Aragón. "Protesto que no alienta mi pluma el favonio
de la lisonja" podrá decir Gracián muy alto [41]. Debió establecerse
una íntima amistad entre ambos, porque el jesuíta asiste al duque
en una enfermedad durante este mismo año. Pero la inestabilidad
de las glorias humanas hace que este gran personaje descienda de
su apogeo con estrépito. Estalla la guerra de Cataluña, y Nocera
recibe órdenes de que entrase con sus tropas contra los rebeldes.
No era partidario el Duque de una represión a sangre y fuego, sino
de un apaciguamiento político, que se tratase a los catalanes con
clemencia y piedad, y así se lo manifiesta a Felipe IV en una me-
morable carta de fecha 6 de noviembre de 1640, a las que seguirán
otras más. Por su fracaso de Valls, suponiéndosele injustamente en
connivencia con el enemigo, es procesado y encarcelado, un año después, en la torre de Pinto, próxima a Madrid, en la que muere en
julio de 1642. Nada importa para que Gracián, consecuente en su
fidelísimo recuerdo, siga elogiando al amigo cuantas veces le viene
su nombre a la memoria. Y así, en 1648, aunque no parezca que
venga a cuento en un tratado de poética literaria, como es *Agudeza
y Arte de ingenio,* defenderá su intervención contra los catalanes,
con razones superiores e incluso con una fábula oportuna que le había oído a él mismo: "Cuando se le dió orden de que fuese al ejército de Fraga para entrar por Lérida en Cataluña, mientras que el
marqués de los Vélez entraba con el otro ejército en Tortosa, repre-
sentó los inconvenientes de romper la guerra con Cataluña; especialmente, ponderaba que llamarían los catalanes a los franceses en
su auxilio con la excelente fábula del caballo cuando pidió favor al
hombre contra el ciervo y éste lo ensilló y le enfrenó, y después le
tuvo siempre sujeto", para terminar por considerarle "plausible en
entrambas naciones por sus grandes prendas, de superior entendimiento, indecible agrado, humano trato, galantería con que hechiza-

---

[41] *El Político,* "Dedicatoria".

ba las gentes, y, en una palabra, él era universal héroe" [42]; en 1646,
recordará que "aunque le faltó al fin la dicha, no la fama" [43], y todavía, once años después de muerto, le llamará "aquel amigo de sus
amigos y que tan bien lo sabía ser" [44].

Lo mismo podríamos decir del propio Gracián, al comprobar su
adhesión apasionada por aquellos que fueron sus amigos, aun después de muertos, cuando ya nada podían favorecerle; su temple
integérrimo para proclamar paladinamente, con la cabeza muy alta,
su amistad por aquellos a quienes la adversidad había derribado,
aunque ello le perjudicase. Era todo un hombre de corazón, amigo
de sus amigos, en la vida y en la muerte, en su próspera y adversa
fortuna.

Y, sin embargo, la vida de relación y el trato cordial, que constituían para él un indecible placer cuando se limitaba a gentes dilectas
y seres de excepción, fué también la causa de la mayor parte de sus
males en la última etapa de su vida. Más que de su altanería, espíritu de independencia y difícil humor con los necios, provienen de su
excesiva complacencia con gentes mediocres, ¡él, que con tal insistencia recomendaba rehuirlas! Su aptitud para la generosidad le
llevó a incluir en su *Agudeza,* frecuentemente con magnánimos elogios, composiciones de poetas menores, de tercer o cuarto orden,
quizá tan sólo por el hecho de ser amigos suyos y aun de algunos
que quizá no lo fuesen demasiado, como el canónigo Salinas, el
P. San José, o su hermano en religión, el P. Rajas, autor o inductor
del virulento e injusto ataque que le dirigieron de Valencia en la
Crítica de reflección.

---

[42] *Agudeza*, LV.
[43] *El Discreto*, XV.
[44] *El Criticón*, II, 3. Sobre Nocera y sus relaciones con Gracián, puede
verse B. CROCE, *Personaggi della storia italo-spagnola*: *Il Duca di Nocera
Francesco Carafa e Baltasar Gracián*, en *La Critica*, Bari, 1937, XXXV, páginas 219-235, y sobre su vida y muerte: *Fragmento del manuscrito del doctor
Sevilla, acerca de la muerte del Duque de Nochera*, en *Memorial Histórico
Español*, Madrid, tomo XXI, 1889; *Relato de la muerte de Nochera*, en *Memorial Histórico Español*, tomo XXV, 1893, y BLAS GONZÁLEZ DE RIBERA, *Por
don Francisco María Carrafa Castrioto y Gonzaga, Duque que fué de Nochera... A instancia de don Pedro Ponturero, cavallero del reyno de Nápoles,
su mayordomo y Testamentario. Que en defensa del claro e ilustre honor de su
dueño rinde afectos devidos a su sangre... Escrito por...* Nápoles (?), 1644.

¡Gran figura moral la de Gracián, con todas las virtudes inflexibles de la estirpe pura! "Entre todas las regiones de España, Aragón sintetiza, mejor que ninguna, el carácter indomable, fuerte e independiente de los españoles", dirá *Azorín,* al referirse a otro aragonés representativo, Mor de Fuentes. Pues bien, aunque esta región sin flaqueza haya dado vida a tantos hombres enterizos, acaso ninguno lo sea tanto ni tan ejemplar como Gracián, que es nada menos que todo un hombre, sin claudicaciones ni blanduras, de vida rectilínea como el dardo en el aire, que da a lo humano lo que le pertenece y a Dios lo que es de Dios.

Hay un breve rasgo en la última parte de *El Criticón* que define su temperamento insobornable: "Vale mucho este decir universal: ¡Qué gran ministro el presidente! ¡Pues el inquisidor general! ¡No hay tiara como la de Alejandro el Máximo, el dos veces santo! ¡No hay cetro como el..." [45]. Los aludidos son figuras contemporáneas: Don Luis Méndez de Haro, el obispo de Plasencia, Alejandro VII. Tan sólo al referirse al monarca, sustituye su nombre por puntos suspensivos, muy expresivamente. Romera-Navarro, el agudo comentarista, anotará: "Su respeto y lealtad al monarca español no le permitía señalar a otro que Felipe IV. Pero el autor, que tan reiteradamente ha hecho la alabanza de Felipe III y más aún de Felipe II, a lo largo de esta obra, sólo ha celebrado a Felipe IV una vez (III, 7), y sólo por su celo religioso, no por sus dotes de rey. No podía nombrar aquí a otro, pero tampoco quiso nombrarle a él" [46].

"Esta mi entereza me pierde" [47], dirá un personaje suyo, al que hace hablar así, como si en esta dolorosa confidencia se hallase todo el meollo de su propio carácter, pero también esta entereza le salva, porque es lo que le da a su obra ese vigor y frescura inmarcesibles.

El propio Andrenio, que representa el instinto elemental frente a la vida, se lamentará:

—¿Pues cómo hemos de poder vivir en un mundo como éste?... Y más para mi condición, si no me mudo, que no puedo sufrir cosas mal hechas. Yo habré de reventar sin duda.

---

[45] *El Criticón,* III, 12.
[46] Ed. cit., III, pág. 374, *n.*
[47] *El Criticón,* II, 1.

—¡Eh, que te harás a ello en cuatro días —dijo Quirón— y serás tal como los otros!

—¡Eso, no! ¿Yo loco, yo necio, yo vulgar?

Que los demás, aquellos que aspiren a la victoria efímera, al triunfo humano y a la fama, pongan en práctica las reglas de prudencia o de astucia que él les ofrece para el trato con el mundo y en su debatirse contra los malvados o tortuosos, aunque siempre templadas por una reserva moral.

Para sí mismo, tales fórmulas no cuentan. Su firmísima actitud ética ante la vida, no admitirá transacciones, ni simulaciones, ni contubernios, ni venalidades. Se sabe en posesión de la razón, de la justicia, y combatirá a diestro y siniestro contra toda ignominia, y pondrá en la picota a cuantos se desvíen del verdadero camino. Varón virtuoso, sabe que, en última instancia, al hombre —peregrino por la vida— sólo cabe la elección entre el Bien y el Mal, y así proclamará "que no hay otra honra sino la que se apoya en la virtud, que en el vicio no puede haber cosa grande" [48], y él, como Critilo, el personaje que ha creado a su imagen y semejanza, tomará por la senda más difícil.

---

[48] *Ibíd.*, 12.

SU OBRA

"EL HEROE" Y SU FORTUNA

La edición *princeps* de esta obra inicial de Gracián debía ser un
exquisito volumen, a juzgar por la de 1639, la primera que conocemos, breve y deliciosa, a modo de libro de horas. "Es muy donoso
este brinquiño; asegúroos que contiene cosas grandes", parece ser
que dijo Felipe IV, después de haberla leído. Algo semejante podrá
decir el lector de hoy que se complazca en saborear sus veinte *primores,* denominación con la que Gracián elude la más usadera de
capítulos, ya que pretende desdoblar su significado dándole también
la acepción de condiciones previas o virtudes exigibles al Héroe.

Ha preocupado a la crítica el adivinar qué figura humana pretende incorporar el paradigma de Gracián. Coster nos dirá [1] que no
es ni el semidiós de los antiguos, ni el vidente de Carlyle, conductor
de pueblos, ni el superhombre de Nietzsche, ni siquiera el hombre que
se sacrifica por una causa grande. "Son Héros, c'est le grand homme,
mais le grand homme qui réussit, et qui, par ses écrits, par sa vertu,
surtout par ses exploits ou par sa politique, s'est acquis une renom-
mée éternelle. Il peut être né sur le trône, mais s'il n'est roi que par
son mérite, c'est une perfection de plus."

En puridad, Gracián no concreta su concepción a un arquetipo
determinado ni la limita a un rígido modelo, sino que la dispersa en
un abstracto colmo de perfecciones. Aunque los ejemplos de que se
valga sean frecuentemente seleccionados entre los que pueden ofrecerle césares, emperadores o reyes, guerreros victoriosos, famosos
políticos, escritores o artistas de la antigüedad y aun contemporáneos

---

[1] *Op. cit.,* pág. 450.

suyos, en las diversas cualidades que han de adornar al Héroe
—tales como practicar "incomprensibilidades de caudal", "disimular" o "cifrar la voluntad", poseer agudeza de entendimiento ("de
ingenio", dirá más tarde), "corazón de rey", "gusto relevante", "eminencia en lo mejor", originalidad o "excelencia de primero", pro-
ponerse "empeños plausibles", propósitos adecuados a sus fuerzas,
saber tantear la fortuna y conocer el momento oportuno en que ésta
declina, poseer "gracia", "despejo", "natural imperio" sobre los
demás, "simpatía sublime", saber iniciar una empresa con grandeza
y desarrollarla sin mengua, evitar toda afectación, emular a los mejores, tener incluso algún leve defecto que distraiga a los antagonistas y, en fin, culminar en virtud—, hallaremos que en muchas ocasiones el Héroe está representado de un modo vago por expresiones
que nos complican su disección, porque más que una figura brillante
y sobresaliente, parecen querer ofrecernos el prototipo del hombre
que se vence a sí mismo, y así le denominará: "Varón culto", "varón
excelente", "varón raro", "varón prudente", "el atento", "el discreto". Esta indecisión en definir el hombre perfecto volverá a observarse en sus demás obras. Pudieran creerse perífrasis, a fin de eludir la palabra esencial, reiterada en exceso, si consideramos que el
Héroe gracianesco pretende encarnarse en la figura humana de un
rey, un gobernante o un guerrero afortunado, pero sí válidas con su
propia significación si pensamos que Gracián pretendía lograr la
etopeya del hombre cabal, del hombre completo, utopía en que tanto
se complacía el Renacimiento, en este caso recargada en sus atribu-
tos y virtudes por un pensamiento barroco.

Al final de *El Héroe,* cuando ha barajado incontables, acaso excesivos ejemplos, tomados de aquí y de allá, y ha traído a cuento
innumerables modelos de superación, quizá sea demasiado tarde
para que podamos pensar que nos propone como dechado a Felipe IV, rey que gobernaba la España de su tiempo, lo que acaso no
pase de ser un oficioso halago que Gracián considerase obligatorio [2],

---

[2] ROMERA-NAVARRO, *Estudios sobre Gracián* (Austin, 1950) *(Felipe IV
visto por Gracián,* págs. 21-25), se complace en "confirmar y desarrollar" los
puntos de vista que exponemos en estos párrafos y en algunos otros del capítulo titulado *Su preocupación española,* ofreciendo cronológicamente las alusiones que Gracián hace al rey en sus distintas obras y escritos, y por las

ni menos que pueda tratarse de un panegírico del Conde-duque de Olivares, poderoso valido de la época, aunque a él pudieran hallarse minúsculas alusiones. Gracián se desvivía en nostalgias pretéritas, en un anhelo de grandezas y de un pasado mejor, y el triste presente, con todo su vano oropel, no podía satisfacerle demasiado. No puede evitar el volver la mirada hacia atrás, hacia los siglos en que se yerguen las figuras gigantescas de Fernando el Católico, del César o de Felipe el Prudente. El Héroe es, pues, un símbolo en abstracto, la conjunción de perfecciones anheladas en un tipo ideal del hombre, que lo mismo pudiera ser gobernante o vencedor, acaso las que deseara ver encarnadas en su rey de las Españas.

En su juventud, en su iniciación literaria, Gracián se contamina del entusiasmo humanista por el hombre de excepción. Cada país europeo del XVI y XVII elabora el ideal mesiánico del hombre culminante, en réplica a *Il Principe,* de Maquiavelo, que rechazan por su carencia de escrúpulos y su ausencia de virtudes morales. La historia de la época y la de los siglos anteriores, en los países que cuentan en la cultura europea, es grandiosa, y el escritor político no puede menos de sentir asombro, aunque en sus ilimitadas exigencias aspire a una mayor superación, proponiendo a las gentes de su tiempo los arquetipos antiguos, de Grecia y Roma, y con mayor insistencia los modelos inmediatos, cuyo recuerdo y hazañas están frescas todavía en la memoria. Se piensa entonces que el *ars gubernandi,* el hermosísimo arte que tiene a los pueblos mismos por materia viva, podría enseñarse y aprenderse por medio de biografías, de tratados políticos, y que bien asimilada la lección por los aspirantes a ejercer la magistratura y la hegemonía, sería cosa fácil superar los dechados propuestos. En España, donde la voluntad de poderío no se resignaba a descaecer, fueron innumerables los libros que se referían al arte de gobernar —de tan honda tradición en nuestra literatura política—, publicados en los siglos XVI y XVII. Hasta veinticinco pueden contarse, entre los más importantes, con anterioridad al año 1637, fecha en que se publica *El Héroe* [3].

---

cuales se percibe cómo su aprecio va disminuyendo de día en día, a lo largo de los años.

[3] Recordemos, por ejemplo: *De regis institutione,* de JUAN LÓPEZ DE PALACIOS RUBIO; *De Nobilitate civile et de Nobilitate christiana* (1542), de JERÓ-

Gracián, como estos pensadores, cree, en su juventud, en la eficacia de tales tratados políticos, y escribe uno más para dar ánimos y aliento a las gentes de su época. Pero el sol imperial declina en Rocroy y en la paz de Westfalia, y, ante la catástrofe, a él y a sus contemporáneos se les cae el alma a los pies.

Es ya demasiado tarde para contener la desbandada de la derrota moral y política, y la ruina y la decadencia de España se consuman.

En el siglo XVIII, los arbitristas, sin altura de miras, descenderán de la categoría al detalle mínimo, desmenuzarán la concepción universal en problemas domésticos, en soluciones parciales, estériles si no se realizan en conjunto, como un todo armónico. España, acosada por aquellos países que aspiran a sustituirla, no sólo en el mando, sino también en el predominio de la cultura, irá de tumbo en tumbo hacia el acabamiento y la consunción. La acusada decadencia se reflejará en el derrotismo patriótico y en el mimetismo de todo lo foráneo. Los escritores preocupados de las cosas de España darán al olvido el concepto del Héroe, del Político, como salvador, para buscar, no ya la victoria y el poderío, sino simplemente la regenera-

NIMO OSORIO; *Lac fidei pro Principe Christiano* (1545), de LUIS MALUENDA; *Regis Regisque institutione* (1556), de SEBASTIÁN FOX MORCILLO; *El Consejo y consejeros del Príncipe* (1559), de FADRIQUE FURIÓ CERIOL; *De Regalis institutio* (1565), del Beato ALONSO DE OROZCO; *De República* (1569), de DIEGO DE SIMANCAS; *De Regno et Regis oficiis* (1571), de GINÉS DE SEPÚLVEDA; *Philosophia moral de Príncipes* (1576), de JUAN DE TORRES; *Tratado de la Religión y virtudes que debe tener el príncipe cristiano para gobernar y conservar sus estados* (1595), de PEDRO DE RIVADENEYRA; *Política para corregidores y señores de vasallos en tiempos de paz y guerra* (1597), de JERÓNIMO CASTILLO DE BOBADILLA; *Espejo de Príncipes y Ministros* (1598), de M. DE CARVALHO; *De rege et regibus institutione* (1599), del P. MARIANA; *Regimiento del Príncipe cristiano* (1602), de PABLO DE MENDOZA; *Política cristiana* (1602), de FRANCISCO LUQUE; *Doctrina de Príncipes* (1605), de HOROZCO Y COVARRUBIAS; *El Gobernador cristiano* (1615), del P. JUAN MÁRQUEZ; *República y policía christiana* (1615), de JUAN DE SANTA MARÍA; *Consejo y consejeros de Príncipes* (1617), de LORENZO RAMÍREZ DE PRADO; *Política española* (1619), de JUAN DE SALAZAR; *Conservación de monarquías* (1619), de PEDRO FERNÁNDEZ DE NAVARRETE; *El mejor príncipe Trajano Augusto* (1622), de FRANCISCO DE LA BARREDA; *Arte de enseñar hijos de príncipes y señores* (1624), de DIEGO DE GURREA; *Política de Dios y Gobierno de Cristo* (1625), de QUEVEDO; *Norte de Príncipes* (1626), de PEDRO MARTÍN RIZO; *Príncipe advertido* (1631), de PEDRO MARTÍNEZ DE HERRERA; *Introducciones a la política y razón de estado del rey católico don Fernando* (1631), de SAAVEDRA FAJARDO; *Consejos políticos y morales* (1634), de JUAN HENRÍQUEZ DE ZÚÑIGA.

ción, en una administración honesta, humanitaria y filantrópica, en humildes y tenues iniciativas, en un buen engrasamiento de los engranajes. Nos ha entrado la razón, como al caballero de la Triste Figura, en el momento mismo de la muerte.

Los títulos de las obras que entonces se escriben sobre el mejoramiento de España —ya no puede hablarse, ¡ay!, de engrandecimiento— son expresivos [4]. Aluden a cuestiones económicas, de beneficencia, de agricultura, de educación. Y anuncian sus ideas como panaceas salvadoras, como remedios universales, cuando no pasan de ser una invitación a la mediocridad, sanos consejos de gobierno, miradas retrospectivas a la pasada grandeza, y, en bastantes casos, delirantes proyectos de reforma, impracticables en un país empobrecido.

Se ha sustituido el ideal del gobernante perfecto por el objeto mismo de gobierno, por la cosa pública; el individuo señero, por la sociedad amorfa. La Política ha sido desplazada por la Economía, que ha dado el triunfo a los países de genio utilitarista. España, despertada bruscamente de su ensueño, se ha reconcentrado en sí misma, contenta con poder sestear al sol, como un convaleciente.

---

[4] Bastaría enunciar algunos para percibir la transformación que se ha operado súbitamente en el alma nacional: *Restablecimiento de las manufacturas y del comercio de España,* de ULLOA; *Teoría y práctica del comercio* (1724), de USTÁRIZ; *Lo que hay de más y de menos en España, para que sea lo que debe ser y no es* (1741), *Nuevo sistema de gobierno económico para América, con los males y daños que la causa el que hoy tiene, de los que participa copiosamente la España, y remedios universales, para que la primera tenga ventajas considerables, y la segunda mayores intereses,* de CAMPILLO; *Antorcha para la restauración económica de España,* de NARANJO Y ROMERO; *Medios para remediar la miseria de la gente pobre en España* (1750) y *Proyecto económico* (1762), de BERNARDO WARD; *Representación dirigida... a Fernando VI sobre el estado del Real Erario y sistema y método para lo futuro,* de ENSENADA; *Testamento político* (1748), de CARVAJAL; *Manifiesto universal de los males envejecidos que España padece y de las causas de que nacen y remedio que a cada uno en su clase corresponda,* de FRANCISCO MÁXIMO DE MOYA; *Notas sobre el bien y el mal de España* (1759), de MIGUEL ANTONIO DE LA GÁNDARA; *Discurso sobre el fomento de la industria popular* (1774) y *Discurso sobre la educación popular de los artesanos* (1775), de CAMPOMANES; *La enfermedad que padece la monarquía de España y remedios que pueden aplicársele* (1761), de LORENZO DE SANTAYANA Y BUSTILLO; *Informe sobre la ley Agraria* (1795), de JOVELLANOS...

Con el Romanticismo, que valúa y destaca de nuevo la personalidad humana, que viene a exaltar la gloria del individuo, se exhumará y enriquecerá la idea del Héroe, como hombre providencial, y aparece el caudillaje como natural fenómeno de las crisis políticas y necesidad apremiante de las circunstancias. Napoleón, Bolívar, Bismarck, Cavour y cien figuras más proclaman en las diversas tierras del mundo la heroicidad antigua. España, entre tanto, se debatía en mezquinas cuestiones internas. En siglo tan hirviente y decisivo, que tanto precisaba de hombres excepcionales, apenas presenta unas cuantas desvaídas, borrosas figuras.

Las ideas del jesuíta aragonés, en especial las que se refieren al Héroe, adornado de los más varios primores, son olvidadas en su propia patria, mientras tanto se difunden a todas las lenguas y fructifican aquí y allá, con preferencia a las reglas de conducta que da Maquiavelo para el logro de su monarca natural, de su príncipe nuevo. Napoleón anotará sus márgenes, pero para rebatir sus premisas. En cambio, el superhombre de Nietzsche tendrá su vago origen en Gracián, que presenta un arquetipo más honesto y desinteresado.

Con el final del siglo el mal de España se agudiza. Ya no bastan los paliativos de la medicina interna para remediar sus males. Es entonces cuando los desmemoriados españoles exhuman las páginas olvidadas de Gracián y cuando la lección de energía que trasciende de *El Héroe,* como un revulsivo que actuase en la voluntad nacional, cobra de nuevo actualidad y vigencia. Puede decirse que España reanuda su contacto con Gracián al iniciarse el siglo, y de modo especial por lo que se refiere a su doctrina heroica. Justamente en 1900 —después de muchos años de olvido— se publica en Madrid, en la *Biblioteca de Filosofía y Sociología,* una edición de *El Héroe* y de *El Discreto,* que lleva al frente un estudio del gran hispanista Arturo Farinelli, excelente conocedor de Gracián, y dos años después, en 1902, por curiosa coincidencia, se inicia el interés por la obra del jesuíta en los dos centros de mayor vitalidad intelectual de España, es decir, en Madrid y Barcelona. Federico Rahola publica en

Barcelona un breve trabajo con el título *Baltasar Gracián, escriptor satírich, moral i polítich del segle XVII*. En Madrid, un joven universitario, Liñán y Heredia, aporta datos de interés para la biografía de Gracián. En el mismo año, un joven escritor iconoclasta firma en *El Globo,* con el seudónimo de *Azorín,* dos ensayos que titula *Un Nietzsche español,* título que hoy, al cabo de los años, acaso trocase por el de *Nietzsche. Un Gracián germánico.*

"EL POLITICO DON FERNANDO EL CATOLICO"

En 1640, tres años después de *El Héroe,* publica Gracián su segunda obra. El P. Baltasar no se ha apresurado, ni tampoco nos ofrece en este nuevo libro el producto de una labor larga y densa, sino que, escritor profundamente cerebral, presenta a sus lectores un librillo mínimo, pero apretado y esencial en sus conceptos y su estilo.

No se conocía hasta ahora la primera edición de *El Político don Fernando el Católico.* Por fortuna esta "reliquia de extrema rareza, acaso ejemplar único", ha llegado a nosotros por haberla adquirido en una subasta de Lisboa el ilustre crítico y erudito bibliófilo D. Eugenio Asensio, catedrático de Literatura en el Instituto Español de Lisboa, quien la dió a conocer recientemente [1].

Tanto ésta como la segunda de Huesca, 1646, van firmadas por *Lorenzo Gracián,* seudónimo con que había firmado *El Héroe,* al que ha eliminado el segundo apellido o título que figuraba en él. Dato curioso, esta edición no aparece como publicada por su gran amigo Lastanosa.

Aunque no lleva dedicatoria propiamente tal, independiente del texto, consta en la portada y se reitera al comienzo y al final del discurso, que va dedicada al Duque de Nocera, al cual le une tan estrecha amistad y a quien, como hemos visto, ha de ser fiel hasta después de muerto.

De un discurso se trata, en efecto; como indica Coster [2], este trabajo debió escribirse para ser leído en alguna de las Academias

---

[1] EUGENIO ASENSIO, *Un libro perdido de Gracián,* en *NRFH,* 1958, XII, 390-394.

[2] *Op. cit.,* pág. 478.

literarias que solían celebrarse en su tiempo, acaso en Huesca, y ante el duque de Nocera, que presidiría la sesión, lo que explicaría, asimismo, que la dedicatoria a este gran señor fuese inserta en el exordio y vuelva a referirse a él en los párrafos finales. La curva oratoria termina en una apoteosis de la Casa de Austria y un *"¡Amén!"* que, así como la extensión y el tono y estilo en que se desarrolla, le dan todas las apariencias de una disertación preparada para su lectura en público.

De sus palabras, cuando se dirige al duque, "Mecenas y maestro mío juntamente", parece deducirse que aprovechó sugerencias y noticias que el magnate italiano y virrey de Aragón entonces deslizaba en sus eruditas y discretas conversaciones.

No pretende el escritor limitarse a hacer historia del Rey Católico, sino que le conduce un propósito más amplio: "Será éste... no tanto cuerpo de su historia cuanto alma de su política; no narración de sus hazañas, discurso sí de sus aciertos..."

Parece indicar que posee documentos directos del gran rey aragonés cuando dice: "Excusa, sí, mi osadía, y aun la solicita, mi suerte de hallarme, digo, con muchas noticias eternizadas por su propia real católica mano; deformes caracteres, pero informados de mucho espíritu".

Con todo, a pesar de los propósitos enunciados, no se limitará a un simple panegírico de Fernando el Católico, de sus cualidades y virtudes; a una apología entusiasta de su actuación política, a una exaltación retórica de su reinado, ni tampoco, a pesar de las referencias documentales a que alude, a un resumen de la historia íntima del rey, sino que, participando de ambas cosas, Gracián se eleva a superior altura y escribe un verdadero tratado de filosofía política, de amplísima temática: condiciones que habrán de poseer los fundadores de Estados; elogio de las excelencias de origen; teorías acerca de la perfecta educación de los príncipes; sobre el aprendizaje real y la sagacidad con que ha de actuar el monarca; conveniencias del casamiento con igual; perfecciones exigibles al rey; si ha de ser guerrero o político; si ha de asistir en persona a las campañas; sobre la elección de sus ministros y de esposa, y cien cuestiones más, esenciales en el arte de gobernar.

Toda esta doctrina política no aparece enunciada y expuesta de modo escueto, sino que le sirve de urdimbre para acumular divagaciones, noticias y alusiones continuas a figuras de la historia antigua, sea del Oriente, de la antigüedad clásica o del mundo cristiano, incluso de la historia de su tiempo, para que sus ejemplos favorables o contrarios puedan servirle de apoyo en sus tesis.

Tales ejemplos, que Gracián toma de las más diversas procedencias —Botero, Paulo Giovio, Sedeño, Guevara, Suetonio, Tácito, Plinio el Joven, Ammiano Marcelino y tantos otros—, dan a esta obra, como observa Ferrari [3], una excepcional importancia historiográfica, "en cuanto resume, aprecia y ordena, ateniéndose a un sistema formal, el saber histórico de su tiempo".

Es verdad que el exceso de nombres de emperadores, reyes y caudillos de que está empedrada esta apología, representando unos las virtudes deseables en el rey y otros los vicios que habrá de evitar, podrían convertir en fatigosas algunas de sus páginas, si considerásemos esta obra como puramente literaria. No así examinada desde el ángulo de visión de la Política, de la Historia, como lo ha hecho Angel Ferrari, para quien Gracián muestra en *El Político* "la capacidad de que en sumo grado estuvo dotado para ser el más complejo de cuantos escritores barrocos se sirvieron de la historia para construir e ilustrar sus concepciones políticas" [4].

Sin todo este aparato erudito, que presupone el conocimiento de la biografía de cada personaje citado para la oportuna ejemplificación, reducido el libro a su esquema esencial, nos encontraríamos con un apretado haz de ideas sobre el *ars gubernandi*, expresadas en aforismos, a la manera de Tácito, cuyo estilo tanto le complacía. Pero Gracián, escritor de expresión sintética, quintaesenciada, gusta al mismo tiempo de derramarse en follaje —que esto vienen a ser tales enumeraciones—, tentado por el adorno, del mismo modo que la poesía y la arquitectura barrocas se recargan de ornamentos superfluos.

---

[3] ANGEL FERRARI, *Fernando el Católico en Baltasar Gracián,* Madrid, Espasa-Calpe, 1945, pág. 325 y ss.
[4] *Ibíd.,* pág. 400.

No se contentará tampoco con exponer su doctrina en forma lineal y usadera, sino que ocultará sus propósitos con una sinuosidad muy característica también de la época. En este breve libro, Gracián se propone diversas intenciones y disimula muchas cosas. En apariencia, pudiera creerse un simple panegírico del gran rey, pero, tomándolo como arquetipo, pretende ser, y lo es en realidad, algo muy superior y ambicioso, nada menos que un compendio sobre la perfección política en general, pero dando al arte de gobernar una interpretación católica, un sesgo personalísimo.

Así, por ejemplo, cuando Gracián llama al rey aragonés "oráculo de la razón de Estado", ha de entenderse que, frente a la "razón de Estado" propugnada por Maquiavelo en *Il Principe* —aunque estas palabras no aparezcan en ésta ni en sus demás obras— y por su seguidor Jean Bodin (Bodino, como Gracián le llama), autor de *Republique* (1576), contra la que denominará, jugando con la palabra, "no de estado, sino de establo"[5], opondrá la "buena razón de Estado", conforme a la distinción establecida por Giovanni Botero, su compañero de Orden, en *Della ragione di Stato* (1589). "La verdadera y magistral política fué la de Fernando... que supo juntar el cielo con la tierra", sintetizará Gracián. En efecto, estas palabras expresarán fielmente su pensamiento respecto a lo que él entendía por "buena razón de Estado", que, en oposición a la política "mercurial" —representada por las teorías del famoso italiano—, trataba de conciliar la antinomia *política-moral*. Pero, como quiera que no siempre es posible lograrlo y la pugna de una y otra es frecuente, Gracián, dirá el Prof. Tierno [6], "introduce la moral casuística en la política", que da una novedad de sentido a su interpretación de las ideas y le convierte en el exponente más caracterizado de las teorías políticas españolas de la época.

---

[5] *El Criticón*, II, cr. VII.
[6] ENRIQUE TIERNO GALVÁN, *Introducción* a *El Político*, Salamanca, *Biblioteca Anaya*, 1961, pág. 13.

TEORIA Y ESTETICA DE LA "AGUDEZA"

Difícil resulta definir este complejo tratado, en el que destacan al vivo y al desnudo todos los artificiosos recursos de que se valía una tendencia literaria. Su análisis detenido nos mostraría cómo los juicios adversos que haya podido merecer, más que atribuíbles a Gracián, habrían de ser achacados a sus contemporáneos y a su concepción estética, ya que la armadura que sostiene la barroca ornamentación de los ejemplos es de línea pura y enteriza, aunque en ocasiones se adapte a ciertas complacencias y gustos de su tiempo.

El propósito de Gracián fué, sin duda, el de superar las Retóricas al uso, que repetían mecánicamente las leyes y ordenanzas de la más antigua preceptiva grecolatina, en las cuales el fenómeno poético aparecía clasificado en rígidas y estrechas fórmulas ya exhaustas. Doctor sutil, sabe que en la poesía la palabra ha de transmutarse en elemento mágico, en belleza, en hondura, en sentido, y para lograrlo, aspira a revalorizar la yerta y enojosa legislación preceptiva, de modo semejante a lo que en nuestro tiempo pretende la Estilística, de la que es precursor, en su menudísima discriminación de la expresión literaria. No realiza Gracián función normativa, porque sabe que el poeta nace por gracia de Dios, sino que pretende ofrecer un instrumento más sensible para reconocer a posteriori los oscuros dominios, los imperceptibles fenómenos de la creación poética.

Si acaso, el defecto esencial de su obra radica en que Gracián ve la poesía anterior o contemporánea a él a través del cristal parcialísimo de su temperamento, de su segunda naturaleza, de su firmísima afición conceptista —y subrayamos esta palabra por lo que diremos luego—, sin visos de objetividad. Valuará la excelencia y belleza de un soneto, de una estrofa, de un dicho o apotegma en relación del artificio e ingeniosidad con que estén expresados. Los virtuosismos preceptivos tendrán validez en tanto sirvan de apoyatura al juego del ingenio o del pensamiento: "Válese la agudeza de los tropos y figuras retóricas, como de instrumentos para exprimir cultamente sus conceptos" [1]. O bien: "Son los tropos y figuras retóricas, materia y como fundamento para el realce de la agudeza, y lo que la Retórica tiene por formalidad, esta arte tiene por materia sobre la que echa el esmalte de la sutileza" [2]. Y todavía insiste, como si creyese conveniente aclarar que la preceptiva con relación al artificio que propugna representaría ni más ni menos lo que la basta estofa con relación al tapiz: "La agudeza tiene por materia y por fundamento muchas de las figuras retóricas, pero dales la forma y el realce del concepto" [3].

Gracián ha partido, por tanto, de un tratado de retórica, del que ha eliminado la morosa enumeración de cánones, y, a su vez, lo ha complicado tanto con las disquisiciones y ornamentos y arrequives que considera necesarios para la interpretación del fenómeno poético, que apenas se percibe ya la sucinta armazón que lo sostiene, del mismo modo que en el retablo o el baldaquino barrocos desaparece la línea, desbordada por el recargado floripondio de pámpanos, hojas y racimos. El mismo establecerá el paralelo de poesía y arquitectura, al decir: "Composición artificiosa del ingenio, en que se erige máquina sublime, no de columnas ni arquitrabes, sino de asuntos y de conceptos" [4]. Y también: "Poco fuera en la arquitectura asegurar firmeza, si no atendiera al ornato" [5].

El barroco ha dado mucho que hablar, y por más que se diga no haremos más que bordear la esencia de un fenómeno literario y artístico tan complejo, que ha dado lugar a tantas y tan variadas interpretaciones.

Se ha observado cómo, respecto a la creación poética, el gusto por la expresión recargada y artificiosa, por la ideación complicada

---

[1] *Agudeza,* "Al lector".
[2] *Ibíd.,* disc. XVII.
[3] *Ibíd.,* L.
[4] *Ibíd.,* III.
[5] *Ibíd.*

o recóndita, suele producirse en los que podrían denominarse "momentos otoñales de la cultura", que, por lo regular, corresponden a las postrimerías de una etapa literaria. Esto resulta evidente.

Lo que ya no lo es tanto es considerar estos gustos por lo difícil, raro y contorsionado como síntomas de una época en decadencia, cuando en puridad lo son de vitalidad, de exuberancia, de plenitud. El hecho de que, en el barroco español, por ejemplo, convivan con sus máximos representantes otras figuras de excepcional personalidad, exentas, señeras también, como Lope —tan humano y natural—, invalida totalmente tal suposición.

Mejor cabría definir el fenómeno barroco como una natural reacción contra las formas puras del Renacimiento, como una superación de su estética, como un nobilísimo afán de renovación en quienes tan dueños se sentían de sí, como fruto espontáneo y en sazón de unas cuantas personalidades singularísimas, en las que predominaba lo reflexivo, lo intelectual sobre lo afectivo y apasionado, la sabiduría humanística sobre el instinto creador. Esto explicaría que Lope, Góngora, Quevedo, Gracián, coetáneos, fuesen tan dispares en su obra.

También podría considerarse el barroco como un producto del nativo temperamento, e incluso valerse de ejemplos. Tal es el caso de Lucano, Alvaro Cordobés, Juan de Mena o Góngora, los cuatro cordobeses; de Marcial y Gracián, ambos de Calatayud. Pero acaso no pasase de ser ésta una ingeniosa y peregrina teoría.

Se pensó, por Weisbach, si tal tendencia literaria no vendría a ser una expresión del espíritu de la Contrarreforma, pero, ¿cómo se justificaría entonces el *manierismo* que se produce por la misma época en países europeos tan ajenos a ella, como es la poesía metafísica inglesa o el "conceptismo" —llamémosle así— de la escuela de Silesia?

En puridad, es posible que pudiera explicarse el barroco, al menos en España, como un resultado de la vitalidad reconcentrada, insatisfecha, de nuestras gentes del XVII.

Gracián, y con él los más significados escritores de la tendencia, viven en una época en que el español posee un dinamismo de asombro. Ya no es tan sólo el hombre de acción, el que guerrea en Euro-

pa todavía; el que anda y desanda las Américas, desde las tierras
tórridas hasta las cumbres más altas; el que navega afanoso en busca
de islas vírgenes en el Pacífico; el que recorre los caminos y meso-
nes y ciudades y villas del paisaje ibérico o de Europa viviendo de
sus argucias picarescas, como Dios le da a entender; el que llevado
de su afán proselitista va poniendo la primera piedra de un templo
cristiano en los lugares más apartados del orbe o, limitado al área
hispánica, funda cada día un hogar místico, sino también el propio
creador intelectual. Bastaría recordar el nombre de Lope y de tantos otros, que derrochan su energía productora en una infinita y
diversa labor, y que, con todo, dan a la vida cuanto les sobra, que
es mucho. Esta entrega enardecida a la vida intensa les dará llaneza
y naturalidad de estilo, como si tales desahogos les hubiesen servido
para eliminar los humores perniciosos, sus extrañas preocupaciones
literarias, cerebrales.

A poco que se observe, el barroquismo español —más denso, en
general, y amplio que en cualquier otro país, donde tal extremosidad se produce esporádicamente y en figuras aisladas— pudiera parecer el resultado de una reconcentración, de un cierto reconcomio
del intelectual, sedentario a pesar suyo, que no se resigna a serlo,
y que aplica a su obra literaria la energía que le rebosa, el exceso
de facultades vitales, que pugna por exteriorizarse, que en muchos
casos, aunque le coarten trabas y obstáculos, se convierte en actividad. Lo vemos en Quevedo, al que no basta la aventura de Italia
ni la intriga de la Corte, o en Góngora, al que no contentan sus
andanzas por los pueblos de España ni sus polémicas literarias,
mejor todavía en Calderón, que malversarán en la prosa o en la
poesía la combatividad y el ingenio que quizá hubiesen preferido
entregar gozosamente a la vida.

Lo vemos en el propio Gracián, cuyos días más felices, cuando
menos los que recuerda con más nostálgica insistencia, son aquellos
en que actúa como capellán castrense, animador de combatientes,
cuando puede llamarse a sí mismo con no disimulado orgullo "Padre
de la Victoria". En sus cartas, escritas con llaneza y espontaneidad,
donde pone el alma al desnudo, podremos ver cómo las preocupaciones espirituales, políticas o literarias quedan subordinadas a los

temas de guerra y de combate, que le apasionan, como si ésta fuese su vocación más íntima y escondida. La misma oratoria, que opera sobre la carne viva de los auditores, tendría para él algo de arenga, de dinámica parenesis, de lucha a brazo partido por la salvación de las almas, de desahogo de su potencialidad combativa. Pero la dicha es breve, y fugaces los instantes en que él se hallaba a sus anchas y en sus glorias. El resto de su tiempo habrá de pasarlo en forzado reposo, en éste o en aquel Colegio de la Compañía, consagrado a los deberes de su ministerio, con alguna discreta evasión al diálogo con los amigos, que tanto le tentaba. Es en estas largas etapas de sosiego cuando su actividad en potencia revierte en las cuartillas, en las que todo es inquietud, salto, retorcimiento, dinamismo contenido, alegría de haber vencido las dificultades de expresión, como si se tratase de una victoria física.

Si en sus demás obras, la arquitectura es más pura y el profundar de su pensamiento más severo, más sujeto a módulos y líneas rigurosos, en *Agudeza* y en *El Criticón* ya no se contenta con la escueta geometría de los volúmenes, apenas adornados con simples molduras o sobrios medallones, sino que las recarga y adorna hasta lo indecible, en un verdadero derroche verbal e ideológico. Si la frase tiene en sí calidades paremiológicas, perturbará y complicará su sentido propio al yuxtaponerla con otras semejantes. La palabra misma tendrá, sobre los varios valores usuales, directos o figurados, la acepción irónica, trascendente, que él le añade.

Agudeza y Arte de Ingenio es obra tan frondosa que apenas deja adivinar su tronco y ramaje. No habríamos de ser nosotros quienes, en gracia a reconocer la armadura que la sostiene, la prefiriésemos podada de su fronda, tan henchida de flores y frutos, de nidos de pájaros y de pájaros que cantan en las ramas, y que es justamente lo que le da carácter propio, y a quien la lee, sombra acogedora. El mismo Gracián se vale en ocasiones de tal emblema: "Está tan lleno de conceptos [dice de un soneto de Juan Rufo], que él solo contiene más que cientos de aquellos, cuya felicidad para en follaje inútil de palabras sin fruto de agudeza" [6]. O dirá, al recordar a los poetas, cuatrocentistas: "Esta diferencia hay entre las composiciones anti-

---

[6] *Agudeza*, XVI.

guas y las modernas, que aquéllas todo lo echaban en concepto, y así
están llenas de alma y viveza ingeniosa; éstas toda su eminencia
ponen en las hojas de las palabras, en la oscuridad de la frase, en
lo oculto del estilo, y así no tienen tanto fruto de agudeza" [7]. Y aún:
"Son las voces lo que las hojas en el árbol, y los conceptos, el
fruto" [8]. Hay, pues, en Gracián una deliberada asimilación del cultismo a la vana y efímera hojarasca y del conceptismo a los frutos,
dulces y sabrosos, que permanecen.

De ambas cosas, hojas y frutos, abunda el árbol de la *Agudeza*.

¿Puede decirse, por tanto, que sea propiamente una preceptiva
de ambas tendencias, como se viene repitiendo, o simplemente una
retórica conceptista, si se tiene en cuenta el predominio de la poesía
culterana que en ella se percibe?

La verdad es que Gracián reitera insistentemente que para él
las cualidades de una obra literaria radican en el concepto, que vendría a ser su esencia y meollo. "Lo que es para los ojos la hermosura y para los oídos la consonancia, eso es para el entendimiento
el concepto" [9]. Implícitamente, desdeña la hermosura externa y la
música de las palabras, como adjetivas, preocupado tan sólo de su
significado, del concepto que expresan de por sí o en unión de otras,
y este concepto producido, no por la fluidez lógica y serena, sino en
un violento choque y en lucha con otros que le salen al paso, que
con él se interfieren o yuxtaponen, aunque él diga: "Consiste, pues,
este artificio conceptuoso en una primorosa concordancia, en una
armónica correlación entre los cognoscibles extremos, expresa por
un acto del entendimiento" [10]. Es decir, el tropo, la alegoría. Insistirá en esta definición: "Es un acto del entendimiento que exprime
la correspondencia entre los objetos. La misma consonancia o correlación artificiosa exprimida es la sutileza objetiva" [11].

Si nos dejásemos llevar del gusto que Gracián siente por los
equívocos, diríamos, buscándole sus varias facetas, que el vocablo
exprimir, que con tanta insistencia aparece en sus páginas, habría

[7] *Agudeza*, LX.
[8] *Ibíd.*, XXV.
[9] *Ibíd.*, II.
[10] *Ibíd.*
[11] *Ibíd.*

de entenderse, no en la acepción con que él lo usa, de "especificar, decir con claridad y expresamente las cosas, para su perfecta noticia y conocimiento", que se halla en el *Diccionario de Autoridades,* y que Baralt legitima, negándole carácter galicista, sino en la más usadera y común de extraer el jugo de algún fruto que se estruja. Es decir, que podría entenderse que para Gracián el concepto es un puro juego de la inteligencia, un producto del intelecto puesto en tensión, estrujado hasta el máximum, a fin de lograr las más forzadas asociaciones de ideas, la agudeza, que sería algo así como un licor exquisito, un elíxir, una quintaesencia, obtenidos de esa presión y esfuerzos cerebrales puestos al servicio de la poesía.

Hay, pues, un evidente contacto con el conceptismo en su predilección por la profundidad o el donaire de sentido y en su desdén por la formal hermosura, y, asimismo, existe en su teoría una concomitancia con los conceptistas en su gusto por la expresión equívoca, aguda, ágil, como chispazos de inteligencia.

Pero si las definiciones de 'concepto' y 'agudeza' pudieran no considerarse suficientemente precisas, podríamos estudiar todavía su concordancia con las tendencias literarias de su tiempo en sus declaraciones expresas sobre el estilo.

No ignora que además del estilo conceptuoso, expresado por agudezas, que él practica y propugna, hay otros dignos de tener en cuenta, y así dirá: "Otros dos géneros de estilo hay célebres, muy altercados de los valientes gustos, y son el natural y el artificial; aquél, liso, corriente, sin afectación, pero propio, casto y terso; éste, pulido, limado, con estudio y atención; aquél, claro; éste, dificultoso" [12].

Que no se daba a partido, que no le cegaba la pasión, lo probarían los elogios reiterados que hace de ese estilo natural y llano que le admira en algunos escritores: "¿Qué cultura que llegue a la elocuencia natural? En las cosas hermosas de sí, la verdadera arte, ha de ser huir del arte y afectación" [13]. Su admiración no se reducía a una simple fórmula, como nos lo muestran estas palabras acendradas: "Es el estilo natural, como el pan, que nunca enfada; gústase

---

[12] *Agudeza,* LXII.
[13] *Ibíd.*

más de él que del violento, por lo verdadero y claro, ni repugna a la elocuencia; antes fluye con palabras castas y proprias" [14]. Ahora bien, insensiblemente se dejará llevar de sus preferencias y arrimará el ascua a su sardina: "En este mismo género de estilo natural hay también su latitud, uno más realzado que otro, o por más erudición o por más preñez de agudeza, y también por más elocuencia natural..." [15].

Admite, asimismo, el estilo culto, aunque inhibiéndose de su definición, que pone en boca de sus partidarios: "El artificioso, dicen sus secuaces, es más perfecto, que sin el arte siempre fué la naturaleza inculta y basta; es sublime, y así más digno de los grandes ingenios; más agradable, porque junta lo dulce con lo útil, como lo han practicado todos los varones ingeniosos y elocuentes" [16]. Hecha esta concesión, al instante se repliega en reservas, para repudiar todo abuso o fraude: "Pero cada uno en su sazón y todo con cordura, y nótese, con toda advertencia, que hay un estilo culto, bastardo y aparente, que pone la mira en sola la colocación de las palabras, en la pulideza material de ellas, sin alma de agudeza, usando de encontrados y partidos conceptos... Esta es una enfadosa, vana, inútil afectación, indigna de ser escuchada" [17]. "No soy sino uno de estos que, por hablar culto, hablo a oscuras", dice un personaje de *El Criticón* (I, 7). En lo esencial de estos juicios adversos parecen resonar los ecos del *Antídoto contra las Soledades* y del *Discurso Poético,* de Juan de Jáuregui. Los dicterios contra el culteranismo que pudiéramos hallar en las obras de Gracián son numerosos, aunque también en toda ocasión se salve de ellos el nombre de Góngora. El dará todavía la última razón: "Ornato hay en la retórica para las palabras, es verdad, pero más principal para el sentido, que llaman tropos y figuras de sentencias" [18], para terminar haciendo nueva y firme confesión de sus predilecciones: "Siempre insisto que lo conceptuoso es el espíritu del estilo" [19].

---

[14] *Ibíd.*
[15] *Ibíd.*
[16] *Ibíd.*
[17] *Ibíd.*
[18] *Ibíd.*
[19] *Ibíd.*

A la vista de tales textos expresivos, podría pensarse, con palabras de Menéndez y Pelayo [20], que la *Agudeza* "no es de ningún modo una retórica culterana; es precisamente lo contrario; es una retórica conceptista".

A tal juicio, opondrá Croce [21] una conciliación: "Non possiamo ammetere che l'una rettorica sia il contrario dell'altra: sono piuttosto due gemelle". Pero quizá ello obedezca a una ofuscación del hispanista italiano al ver utilizados indistintamente por Gracián numerosos ejemplos de ambas tendencias, al observar, por ejemplo, cómo al poeta Giambattista Marino tan pronto le denomina "el culto Marino" (disc. V) como "el conceptuoso Marino" (disc. X).

En efecto, la fronda ajena que Gracián intercala en su tratado induce a error en una primer mirada. Sería interesante realizar una minuciosa estadística de los poetas a que se refiere nominalmente o por alusiones, y aun reparar cuál es el temario y estilo que en ellos destaca al interpolar muestras de su ingenio, por las luces que ello pudiera darnos sobre sus ideas y gustos, por las vislumbres de su estética que pudiésemos percibir.

De los poetas latinos, con gran preferencia sobre todos los demás, recuerda insistentemente a Marcial [22], lo que se justifica por dos causas: su genio coincidente y sobre todo el orgullo de la patria común, y así la *Agudeza,* con sus setenta y tantos epigramas de Marcial, a los que acompaña su correspondiente traducción, constituye un verdadero centón del poeta de Bílbilis.

De los demás poetas latinos, que ya recuerda en contadas ocasiones, el más citado es Horacio, y en especial su *Epistola ad Pisones,* y luego Virgilio y Ovidio. Lucano, el culterano de su siglo, apenas aparece representado en algún pasaje.

Como síntoma de su preferencia por esas épocas en que la literatura ha alcanzado un grado de madurez máxima, en que ya apunta la corrupción, aparecerán aquí y allá, con pródigos elogios, los

---

[20]   *Op. cit.,* pág. 355 y s.

[21]   BENEDETTO CROCE, *I trattatisti italiani del "concettismo" e Baltasar Gracián,* Nápoles, 1899, pág. 28, *n.*

[22]   Vid. S. PARGA PONDAL, *Marcial, en la preceptiva de Gracián,* en *RABM,* 1930, X, pág. 218 y s., y A. GIULIAN, *Martial and the Epigram in Spain in the XVIth and XVIIth centuries,* Filadelfia, 1930.

nombres y los versos de Claudiano, Ausonio, Pentadio o de nove-
listas como Lucio Apuleyo y Heliodoro.

Asimismo se complacerá en traer a cuento los poetas latinos renacentistas, y sobre todo, con gran insistencia, a Alciato, del que
vuelca gran parte de su *Emblemata,* y al valenciano Falcó.

De los españoles del siglo xv, que él llama *antiguos,* intercala
numerosas muestras. Debió manejar con frecuencia el *Cancionero
General,* de Hernández del Castillo, y le complacían sumamente, sin
duda, el retorcimiento conceptuoso de los poetas en él representados,
a los que cita nominalmente o de los que reproduce estrofas sin indicación de autor. En cambio, no debía agradarle demasiado el cultismo de Juan de Mena, del que apenas intercala un ingenioso
enigma, sin dar siquiera su nombre.

Pero donde se destacan más al vivo sus predilecciones es en la
selección que tácitamente realiza entre los poetas inmediatamente
anteriores a su época o contemporáneos. Admira sin reservas la
tenue y llana morbidez de Garcilaso, del que presenta numerosos
sonetos. Fray Luis de León, en cambio, estará representado por
escasos fragmentos. Cuando halla ocasión, desdeña el empalagoso
petrarquismo de Herrera.

En este cómputo, el culteranismo vence en número y representación al conceptismo, aunque la armadura de la *Agudeza* sea un
tratado del estilo conceptuoso, como pudiera creerse. De Carrillo
Sotomayor, en el cual el cultismo es todavía templado, intercala
gran número de sonetos y acompaña su nombre de vivos elogios.
Góngora, del que aparecen hasta setenta y tantos sonetos y fragmentos reproducidos, tantos como de Marcial, lleva extraordinaria ventaja sobre Quevedo. Pero el Góngora que Gracián colma de alabanzas no es el poeta decididamente culterano del *Polifemo,* del que
sólo recuerda versos en dos ocasiones, ni de las *Soledades,* que sólo
cita una vez, sino el poeta agudísimo e ingenioso de los sonetos, los
romances y letrillas, de *Las firmezas de Isabela,* que juega con el
voquible con supremo donaire, que derrocha ingenua picardía, que
lanza sus dardos irónicos, que remeda el habla de los negros, de los
moriscos o los portugueses, que se ríe del mundo y de las flaquezas
de los hombres, no por causas de amargura, sino por mera diver-

sión y por el gozo que le produce el logro de la expresión feliz y la misma hermosura y musicalidad de la palabra.

Gracián admira al cordobés, aunque eludiendo directamente las referencias a sus poemas culteranos representativos, pero repugna en cambio a sus seguidores, rechazando como inadmisible toda imitación: "Algunos le han querido seguir, como Icaros a Dédalo, cógenle algunas palabras de las más sonoras, y aun frases de las más sobresalientes (como el que imitó el defecto de torcer la boca del rey de Nápoles); incúlcanlas muchas veces, de modo que a cuatro o a seis voces reducen su cultura" [23]. Con todo, no dejan de aparecer tras Góngora, algunos de sus continuadores, como Paravicino, al que destaca como orador sagrado, "más admirable que imitable" [24], Villamediana y Bocángel, citado una vez tan sólo.

Los conceptistas, como decíamos, apenas tienen representación. Quevedo, su cabeza más visible, aparece propuesto como modelo con escasas composiciones, y para eso las menos expresivas, y menos todavía Orozco, Ledesma o Bonilla.

Como si actuara al margen de cualquier parcialidad o tendencia, se complace, en cambio, en insertar composiciones y estrofas de los poetas considerados como independientes de ambas escuelas. Lope figura a cada paso con infinitos sonetos y fragmentos, rindiéndole siempre las más cálidas alabanzas. Le siguen en números de ejemplos, Antonio Hurtado de Mendoza, al que colma de cordiales elogios; López de Zárate, Arguijo, Montalbán y cien más, en especial, los que figuran en las *Flores de poetas ilustres,* de Pedro de Espinosa, antología que debió tener muy a mano, pues de ella se vale para intercalar gran parte de sus poesías. Si tal colección las da como de autores desconocidos, él lo hará también. De Quevedo, por ejemplo, reproduce composiciones que no aparecerán en las ediciones de este autor. La versión que de determinados versos nos da es exacta a la que aparece en las *Flores* y difiere de otras que conocemos.

Donde Gracián manifiesta a las claras su afición al dicho agudo es en la reiterada citación que hará de Juan Rufo, no de su *Austríada,* su obra más pretenciosa, sino de *Las seiscientas apotegmas,*

---

[23] *Agudeza,* LXII.
[24] *Ibíd.*

del que recoge innumerables muestras, así como también de los epí-
gramas de Baltasar de Alcázar, que con los de Marcial, Góngora
y Quevedo y otros más, hacen de la *Agudeza* una antología del
género, completada con los dichos y anécdotas tomadas de Plutarco,
Botero, Melchor de Santa Cruz y Francisco Asensio.

En grupo aparte hemos de aludir a los poetas aragoneses, que
quizá debieran ser excluídos de este análisis, porque en los elogios
que les tributa, más que una predilección estética, adivínase un
afecto irreprimible por cuanto se refiere a su tierra nativa. Dos cosas
le obligaban a Gracián: El placer de la amistad y su firme aragonesismo. Ambas flaquezas del corazón se reflejan en la *Agudeza*.
Con todo, si los elogios que tributa a los poetas naturales de Aragón
pudieran considerarse desmesurados, por originarse de factores afec-
tivos, hemos de pensar también que las alabanzas insistentes a los
hermanos Argensola, en especial a Bartolomé Leonardo, ambos tan
ecuánimes y ajenos a toda exageración culterana o conceptista, tienen algo de síntoma de su independencia en la elección.

Los modelos de que con mayor insistencia se vale, suelen ser
latinos y sobre todo españoles. ("Si frecuento los españoles, es porque la agudeza prevalece en ellos", dirá) [25], pero, asimismo, acu-
mula todavía paradigmas de las lenguas romances que conocía, como
el italiano y el portugués. "Tomé los ejemplos de la lengua en que
los hallé, que si la latina blasona al relevante Floro, también la italiana al valiente Tasso, la española al culto Góngora y la portuguesa
al afectuoso Camoens" [26]. De los poetas italianos, a pesar de estas
palabras, al Tasso sólo le recordará por un fragmento, y, en cambio,
Guarini, y un poco menos Marino, aparecen con cierta intermiten-
cia. De los portugueses sobresale Camoens, con sonetos y estrofas
en portugués y castellano, y, en menor número, Montemayor y Sá
de Miranda.

En consecuencia, podríamos deducir de este cómputo de preferencias que si la teoría y doctrina de la *Agudeza* son evidentemente
conceptistas —dando a esta denominación un valor peculiar que le
distingue esencialmente de Quevedo y de los suyos, por otra parte,

---

[25] *Agudeza,* "Al lector".
[26] *Ibíd.*

personalidades autónomas, de difícil agrupación—, las composiciones en que se apoyan pertenecen a las tendencias más dispares y an-
tagónicas, como si tan sólo persiguiese el logro de la belleza en su
máxima diversidad. El mismo lo declara: "Afecté la variedad en los
ejemplos, ni todos sacros, ni todos profanos, unos graves, otros corrientes, ya por la hermosura, ya por la dulzura" [27]. Para fabricar
su miel, que en muchos casos es agridulce, lo lee todo, lo más opuesto, en los distintos idiomas que conoce. Insaciable e incansablemente,
va libando polen y rocíos en las más diversas flores de la poesía,
aunque tal vez elija sin querer las más sencillas, honestas y escondidas, con preferencia a las artificiosas rosas, en las que el color predomina sobre el aroma.

Asimila todos los elementos literarios, los más diversos, de todo
tiempo, de las más varias culturas y países. Lo cual no significa,
por otra parte, que Gracián procediese en esta escolma sin propósitos y convicciones definidas, porque si nos fuese posible reducir sus
preferencias a un diagrama en que las varias literaturas de que se
vale estuviesen representadas, obtendríamos que en la latina los vér-
tices más altos los darían el agudo Marcial, los poetas de los últimos siglos de la antigüedad y albores de la Edad Media y los poetas
latinos del Renacimiento, y los más bajos, el culto Lucano. En la
española del xv, las máximas las obtendrían los poetas conceptuosos
del *Cancionero General,* y la mínima, el "culterano" Juan de Mena;
en el xvi, Garcilaso representaría otro vértice culminante, y Herrera
un absoluto descenso. En el xvii habría que indicar las oscilaciones
determinadas por los poetas de las diversas tendencias, con curvas
distintas, para que pudiese apreciarse la simultaneidad, y entonces
se observaría cómo, por lo que respecta a la culterana, ascendía la
curva con Carrillo y más todavía con Góngora —no en su aspecto
francamente cultista, sino en el de poeta ingenioso—, para caer de
nuevo en los gongoristas; la que representase el conceptismo er-
guiría el nivel con Quevedo, aunque muy poco, y volvería a descen-
der con sus seguidores; en la de los poetas independientes, serían
Lope, Rufo o Bartolomé Leonardo de Argensola quienes alcanzasen

[27]   *Ibíd.*

alturas mayores. En la literatura italiana, la mínima la darían Petrarca y Tasso; las máximas, Guarini, casi a la par de Marino.

Tal experiencia podría mostrar, en síntesis, el gusto manifiesto de Gracián por la poesía melada, un si es no es corrompida, de los finales de época (poetas latinos de la decadencia, humanistas del Renacimiento, poetas españoles del xv), su admiración firmísima y consecuente por un tipo de poesía en que la expresión llana y natural alterna con un templado artificio (Garcilaso, Carrillo, Lope, Argensola, Guarini, Camoens), y sobre todo una pasión irreprimible por lo agudo e ingenioso (Marcial, Góngora, Juan Rufo), y de ello obtendríamos la conclusión de que Gracián es un escritor con personalidad propia y originalísima, tan distante del conceptismo, del que se diferencia esencialmente en la expresión, aunque coincida en el temperamento y en el modo de ver, como del culteranismo, que repudia. "El fondo de su arte —nos dirá Romera-Navarro, el español que quizá haya calado más hondo en el espíritu de Gracián— es demasiado humano para aliarse sistemáticamente con pedantes culteranismos ni oscuros conceptismos. Su buen sentido —tan característico entre sus facultades— le refrena de excesos culteranos y conceptistas; perversiones son éstas, y en la obra de Gracián no hay manifestación alguna patológica, ni en las ideas ni en las formas" [28].

Aunque pasados los años diga Gracián con leve desdén que su *Agudeza* es "más sutil que provechosa" [29], responde este tratado a sus predilecciones de la edad juvenil, a lo aprendido en los Colegios de la Compañía, en aquella *Ratio studiorum* que inculcaba en los jóvenes jesuítas el gusto por la expresión artificiosa, cargada de ingeniosidad y significaciones —que ratificará o rectificará en su madurez—, sin que podamos pensar que fuese un mixtificador, que daba una importancia secundaria a sus doctrinas, como supone Coster [30], porque en él nos muestra con bizarría su gusto independiente, que recoge y destaca lo que considera bello y ejemplar, sin pensar demasiado a qué escuela pertenezca. Se halla entre unos y otros, y aun mejor, al margen, señero y distante, y cuando llega el instante

[28] Ed. cit., I, *Introducción,* pág. 30 y s.
[29] *El Criticón,* I, "Al que leyere".
[30] *Op. cit.,* pág. 644.

sagrado de crear, se ensimisma más todavía en su propio temperamento, y va destilando primorosamente su prosa requintada. Denomina 'concepto' al pensamiento artificiosamente elaborado. Quizá la reiteración de esta palabra *concepto* —que tiene para él el valor y la calidad de expresión quintaesenciada lograda con laborioso esfuerzo de la mente— sea el más visible enlace con Quevedo, que perseguía lo mismo por vía diferente. Gracián ama la andadura lenta, la reiteración, la acumulación de sinónimos, como Guevara, unas veces; otras, la elocución rápida, sintética, nerviosa, como Séneca; tiene la grave preocupación del vocablo expresivo, como Quevedo, aunque no se complazca tanto como él en acuñar nuevas palabras; logra dar a las que usa sus varios sentidos o valores metafóricos, al modo de Góngora; ama el lenguaje sapiencial, gnómico, que reduce todavía a expresión hermética y difícil, al contaminar varios refranes o sentencias, al eliminar aquellos elementos que prefiere sobreentendidos. Pero, con todo, no sería bastante juzgarle por sus medios de expresión, que harían pensar en las semejanzas con éste o aquél o en sus adherencias con ésta o la otra tendencia, porque Gracián se eleva de su estilo y de sus fórmulas artificiosas hacia un clima de altura, el de su personalidad originalísima, que nos da la más certera y sarcástica, la más amarga y profunda versión de los hombres y del mundo.

"EL DISCRETO"

Gracián, que tanto se complacía en dividir la vida del hombre en estaciones, equiparables a las que se suceden en la naturaleza —como ha de hacer en *El Criticón*—, después del desengaño sufrido en Valencia percibe con mayor claridad que su propia vida ha ascendido hasta el máximum de la plenitud juvenil y que ya se desliza por el declive de la madurez en inevitable descenso.

Ha traspasado los cuarenta años, cumbre decisiva, que da lugar a que el hombre, aun sin reparar en ello, evolucione en sus sentimientos e ideas. El afecto, fruto de la abundancia del corazón, dará paso al juicio, que significa el predominio de la mente. Gracián ha escrito en su edad juvenil dos obras de entusiasmo. Es demasiado inocente, y la luminosidad de los ejemplos antiguos inunda todavía su espíritu para que unos años más de experiencia le hagan renunciar definitivamente a sus utopías y ensueños, pero, sin percibirlo, ya va expresando sus ansias en un tono menor, y el tamaño de sus modelos se irá reduciendo a proporciones humanas y naturales. Es decir, el Héroe, el Político ideal, se convertirán en un personaje posible dentro del marco de la vida diaria; sus juveniles ensoñaciones se reducirán a un caballero de carne y hueso, a un hombre de mundo, que haga buen papel en los salones.

En *El Discreto* no existe coherencia de propósito, e incluso es posible que cada uno de los *realces* o capítulos que constituyen el libro fuesen escritos en distintas épocas, como parecen darlo a entender los elogios o alusiones que contiene. En su trato con amables caballeros iría observando, avizor, cómo en cada uno predominaba determinada cualidad sobre otras menores que le adornaban, de lo

que resulta que cada una de las partes en que el libro se divide
vendría a ser el retrato moral de una prenda de perfección, y su
conjunto la suma de méritos y virtudes deseables en el hombre de
mundo, algo así como la culminación en un modelo de las excelencias de muchos.

No se trata ya de un ente de excepción, como lo eran el Héroe
y el Político, sino de un caballero perfecto, cumplido, sin tacha, de
buenos modales, de clara inteligencia, mundano, prudente, mesura-
do, y así el Discreto vendrá a ser una versión más humana del Cortesano renacentista, adaptada a su siglo. La Corte se ha reducido al
Salón, y el Discreto habrá de reunir las condiciones que se requieren
para moverse en él con soltura y aplauso.

Es un libro heterogéneo, cuyos *realces* adoptan las más varias
fórmulas: Así, en el VIII y XVII se expresa por medio del diálogo con sus amigos Uztarroz y Salinas; el VII, el XII y XXII los
subtitula *cartas;* otros, que él denominará *alegorías, apólogo, fábula,
problema, emblema,* nos recordarán la complacencia que muestra en
Agudeza por estos géneros simbólicos; los que subtitula *sátira, sati-
ricón, invectiva,* serán, en cambio, un anticipo de *El Criticón,* hasta
el punto de que el VI se denominará *crisis,* como los diversos capítulos de la novela.

Para los que define como *elogio* (I), *discurso académico* (II),
razonamiento académico (V), *encomio* (X), *apología* (XIX), y *pa-
negiris* (XXIV), puede suponerse con Coster [1], que, al igual que
El Político, se trate de breves disertaciones leídas en las sesiones de
alguna de aquellas Academias literarias que al estilo de la época se
reuniese en Huesca, acaso en el palacio de Lastanosa, a la que asis-
tían circunstancialmente, como invitados de honor, los personajes elo-
giados por Gracián al final de cada uno de sus *realces.*

Pero si los elementos que constituyen la obra son diversos, al
refundirlos y coordinarlos, los completa Gracián con un último capítulo, *Culta repartición de la vida de un discreto,* que viene a ser
resumen y esencia de todos ellos. Se trata de un proyecto de vida
perfecta, que es germen evidente de *El Criticón,* en el que ha de
referirse (II, Cr. I) a las tres vidas del hombre, la vida vegetativa,

---

[1] *Op. cit.,* pág. 484 y s.

la vida sensitiva y la vida racional, que han de dar lugar a la estructura de la gran novela.

El Discreto ha de repartir la vida, al igual que las comedias, en tres jornadas. La primera, para hablar con los muertos, es decir, con los libros, para aprender las artes liberales y las lenguas cultas; la segunda, con los vivos, es a saber, peregrinando y comunicándose con las más varias gentes y países, a fin de lograr experiencia, y, en fin, la tercera, para hablar consigo mismo, o sea meditando sobre lo visto y lo aprendido, hasta averiguar las verdades eternas y la verdadera sabiduría, en preparación de la muerte, jornadas equiparables a las tres vidas de *El Criticón*.

Si este libro de Gracián no estuviese todo él esmaltado de afortunadas doctrinas y felices ideas, de lúcidos pasajes, de innumerables enseñanzas, de gratos donaires, bastaría esta última parte para poder apreciar la hondura de su pensamiento, su poderosa fuerza creadora, su espíritu de síntesis, su profundidad moral, y para considerarle un creador literario de primer orden.

El *Oráculo* plantea minuciosos problemas. Si se hiciese un detenido estudio de esta obra, podría apreciarse cómo la mayor parte de los conceptos que en ella se exponen no son sino paráfrasis, síntesis o extractos de las ideas que Gracián desarrolla con mayor amplitud, intercalando anécdotas y ejemplos, en *El Héroe* y en *El Discreto,* hasta el punto de que pudiera pensarse que no se trata sino de una selección doctrinal, condensada hasta lo indecible —cosa natural en él, tan partidario de lo conciso, del lenguaje aforismático—, de sus obras anteriores. Los títulos que da a cada una de sus máximas coinciden en gran parte con los que figuran al frente de los *primores* y *realces* de las obras citadas, y escasas veces tienen variantes apreciables.

Incluso podría pensarse con Joseph Jacobs [1], en su preámbulo a la versión inglesa del *Oráculo,* y con Víctor Bouillier [2], en la noticia que inserta al frente de su traducción francesa de varias máximas de la referida obra, tesis en la que insiste Lacoste [3], si en este libro no estarán extractadas asimismo otras obras de Gracián, que nos son desconocidas, y de las que Lastanosa, en su aviso "A los lectores" al frente de *El Discreto,* daba ya como realizadas, al decir: "si los que le siguen, especialmente un *Atento* y un *Galante,* que le viene ya a los alcances y le han de pasar a *non plus ultra*", y que

[1] JOSEPH JACOBS, *The art of Worldly Wisdom by Balthasar Gracián,* Londres, 1892, pág. 13.

[2] *Balthasar Gracián, Pages caractéristiques,* París, 1925, pág. 153.

[3] M. LACOSTE, *Les sources de l' "Oráculo Manual" dans l'oeuvre de G. et quelques aperçus touchant l' "Atento",* en BHi, 1929, XXXI, pág. 93 y ss.

también el canónigo Salinas, en su soneto acróstico que figura en la misma obra, anunciaba:

> *Atento* ya el *Varón,* varón perfecto
> Corra en la prensa con veloz carrera,
> Y váyanse hasta doce continuando...

Por lo menos, en cuanto al *Atento* —o más bien *Avisos al Varón Atento,* como lo titula su propio autor en los realces II y XI de *El Discreto*— parecía obra de realización muy avanzada, si tenemos en cuenta las propias palabras con que a ellas se refería Gracián.

Aunque Farinelli[4] se oponga a esta hipótesis, sin hacer demasiado hincapié, y aunque Romera-Navarro[5], el gran conocedor de la obra de Gracián, suponga, en una nota casi furtiva, sin dar justificación alguna de su creencia, que los *Avisos al Varón Atento* fueron incorporados a *El Criticón,* pudieran servir de base para el supuesto de una refundición de *El Atento* en las páginas del *Oráculo,* las repetidas veces que en ellas se alude al "atento", a la "atención", dándose el caso de que ninguno de los títulos y conceptos en que estas palabras se hallan aparezca en las máximas que tienen evidente origen en *El Héroe* o *El Discreto.* Bastaría revisar sus páginas, aunque fuese a la ligera, para hallar los siguientes: "No basta para atento no ser entremetido, mas es menester que no le entremetan"; "Huya el atento de ser registro de infamias, que es ser aborrecido padrón y, aunque vivo, desalmado"; "El atento siempre está de parte de la razón, no de la pasión"; "Nunca el atento se dé por entendido, ni descubra su mal, o personal o heredado"; "*Hablar de atento,* con los émulos, por cautela; con los demás, por decencia"; "Tantéanse las voluntades de esta suerte, y sabe el atento dónde tiene los pies"; "Los riesgos de la retentiva son la ajena tentativa, el contradecir para torcer, el tirar varillas para hacer. Saldrá aquí el atento más cerrado. Las cosas que se han de hacer no se han de decir, y las que se han de decir no se han de hacer"; "Conozca el atento estas sutilezas del llegar y no le cause desmayo

---

[4] ARTURO FARINELLI, *Gracián y la literatura áulica en Alemania (1896),* en *Divagaciones hispánicas.* Barcelona, 1936, II, pág. 106, n.
[5] Ed. cit., III, pág. 345, *n.*

la exageración del uno ni engreimiento la lisonja del otro"; *"Atención del que llega de segunda intención"*; *"Nunca obrar por tema, sino por atención"*; "Entienda el atento que nadie le busca a él, sino su interés en él y por él".

La misma curiosa y menuda experiencia podría realizarse por lo que se refiere a *El Galante,* y nos hallaríamos con resultados semejantes, aunque en menor proporción.

Acaso Gracián tuviese entre manos dos pequeños tratados en los que iba condensando en frase sucinta, en ideas sintéticas, las variaciones que morosamente lucubraba sobre el *varón atento,* el hombre vigilante de sus actitudes, de sus pensamientos, de sus reacciones, o sobre el *hombre galante,* quizá en su acepción de 'cortesano', con todas las virtudes y galas que al hombre de mundo asignaba el Renacimiento, y aunque gustase de lo breve hasta en lo tipográfico —¡qué delicia las ediciones *princeps* de sus obras!— quizá cuanto llevaba escrito no bastase para que pudieran ser publicados independientemente cuando a su amigo Lastanosa se le ocurrió la idea de publicar una obra que se titulase *Oráculo Manual y Arte de Prudencia,* insertando en ella, además de las máximas extraídas de los libros publicados, fragmentos de los escritos inéditos.

Se trata, pues, de una antología, en la que se han seleccionado y condensado sus producciones que hasta entonces habían salido a luz y acaso aquellas obras inconclusas, de las cuales había ya partes ultimadas y prestas para la publicación, que su autor somete a una rigurosa estructura, a armoniosas proporciones. Son trescientos aforismos amplificados, de una medida equivalente, que muestran una intención arquitectural, quizá imitada, como apunta Ferrari [6], de los *Ragguagli* de Boccalini, asimismo divididos en centurias, aunque "por contraste y por ocultación", evítase "la forma no narrativa de tales máximas".

Quién haya sido el que llevó a cabo esta labor y qué parte de creación personal haya puesto en ella, es cosa que ha suscitado juicios contradictorios.

Coster [7] supone que, debiendo considerarla obra de Gracián, habrían intervenido en ella Lastanosa y sus amigos de Huesca: "Aussi,

6 *Op. cit.,* pág. 404.
7 *Op. cit.,* pág. 501.

selon toute vraisemblance, chacune de ces phrases précieuses était examinée de près, et sans doute perfectionnée d'accord avec le petit tribunal auquel elle était soumise". Según él, la colaboración de Lastanosa y sus amigos en el *Oráculo* sería semejante a la de Mme. de Sablé con relación a las *Maximes* de La Rochefoucauld. Aparte de que Mme. de Sablé fué una manifiesta y efectiva colaboradora del moralista francés, como lo demuestra evidentemente la correspondencia de éste, que recordó Víctor Bouillier [8], ningún dato ni noticia viene a comprobar esta supuesta "colaboración benévola" de sus amigos en la obra de Gracián.

Ricardo del Arco, tan buen conocedor de Gracián, y a quien se deben tantas interesantes noticias sobre el gran escritor aragonés, se inclinó a atribuirla [9], no a Gracián, sino a don Vincencio Juan de Lastanosa, el magnífico amigo y mecenas del escritor, arrastrado sin darse cuenta por la excepcional simpatía que emana de la figura señorial de su biografiado, arquetipo de magnate renacentista. Hay evidente contradicción en sus afirmaciones, ya que tan pronto dice: "Lastanosa, como síntesis de su devoción por su amigo, recopila..." [10], como asegura: "Aquí se suscita una cuestión interesante acerca de la paternidad de esta obra. Créola exclusivamente de Lastanosa; y en esto discrepo de Coster, que opina que aquél ejerció en el *Oráculo* tan sólo una colaboración benévola" [11]. Apoya sus juicios en el subtítulo que lleva la obra: *Oráculo Manual y Arte de Prudencia. Sacada de los aforismos que se discurren en las obras de Lorenzo Gracián. Publícala don Vincencio Juan de Lastanosa. Y la dedica...*

La fórmula empleada es evidentemente la misma que las que utiliza Lastanosa en las obras de su amigo que con anterioridad había publicado. Así puede decir en su dedicatoria a don Luis Méndez de Haro: "Sea excusa que estas obras [refiriéndose a *El Héroe*, editada por él en 1637; *El Político,* en 1640; *El Discreto,* en

---

[8] Víctor Bouillier, *Notes sur l'Oráculo Manual de Baltasar Gracián* en *BHi.*, 1911, XIII, pág. 320 y ss.

[9] Ricardo del Arco, *Gracián y su colaborador y mecenas,* en *Baltasar Gracián... Curso monográfico celebrado... en el año 1922.* Zaragoza, 1926, págs. 131-158.

[10] *Ob. cit.*, pág. 144.

[11] *Ibíd.*

1646, y la refundición de la *Agudeza,* en 1648] a nadie las he consagrado, sino al Rey nuestro Señor, al Príncipe y a V. E...". Sólo difiere de ellas en aclarar que se trata de una selección de aforismos
entresacados de las obras de Gracián, no de una obra escrita expresamente.

El segundo argumento en que se apoya para negarle a Gracián
la paternidad del *Oráculo,* lo halla en el "Aviso al lector", en donde
Lastanosa "declara su responsabilidad por la publicación del libro y
que las máximas que siguen las ha sacado él de las obras inéditas
de Gracián" [12]. Ahora bien, lo que dice Lastanosa es precisamente:
"Una cosa me has de... agradecer... El ofrecerte de un rasgo todos
los doce Gracianes" [13]. Es decir, que confiesa honestamente que
actúa como mero recopilador, seleccionando los aforismos que considera de mayor calidad y hondura entre los muchos que se hallan
desperdigados a lo largo de las obras que tanto estima de su amigo
admirado. Quien como Lastanosa había editado la mayor parte de
ellas, incluso alguna como *El Héroe,* "contra su voluntad", como
declara su hijo, don Vincencio Antonio [14], podía permitirse, asimismo, la licencia de extractar de las obras que iba dando a la prensa
—y acaso de las inéditas todavía incompletas, que en las gavetas de
su escribanía esperaban a ser publicadas— los fragmentos que consideraba más expresivos, reduciendo en muchos casos un primor,
un discurso, un realce, a aquellas frases y apotegmas que eran su
condensación y meollo, aunque haya que pensar que fué el propio
Gracián quien —a la vista de esta selección— les dió las variantes
convenientes, contrahaciéndolas para lograr coherencia y coordinación. Un estudio comparativo de las coincidencias que se ofrecen
entre el *Oráculo* y las obras anteriores de Gracián sería elocuente y
disiparía toda vana suposición.

¿Qué pretendía Lastanosa, en todo caso, con su abnegada y
paciente labor? Primero, condensar en una antología o centón, que
fuese *manual,* manejable, los infinitos aforismos y sentencias esparcidos en los diversos tratados del amigo entrañable, por el que tan
profunda admiración sentía, hasta el punto de considerar su pensa-

---

[12]   *Op. cit.,* pág. 145.
[13]   *Oráculo,* "Al lector".
[14]   Vincencio Antonio de Lastanosa, *op. cit.,* pág. 29 y s.

miento como un *Oráculo*. Del gran señor aragonés fué sin duda la iniciativa de publicar este libro, que viniese a reunir en apretada síntesis la ideología del pensador, y el mismo título, tan petulante que sólo a un gran admirador —o a la posteridad— le era dado poner, y que Lastanosa tomó sin duda del libro del humanista francés Francisco Filhol, titulado *Oracle poétique*. Y así, dice: "Una cosa me has de perdonar... El llamar *Oráculo* a este Epítome de aciertos del vivir..." [15].

Todavía recurre el señor del Arco a un tercer argumento a citar un texto de Samuel Chapuzeau, abogado del Consejo privado del Rey y maestro del Príncipe de Orange, en su libro *Europe vivante* (Ginebra, 1667): "Háblanme también de un Lorenzo Graciár (seudónimo de Baltasar Gracián), infanzón de Calatayud en el reino de Aragón, y de don Vincencio Juan de Lastanosa, que vive en Huesca, como de dos célebres escritores del siglo, que trabajan mucho en imitar a Séneca y Tácito, y que afectan un estilo cerrado El primero ha dado a luz algunos tratados de Política y Moral, con una sátira muy ingeniosa, a imitación del *Euphorinton*. El segundo ha producido un epítome de aforismos políticos *(El Oráculo)* poco diferente de los escritos del otro, de quien es amigo..." La cita, s reparamos en ello, quizá no pase de ser un eco de lo dicho anteriormente por un curioso viajero flamenco, Aarsens de Sommerdyck que firma con el seudónimo de Antoine de Brunel, el cual, en su *Voyage d'Espagne curieux, historique et politique. Fait en l'année 1655...* [16], da amplias referencias sobre Gracián y Lastanosa, y asimismo, atribuyendo al último la selección del *Oráculo*: "C'est par son moyen que la plus part des ouvrages de Gracian sont imprimés; aussi y a-il grande amitié entr'eux, et l'on veoit un livre publié par Lastanosa qui n'est qu'un recueil des sentences et aphorismes politiques et moraux, qui se trouvent dans les ouvrages de Gracián" [17].

Pero, una y otra, no pueden ser consideradas como válidas y decisivas, y bien endeble es la consistencia de tal atribución cuando

---

[15] *Oráculo*, "Al lector".
[16] París, chez Charles de Sercy, 1665. Hay edición moderna de CHARLES CLAVERIE, en *RHi*, 1914, XXX, págs. 119-375, por la que citamos.
[17] Vid. ed. moderna cit., pág. 321 y s.

ha de apoyarse en la vaga referencia de un viajero, que se para
escasamente a comprobar la certeza de sus aseveraciones, o de un
escritor francés, que supone infanzón a Gracián y no alude a su
estado eclesiástico, y que, en cambio, tal afirmación no aparezca en
ningún escritor español de la época, ni siquiera en boca de los enemigos, como el canónigo Salinas, que trata de insinuarlo tan sólo,
cuando le agradaría tanto poder afirmar algo en este sentido, o el
autor de la *Crítica de reflección,* que tanto se complace en el injusto
ataque a Gracián, en su sañudo afán de disminuirle y reprocharle
el más leve fallo. Las obras de Antoine de Brunel y de Chapuzeau
se publican siete y nueve años después de la muerte de Gracián, que
no podía desmentirles ya, y si no lo hizo Lastanosa fué porque acaso
no llegasen a sus manos, aunque no lo consideraría preciso, ya que
la fórmula usada por el primero —*qui n'est qu'un...*— era suficientemente explícita.

Bastarían, en resumen, para desvanecer tal supuesto, las palabras
del propio Gracián, que figuran al frente de la *Agudeza*: "He destinado algunos de mis trabajos al juicio, y poco ha el *Arte de Prudencia...*" [18], segunda parte del título, ya que le sería violento, por
su auténtica modestia, citar la primera, tan altisonante.

Y todavía el hecho insólito de que Gracián —que durante toda
su vida de escritor anduvo celando sus obras con varios seudónimos
o anagramas— se confiese autor del *Oráculo* en la dedicatoria a la
marquesa de Valdueza, que pone al frente de *El Comulgatorio* (1665),
uno de sus últimos libros y el único que firma con su verdadero
nombre: "Emulo grande es este pequeño libro de la mucha cabida
que hallaron en el agrado de V. E. *El Héroe, El Discreto* y *El
Oráculo,* con otros sus hermanos...".

Muy poco tiempo después de su muerte, la Compañía coloca su
retrato en el Claustro del Colegio de Calatayud, y en el vítor que
en él figura, se hace constar: *Scripsit Artem Ingenii... Artem Prudentiae... Oraculum... Disertum... Heroem...* Y hay que suponer
que sus contemporáneos habrían de omitir el título del *Oráculo* a
pocas dudas que tuviesen sobre su verdadero autor, como olvidan
intencionadamente el de *El Criticón.*

---

[18] *Agudeza,* "Al lector".

Quizá lo que venimos exponiendo sea innecesario, puesto que el erudito gracianista reasume su oscilante opinión sobre este asunto con las siguientes palabras: "Cierto que por ser Lastanosa el autor del *Oráculo,* no se merma en un ápice la gloria de Gracián; porque, al fin y a la postre, de Gracián son las máximas recopiladas por el patricio oscense; y el hecho no revela sino la compenetración de entrambos y su amistad inquebrantable" [19], lo que no deja la menor sombra de duda de que la obra es original de Gracián, a modo de una selección de sus obras anteriores, y su mecenas y amigo un devotísimo recopilador o antologista.

---

[19] *Op. cit.,* pág. 145.

"EL CRITICON"

Se ha querido simplificar el fenómeno literario español considerándolo como una predominante expresión de la realidad, en la cual el idealismo tomase escasa parte. Toda definición parcial es insuficiente cuando se trata de asunto tan complejo, en el que juegan los valores y matices imponderables, inaprensibles, del espíritu. Con mayor justeza ha visto Dámaso Alonso [1] cómo lo peculiar español radica justamente en la conciliación de lo real —asimilable al popularismo y localismo— y lo ideal —que asimismo toma las formas de lo universal y selecto—, en el producto de esos dos contrarios, en este dualismo y en su debatir fecundo.

Es verdad que el idealismo hipertrofiado de algunos géneros y épocas —escuela dantesca, novela pastoril, libros de caballerías, petrarquismo, culteranismo, etc.—, es ajeno a esta ruda concepción de la vida que tiene la gente española, al menos ésta de tierra adentro, áspera como la tierra misma, que apenas descaece en suspiros, si no es cuando yergue verticalmente su mirada al cielo anhelado. Serían, en todo caso, desfallecimientos pasajeros y por inmediata influencia de extrañas culturas, aclimatadas primero en las zonas de penetración de las tierras litorales, más sensuales y blandas. Y así, su modo natural de expresión vendría a ser el reflejo de lo evidente y cotidiano, sin fantasía, como se ve en las canciones de gesta, en el romancero o la novela picaresca, o bien, ese realismo entreverado de idealismo, cuya conjunción da lugar a las más altas cimas de la literatura hispánica: *La Celestina,* con sus dos planos,

---

[1] DÁMASO ALONSO, *Escila y Caribdis de la literatura española,* en *Cruz y Raya,* 1933, 7, pág. 77 y ss.

el idealista de los infortunados amantes, y el real, a cargo de la gente popular que les rodea, doble plano que ha de perpetuarse en el teatro desde Lope de Vega hasta el Romanticismo; *El Quijote,* en que esta colisión, que termina fundiéndose con ternura, camina paralelamente, personificada por el héroe y su escudero; en la mística, cuyo máximo interés radica en este debatir —tan humano y tan nuestro— de lo temporal y eterno. Y, en fin, en tantos libros, poemas o pinturas,

Pero al margen de ambas corrientes —la tendencia realista, de cauce continuado desde el nacimiento de nuestra literatura, y la tendencia idealista, que discurre a su lado o se desvía o vierte sus aguas en ella, asimilándose ambas—, podría observarse una tercera, la corriente alegórica, que, si bien pudiera confundirse en determinados momentos con la idealista, tiene vida independiente y propia, deslizándose desde los orígenes de nuestra poesía con mayor o menor caudal, algunas veces casi oculta, otras con súbitas apariciones, en las que alcanza sorprendente amplitud, que nos hace pensar si no será ésta, entre otras, una de las modalidades representativas del genio nacional.

Tal tendencia podría determinarse por hitos concretos, como son, en el siglo IV, Prudencio con su *Psicomaquia;* en la Edad Media, las *Disputas del Agua y del Vino, del Alma y del Cuerpo* o la batalla de don Carnal y doña Cuaresma, del Arcipreste; el *Infierno de los Enamorados,* de Santillana; el *Laberinto de Fortuna,* de Mena; la *Danza de la Muerte* o la *Visión delectable de la Filosofía,* de Alfonso de la Torre, en que por modo alegórico se expone la suma científica de la época. En el Renacimiento, el *Auto das Barcas,* de Gil Vicente; el *Diálogo de Mercurio y Carón,* de Alfonso de Valdés; *El Crotalón,* de Villalón; la *Numancia,* de Cervantes, o *Las Moradas,* de Santa Teresa. El siglo del barroco es ya todo él puro símbolo. Son las *Soledades,* de Góngora; los *Sueños,* de Quevedo; los autos sacramentales, *El Gran Teatro del Mundo, La vida es sueño,* de Calderón; las *Empresas Políticas,* de Saavedra Fajardo; *El Criticón,* de Gracián, sin contar infinitas obras menores en que el poeta se vale del subterfugio de la alegoría.

Puede achacársele a esta corriente el punto débil de que carece de originalidad vernácula, de que es una consecuencia de la tópica cristiana o que se resiente de la influencia francesa inmediata o que es simplemente una versión del aparato simbolista del Dante o de los renacentistas, pero se acomoda de tal modo a nuestra idiosincrasia y se desarrolla con tal fertilidad en nuestro clima espiritual, que logra ser una forma peculiar de la poesía española, de las más propias y entrañables.

Todavía, fusionada con ella, como si fuese la modalidad vulgar de lo alegórico, su más popular expresión, aparece la veta del apólogo, que, teniendo su origen en oscuras fuentes orientales, llega hasta nosotros a través de los árabes o la cultura grecolatina. Si el apólogo pretende la perfección moral del alma humana con el ejemplo y enseñanza que se desprende de la vida y los hechos de humildes criaturas irracionales, aunque con más nobles instintos que el hombre, la alegoría diviniza las verdades eternas dando corporeidad a las ideas abstractas. Sirven ambos al mismo propósito, diferenciándose en las proporciones y en los medios de que se valen. Seguir el curso del apólogo a lo largo de las distintas épocas no es fácil empeño, porque si es evidente en el XIII, cuando no es sino mera traducción de los originales indios, o en el XIV, en que Juan Ruiz o don Juan Manuel le infunden ya su alma propia, luego parece extinguirse y se escabulle entre la floresta, aunque rara es la obra en que el poeta no utilice incidentalmente este honesto modo de didáctica, para terminar degenerando, del mismo modo que nuestra literatura, en las fabulillas pueriles del siglo XVIII.

En el siglo del Barroco estas formas de la alegoría y del apólogo logran su desarrollo más hermoso y acendrado. Predomina en este siglo un prurito de evasión, que se manifiesta en el recargado ropaje y ornamento, que se disimula en la abundancia de los conceptos, y la tenue pedagogía del apólogo y la virtud didascálica del símbolo valían asimismo como procedimientos para expresar indirectamente las intenciones doctrinales.

El barroco literario, en su última etapa, procede por símbolos trascendentales, y ahí están para mostrárnoslo Góngora, Quevedo, Calderón o Gracián. No se limitan, éstos y otros escritores del tiempo, a revestir la línea salomónica con follaje, pámpanos y racimos, es decir, con las metáforas, el hipérbaton o el neologismo culto, en unos casos, o con agudezas, conceptos, alusiones y donaires, en otros, sino que sustituyen la columna en volutas por un símbolo. Una oscuridad intencionada que se lograse a base de la sustitución del nombre de las cosas por sus semejanzas, de la violenta sintaxis, de la exhumación cultista del vocabulario grecolatino, o bien de la creación de voces nuevas más expresivas, de las antítesis, de la condensación del pensamiento o de la secreta interferencia de las ideas, no bastaría a hacer su prosa y sus poemas lo suficientemente enigmáticos o arcanos, si la armadura de este modo de expresión fuese simple y evidente. Era preciso más para lograr la oscuridad apetecida, y para ello se valdrán como elemento básico de todo un mundo de símbolos, tomados de la mitología, de la filosofía o la teología, que complicarán con la ornamentación culterana de las palabras o la conceptista de las ideas.

Tres escritores, entre todos los del siglo, nos parecen representativos de esta tendencia alegórica: don Luis de Góngora, con sus *Soledades,* verdadero cuerno de Amaltea, en que el símbolo —mejor que la anécdota, leve y precaria— aparece desbordado por el hermosísimo ornamento; Calderón, que en su teatro religioso y profano transforma en símbolo las ideas más abstractas o las más humanas, y, en fin, Gracián, que con *El Criticón* eleva el más puro símbolo de la vida del hombre, como un monumento en el que se representasen, en síntesis y al por menor, todas sus fases, estados y posibilidades.

Y en este orden, se nos interrogará, ¿por qué no incluir asimismo los *Sueños,* de Quevedo, o las *Empresas políticas,* de Saavedra Fajardo? Si reparamos en ello, veremos que los *Sueños* son divertidas sátiras más o menos intrascendentes, que paran en juegos de palabras, en equívocos. Es demasiado evidente la fórmula de Luciano, que un siglo después puede volver a utilizar con mayor o menor fortuna el pintoresco Torres Villarroel. El gran Quevedo está en sus obras morales, en su ascetismo senequista y en su poesía insondable. Las *Empresas políticas* del Embajador no pasan de ser una minuciosa orfebrería literaria, que se sirve de los hallazgos de Alciato y sus seguidores, como lo harán después tantos y tantos continuadores del género.

Pero es Gracián, todavía, entre los escritores alegóricos de su siglo, el que alcanza mayor altura. *El Criticón,* su gran novela filosófica, muestra una arquitectura tan perfecta, tan armoniosa, dentro de su abundancia desbordante, está tan henchida y saturada de ideología cada una de sus partes, es tan esencial cada uno y el más mínimo de sus elementos, que podríamos considerarla como uno de los más altos exponentes del pensamiento español.

Gracián incorpora a su técnica y a su acervo toda la tradición del apólogo oriental y todas las fases de la tendencia alegórica, asimilándolas genialmente. De ahí su reiterada admiración por don Juan Manuel y *El Conde Lucanor* o los apólogos que Mateo Alemán intercala en su novela. El mismo utilizará el molde de la fábula en *El Discreto.* A la simbólica, recurrirá desde sus primeros libros, en los que a cada paso aparecerán escritos con mayúscula los vicios y virtudes y aun las más vagas entidades. Pero esta tendencia culminará en *El Criticón,* obra extraña y curiosa, símbolo integral de la vida del hombre, que resulta de la concatenación y acumulación de símbolos parciales. En él están disueltos, ya casi imperceptibles, los mil elementos alegóricos de que se han servido los escritores anteriores a él: las disputas medievales, los círculos infernales del Alighieri, las ruedas de Juan de Mena *(La rueda del tiempo,* III, 10); el sarcasmo de las *Danzas de la muerte (La suegra de la vida,* III, 11); el castillo interior de Santa Teresa (en el castillo de Virtelia, II, 7); *El Gran Teatro del Mundo,* de Calderón; *El Mesón del Mundo,* de Fernández de Ribera; *El Pasajero,* de Suárez de Figueroa... De atisbos o vislumbres, de grandes concepciones o apoteosis, utilizará, por recuerdo, cuantos materiales puedan servirle a su gran fantasmagoría. El les dará sentido cristiano, ascético, si no lo tuvieren, o profundidad filosófica; amplificará situaciones, contaminará recuerdos de unas y otras obras, comunicándoles su aliento creador. Lo que importa es que de la suma de todos estos elementos propios y ajenos resulte *El Criticón,* que es una suerte de *Divina Comedia* prosificada del siglo barroco, más aterradora que la de Dante, ya que ésta es a modo de represalia contra las caídas y vicios pasados, mientras que la del jesuíta es una atroz lección de moral para la vida presente y futura. No se limita a fustigar el pasado culpable, sino

que nos muestra descarnadamente los errores actuales y el horror
venidero, aunque al final del camino nos ilumine la luz de la esperanza, que aumenta su fulgor según nos acercamos a la muerte.

No es, pues, Gracián un escritor estrictamente original por lo
que a la anécdota, al asunto —en él tan accesorios— se refiere. No
es suya, por ejemplo, la división de la vida del hombre en cuatro
edades que corresponderían al ciclo de las cuatro estaciones del año.
Pudo leer lo que Pellicer de Salas declaraba en sus *Lecciones Solemnes* (1631): "Aquí feneció D. Luis de Góngora la Soledad primera,
en que dexa pintada la Juventud, a que moralmente atendió, pues su
principal intención fué en quatro Soledades descrivir las quatro Edades del hombre. En la primera, la Juventud, con amores, prados,
juegos, bodas y alegrías. En la segunda, la Adolescencia, con pescas,
cetrería, navegaciones. En la tercera, la Virilidad, con monterías,
caças, prudencia y œconómica. En la cuarta, la Senectud, y allí Política y Govierno". El intento del poeta era de carácter profano,
pero aprovechable la idea para una historia moral. Tal distribución
de la vida del hombre era un lugar común en las literaturas clásicas
—estaba ya en Pitágoras, en Horacio y Ovidio—, que Góngora y
Gracián conocían muy bien, y tal coincidencia pudo derivar de la
misma fuente. Que esta estructura era grata a Gracián nos lo probaría el hecho de que ya se halla en el último capítulo de *El Discreto,*
"Culta repartición de la vida de un discreto", verdadero germen
de *El Criticón,* donde adquiere un grandioso desarrollo.

Tampoco era original el jesuíta en la simbología que representa
la vida como un camino difícil, como una dolorosa peregrinación,
como "un cançado viaje". Tal concepto estaba ya en la Biblia, y
trasciende a toda la literatura española anterior a él y contemporánea. Las aventuras de los caballeros andantes no son sino un arduo
peregrinaje. Es evidente esta asimilación en un libro de caballerías
"a lo divino", de Pedro Hernández de Villalumbrales, publicado en
Medina del Campo, en 1552, que tiene un título expresivo: *Caballero del Sol. Libro intitulado Peregrinación de la vida del hombre,
puesta en batalla debaxo de los trabajos que sufrió el caballero del
Sol, en defensa de la Razón, que trata por gentil artificio y extrañas
figuras de vicios y virtudes, envolviendo con la arte militar la philo-
sofía moral y declara los trabajos que el hombre sufre en la vida y*

*la continua batalla que tiene con los vicios, y finalmente enseña los
dos caminos de la vida y de la perdición y cómo se ha de vivir para
bien acabar y morir.*

Lo es, asimismo, en otra novela de la misma índole, posible consecuencia de la anterior, del P. Alonso de Soria, titulada *Historia
y milicia cristiana del cavallero Peregrino, conquistador del cielo,
metaphora y symbolo de cualquier sancto, que peleando contra los
vicios ganó la victoria,* publicada en Cuenca, por Cornelio Bodan
en 1601 [2].

Estaba sobre todo en la literatura mística y ascética, en especial
en un libro representativo como *Las Moradas,* de Santa Teresa,
en el que tantas resonancias caballerescas se perciben, y más aún
en su *Camino de Perfección,* y en otros posteriores, más inmediatos
a él en el tiempo y en el espíritu, como son los de dos jesuítas: el
Padre Luis de la Palma, *Camino espiritual de la manera que lo
enseña San Ignacio en el libro de los Ejercicios* (1625) y *Práctica
y breve declaración del camino espiritual* (1629), y el Padre Nierem-
berg, *Vida íntima y camino real para la perfección* (1633).

Asimismo, el tema del Desengaño, que viene a ser la columna
vertebral de su novela filosófica —a la cual Manoury, un traductor
francés de su primera parte, le da el título de *L'Homme détrompé,*
o sea "El desengañado"—, era un motivo reiterado, que, con el de
la fugacidad de la vida, de tan antiguo linaje, ennoblecía con su
hondura la melancolía española. Dos escritores religiosos de su tiempo utilizarán simbólicamente este elemento: Fr. Alonso Remón, en
La Casa de la Razón y el Desengaño (1625), y el propio P. Nierem-
berg, en *Diferencia entre lo temporal y eterno, crisol de desengaños*
(1643).

Valíase, pues, Gracián de alegorías previamente usadas, de símbolos comunes, que no serían bastantes en sí mismos, que no pasa-
rían de ser ideas inertes y estereotipadas, si su poderoso genio creador no las amplificase, insuflándoles aliento y vida, hasta el punto
de que pareciesen propias.

---

[2] Vid. P. Monasterio, *Místicos agustinos españoles.* El Escorial, 1924,
pág. 296.

Ni bastaba tampoco que con anterioridad a él otros poetas hubiesen personificado los sustantivos abstractos, como, por ejemplo, Páez de Ribera, del *Cancionero de Baena,* en su *Proceso que ovieron en uno la Dolencia y la Vejez e el Destierro e la Pobreza* y en el *Proceso entre la Soberbia y la Mesura,* o Cristóbal de Castillejo en sus diálogos *entre la Verdad y la Lisonja* y *entre la Memoria y el Olvido,* y tantos otros. Aun sin tales antecedentes, del mismo modo que para Góngora cada palabra se transmutaba en sus semejanzas o en Quevedo se desdoblaba en varias acepciones, en Gracián —y de semejante modo en Calderón— el vocablo que denominaba una cualidad de las cosas, y más todavía cuando nombraba un vicio o virtud, adquiría un sentido profundo, una significación simbólica, como si fuese preciso transcribirlos necesariamente con mayúscula, lo que nos hace pensar, al leer muchas de sus páginas novelescas, en la técnica de los *autos sacramentales.*

Podría creerse que esta amplificación de representaciones en los sustantivos comunes abstractos significa una merma en cuanto al valor de los nombres propios, con relación a los símbolos, que predominarían sobre la realidad geográfica e histórica. Nada más lejos de eso; para que todos los elementos que Gracián utiliza tengan un sentido trascendente, ha sobrecargado de significación cada uno de esos nombres con que denomina a los héroes, a los hombres, a los países y a las ciudades. «*L'appellativisation* des noms propres —ha observado agudamente Leo Spitzer— rentre tout à fait dans les habitudes stylistiques de Gracián, qui aime à donner un sens nouveau aux mots, à leur insuffler, pour ainsi dire, une nouvelle âme sémantique: le nom propre employé comme appellatif acquiert une acception nouvelle: Betlengabor, "le type de Bethlen Gabor", "le type du prince puissant"»[3]. En efecto, el lector de Gracián podrá apreciar cómo cada nombre propio va acompañado de su equivalencia, en la que volverá a insistir una y otra vez, más para ampliarla que para modificarla, lo que a la larga dará por resultado que asimilemos a cada uno un concepto, un valor específico. Tal héroe o ciudad o país dejarán de ser entes históricos o geográficos, perderán su realidad,

---

[3] Leo Spitzer, *Betlengabor, une erreur de Gracian?,* en *RFE,* 1930, XVII, pág. 179.

para ser mera representación de un defecto o excelencia. "Pues tú
ves, dijo Critilo, [al mostrar Madrid a Andrenio] una Babilonia de
confusiones, una Lutecia de inmundicias, una Roma de mutaciones,
un Palermo de volcanes, una Constantinopla de nieblas, un Londres
de pestilencias y un Argel de cautiverios" [4].

Asimismo los nombres propios que él crea —Critilo, Virtelia, Ho-
noria, Andrenio, Artemia, etc.— tendrán ya de por sí una significación doblada. Para Gracián, realizarán "la fonction de denommer
un être, mais aussi de le dépeindre et caractériser" [5].

No basta todavía a sus propósitos esta apelativización de los
nombres propios, que los transforma en símbolos. Recurre incluso,
anota Blecua [6], al artículo *el* ante los nombres comunes ("Todos los
vicios dan treguas: el gloton se ahita, el deshonesto se enfada, el
bebedor duerme, el cruel se cansa; pero la vanidad del mundo nunca
dice basta". *El Criticón,* II), o al uso de los pronombres *éste, ése,
aquél, uno* y *otro,* empleados en períodos distributivos, para el logro
de la intemporalidad abstracta.

A estos recursos habrá que añadir también el uso reiterado de
los artículos *las, los* ("Al fin, yo no sé cómo se es que todos viven
descontentos: las discretas, porque las hiciste feas; las hermosas,
porque necias; los ricos, porque ignorantes; los sabios, porque pobres; los poderosos, sin salud; los sanos, sin hacienda; los hacen-
dados, sin hijos; los pobres, cargados de ellos; los valientes, porque
desdichados; los dichosos viven poco; los desdichados son eternos",
El Criticón, II, 6), o *un, unos* ("un español humilde, un francés grave y quieto, un alemán aguado..., un privado no murmurado, un
príncipe cristiano en paz...", *El Criticón,* II, 2), con los que Gracián
intenta una indeterminada vaguedad.

No veía Gracián el mundo lisa y llanamente, como un novelista,
sino cerebralmente, a través del cristal esmerilado de su raciocinio.

El mismo paisaje pierde sus calidades naturales para ser un fondo espectral de sus especulaciones, y alegoría él mismo. Apenas hay
en sus obras alusión alguna a la naturaleza vivida, vista, cuando

---

[4]   *El Criticón,* I, 9.
[5]   Leo Spitzer, *op. cit.,* pág. 179.
[6]   José M. Blecua, *El estilo de "El Criticón", de Gracián,* Zaragoza, Archivo de Filología aragonesa, 1945, pág. 15.

menos, si no es como símbolo, asociado a una idea. El paisaje de la Primavera corresponderá a la Niñez y el del Estío a la Juventud, y todo él desbordará de flores y promesas, las mismas que la vida nos ofrece; el del Otoño, con sus maduros frutos, corresponderá a la varonil edad, y el del Invierno, con todas sus tristezas, a la Senectud. No lo concibe Gracián exento, como regalada pintura y alivio de los ojos, si no es dándole un valor ético y moral. Cuando describe el paisaje del Invierno, lo asocia necesariamente a los achaques de la Vejez:

> Estaban ya nuestros dos peregrinos del mundo, los andantes de la vida, al pie de los Alpes canos... Era la región tan destemplada y triste que, entrados en ella, a todos se les heló la sangre... No discurrían bulliciosas las venas de los arroyuelos, porque la mucha frialdad los había embargado la risa y el bullicio, de modo que estaba helado y casi muerto. Aparecían desnudas las plantas de sus primeras locuras y verdores, y desabrigado de su vistoso follaje, y si algunas hojas les habían quedado eran tan nocivas que mataban no pocos al caer... No se veían ya reír las aguas como solían; llorar, sí, y aun crujir los carámbanos. No cantaba el ruiseñor enamorado; gemía, sí, desengañado. —¿Qué región tan malhumorada es ésta! —se lamentaba Andrenio—. ¡Y qué malsana! —añadió Critilo—. Trocáronse los fervores de la sangre en horrores de la melancolía, las carcajadas en ayes; todo es frialdad y tristeza [7].

Asimismo dará a la geografía un valor metafísico:

> Hallábanse ya en lo más inminente de aquel puerto de la varonil edad, corona de la vida, tan superior que pudieron señorear desde allí toda la humana: espectáculo tan importante cuan agradable. Porque descubrían países nunca andados, regiones nunca vistas, como la del Valor y del Saber, las dos grandes provincias de la Virtud y de la Honra, los países del Tener y del Poder, con el dilatado reino de la Fortuna y del Mando [8].

Las mismas naciones o regiones a que hace referencia, a fuerza de insistir en atribuirles una virtud o defecto específico, pasarán a

---

[7] *El Criticón,* III. 1.
[8] *Ibíd.,* II, 2.

ser una rígida representación moral más que una realidad concreta, diversa y difícilmente definible.

Pero Gracián, creador multiforme, de mil facetas, no cabe en una definición. Es demasiado contradictorio, hay en él tantos y tan varios contrastes, que no bastaría un marbete, o muchos, para catalogarlo.

El Criticón, por ejemplo, habría de verse como si se tratase de un tapiz, por sus dos lados, por el haz y el envés, ya que Gracián ve la vida, cuando menos, desde la vertiente de la pura razón, que representa en Critilo, y desde la del instinto e intuición, personificados por Andrenio. No se produce la novela en los dos planos de realidad y fantasía, ni se yuxtaponen o entreveran ambos elementos, como en otras grandes creaciones poéticas de España, sino que aquí las vivencias filosóficas se logran por la antinomia vital que emana de los dos personajes principales. Así, por ejemplo, ante la Muerte reaccionará cada uno de modo bien diferente: Critilo la hallará hermosa y grata. Andrenio, la inexperiencia, horrenda:

> —¡Qué cosa tan fea!
> —¡Qué cosa tan bella!
> —¡Qué monstruo!
> —¡Qué prodigio!
> —De negro viene vestida.
> —No, sino de verde.
> —Ella parece madrastra.
> —No, sino esposa.
> —¡Qué desapacible!
> —¡Qué agradable!
> —¡Qué pobre!
> —¡Qué rica!
> —¡Qué triste!
> —¡Qué risueña! *

Andrenio verá lo que el Mundo tiene de halagador para los cinco sentidos. Para Critilo, varón desengañado, será corrupción, espectros, monstruosidad, polvo, ceniza, nada.

---

* *Ibíd.,* III, XI.

Con estos dos personajes vagabundos, de insaciable curiosidad, ¿querría representar Gracián sus dos formas de ver la vida, o acaso pretendía interpretar su propio carácter en el sagaz Critilo, el personaje experimentado, valiéndose del incauto Andrenio, el hombre de la naturaleza, como pretexto para exponer por contraste su enseñanza y su doctrina aplicable a todos los neófitos de la Verdad, a la juventud irreflexiva y ciega? De cualquier modo que sea, el propósito se logra ampliamente, porque la lectura de su novela es una áspera lección de moral, que nos muestra al vivo lo grotesco de tantas cosas que nos parecen serias, lo amargo de lo que creemos dulce, la inanidad de lo terreno y lo verdadero de la Muerte redentora.

Pero, para ello, aunque aplicándole al Mundo su juicio severísimo, Gracián tendrá que partir de la falsedad de lo humano para deducir de ello sus consecuencias morales, habrá de describirlo con crudeza, como si los elementos reales en que se apoya fuesen el *humus* putrefacto en que ha de sembrar las semillas de su enseñanza. Es la suya una humanidad miserable, vociferante y contorsionada, que nos horroriza, porque, si bien lo miramos, el mundo es así y no como lo ven nuestros ojos ilusionados. "¡Oh, qué bien pintaba el Bosco!", se le escapa en una ocasión a Gracián. De ningún otro pintor se nos dará un juicio tan admirativo como el que expresa esta espontánea exclamación. Cuando Lope denomina "sueños de Jerónimo Bosco" a los versos de Góngora, no está en lo cierto, porque ninguna coincidencia existe entre el poeta —todo luces y colores, ensueños claros y vagas fantasías mitológicas— con el pintor flamenco. Más convendría al poeta el paralelo con las pompas y lozanías de Peter Brueghel el Viejo, por ejemplo. Si acaso, podría pensarse en Quevedo, el mordaz develador de los *Sueños,* aunque en estas visiones haya más de inocuo humorismo y de fácil risa que de sátira trascendente. Más parejo es con Gracián, con el mundo pululante y caótico de *El Criticón,* compuesto de gentes atrabiliarias y grotescas, versión sombría del mundo que tan sólo podría ser ilustrada adecuadamente por el Bosco, por Valdés Leal o por el Goya pintor de monstruos. A Gracián convenía la interpretación que de Jerónimo Van Akenk, el Bosco, nos había dado el P. Sigüenza: "...sus pinturas no son disparates, sino unos libros de gran pruden-

cia y artificio... Una sátira pintada de los pecados y desvaríos de
los hombres... Una pintura como de burla y macarrónica, poniendo
en medio de aquellas burlas muchos primores y extrañezas, así en la
invención como en la execución y pintura..." [9].

Este realismo desorbitado de *El Criticón*, que sirve de apoyatura
a sus deducciones filosóficas ha hecho pensar a un sutil intérprete
de nuestra literatura, José F. Montesinos [10], si este lado humano,
demasiado humano, de la novela no sería una forma de picaresca
pura, una picaresca sin pícaros, o mejor, depurada. "Coincide Gracián con los picarescos en su visión desolada del mundo y de la
vida, como coincide en muchos aspectos de su técnica. Novela de
peregrinación es la suya, novela de camino, de andanzas incesantes
remansadas en pocas peripecias. Novela en que el camino determina
la marcha, y de la que está ausente la libertad" [11].

Plantea esta interpretación cuestiones de interés. La primera, el
preguntarnos si puede definirse con justeza *El Criticón* como tal
novela. En puridad, si se hace excepción de las cuatro *crisis* o capítulos, tan hermosos, con que se inicia, trabados por una anécdota
argumental, de aquí en adelante, desde el instante en que los dos
peregrinos entran en el mundo [12], el resto de la obra será una serie
encadenada de alegorías, de sátiras sociales, unidas por el sutilísimo
hilo de los dos personajes andariegos que recorren los caminos de
la vida y que van contemplando a diestro y siniestro cuanto en ella
existe o acontece. En efecto, el temario de la novela picaresca se
hallaría condensado en una réplica moral, ética, en sentencias y apotegmas, en diluídas sátiras genéricas, en las páginas alegóricas de

[9] Vid. *Historia de la Orden de San Jerónimo, NBAE,* XII, pág. 635 y s.
[10] José F. Montesinos, *Gracián o la Picaresca pura,* en *Cruz y Raya,* 1933, 4, pág. 37 y ss.
[11] *Ibíd.,* pág. 52.
[12] Tampoco puede tenerse demasiado en cuenta la opinión de Romera-Navarro (*Estudios sobre Gracián,* pág. 27) cuando dice que "guarda *El Criti-cón* cierta semejanza con la novela bizantina; no en el asunto..., sino en la técnica". En cuanto a lo primero, los relatos bizantinos —idealismo, fantasía, aventura, visión amable del mundo— difieren totalmente. Por lo que se refiere a la técnica, escasas son las semejanzas. Las novelas bizantinas se complacen en la narración del puro acontecer, en la anécdota novelesca, mientras que en *El Criticón,* lo que pasa, lo que sucede a los personajes, es una tenue, una vaga apoyatura para la ideación constante, para la trascendente elucubración.

Gracián, pero más que una novela propiamente dicha es una serie
de cuadros sucesivos a los que dan cierta unidad los personajes
centrales, un poco a la manera de los *Antojos de mejor vista,* de
Fernández de Ribera; de *El Diablo Cojuelo,* de Vélez de Guevara;
los *Sueños,* de Quevedo, y más todavía al modo de los costumbristas
de la época [13], aunque con mayor densidad de pensamiento y más
buída intención en el ingenio.

Para estudiar el posible enlace de *El Criticón* con la novela picaresca sería muy provechoso y fecundo el paralelo de esta obra de
Gracián con el *Guzmán de Alfarache* y *La Pícara Justina.* En cuanto
al *Guzmán* es posible el paralelo por dos razones; por ser novela
muy leída por el jesuíta, que la cita y elogia reiteradamente en
Agudeza, hasta el punto de denominar a su autor "el mejor y más
clásico español", y por ser, además, la más compleja dentro de las
del género, ya que paralelamente a la acción desgarrada del pícaro
Guzmán va añadiendo Mateo Alemán el grave acompañamiento,
como un bordón solemne, de la reflexión moralizadora. De esta yux-
taposición de instintos incontenidos y lecciones éticas resulta un extraño claroscuro, una alegría triste muy española, en cierto modo
equivalente a los dos planos, a la colisión de lo real y lo ideal, de lo
divino y lo humano, que en otras obras maestras de nuestra literatura se desarrollan.

Por lo que se refiere a *La pícara Justina,* de índole más escabrosa,
pudo conocerla también, aunque nunca se refiera a ella. Hay demasiada ordenación escolástica en la narración de la vida desordenada
de la protagonista, que se pretende paliar al final de cada capítulo
con un breve aprovechamiento moral, pegadizo y enfadoso, para que

---

[13] Podría pensarse acaso en Liñán y Verdugo *(Guía y avisos de foraste-
ros,* 1620) y en Baptista Remiro de Navarra *(Los peligros de Madrid,* 1646),
ya que Zabaleta, que, con preferencia a los demás, une la sátira de costumbres
con la prédica moralista, publica *El día de fiesta por la mañana* en 1654, pero
El día de fiesta por la tarde, en 1660, ya muerto Gracián, y Francisco Santos,
también es posterior y, como veremos, consecuencia suya. Con ser realista su
visión del mundo y por más que aparezca atenuada con moralidades oportunas,
Gracián les supera en mucho en sarcástica interpretación, en causticidad de
expresión y en hondura ética. Vid. nuestros *Costumbristas españoles* (Madrid,
Aguilar, I, 1950, y II, 1951).

pudiese complacerle tan rígido y fácil procedimiento. El realismo es descarnado, sin atenuaciones poéticas y la impertinente moraleja es apenas una gota de acíbar en la desbordante jocundidad. Más debió agradarle aquel grabado con que Juan Bautista Morales ilustra, por modo alegórico, la novela. Por el Río del Olvido navega la barroca nave de la vida picaresca, con la madre Celestina, la pícara Justina y Guzmán en cubierta. Vese a la Ociosidad, que es una mujer sensual, tendida en un lecho. A proa, el Tiempo conduce la embarcación con un largo remo, en el que se lee: "Llévolos sin sentir". Baco preside el palo mayor, sobre las velas infladas, y en una grímpola está escrita esta leyenda: "El gusto me lleva". Lazarillo, al lado, rema en un barquichuelo. A lo lejos, el puerto, en el que espera un esqueleto, que levanta con su mano el espejo del Desengaño.

En *El Criticón,* con una mayor complejidad que en la picaresca, la armonía de contrastes se produce por la diferente interpretación que cada uno de los dos antagonistas da de cuanto ve y ove, según su temperamento, edad y experiencia, de lo que resulta una visión optimista o desengañada del mundo en permanente choque y oposición de contrarios [14].

La alegoría de Gracián tiene de común con las novelas picarescas la vaga anécdota de su estructura, pero sus dos peregrinos de la vida, más que en los pícaros andariegos pueden hacernos pensar en los caballeros andantes que caminan tras un ideal propuesto o en los místicos que se esfuerzan en vencer los obstáculos de su camino de perfección. Si el pícaro, mozo de muchos amos, ha de reducir su visión a un aspecto parcial y desde abajo, desde su miseria, y su lucha por la vida será mezquina, limitada a subvenir a su precaria subsistencia, los caballeros han de verse precisados a vencer en singular batalla monstruos y endriagos, y los místicos deberán luchar denodadamente contra las tentaciones hermosísimas, del mismo modo

---

[14] KLAUS HEGER, *op. cit.,* que confirma "la estructura dualística de la novela" (pág. 49) con anotaciones de interés, negará su similitud con la novela picaresca, al resumir: "No se describen una o dos biografías de vidas particulares en *El Criticón* sino la vida como tal" (pág. 40).

que Critilo y Andrenio habrán de combatir hasta la muerte con unos y otras. Su victoria, la de los caballeros y la de los místicos, significa el vencimiento de lo abstracto sobre lo concreto, de lo general sobre lo particular, de la Moral sobre la vida, de lo ideal sobre lo real, justamente lo contrario de las limitadas aspiraciones que sostienen las andanzas del pícaro.

"EL COMULGATORIO"

El proceso de revisión que precedió a la publicación de *El Comulgatorio* —único libro de carácter propiamente religioso, entre todos los de Gracián y el único que, quizá por eso mismo, firmó con su verdadero nombre—, fué lento y minucioso. El tema era delicado y los censores de la Orden, como fieles guardadores de la pura ortodoxia, tenían que hilar delgado.

El libro se publica en 1655, en Zaragoza, por Juan de Ibar, y va dedicado a la marquesa de Valdueza, camarera mayor de la Reiña.

Aunque la primera edición lleva el título actual, otras posteriores se titulan *El Comulgador.* El propio Gracián, en las dos cartas que dirige a su amigo Francisco de la Torre y Sevil, escritas ambas el mismo año en que el libro se publica, lo denomina así.

No aparece en él el nombre de Lastanosa, que lo asimilaría a sus obras anteriores, ni indicación alguna de quién sea su editor, lo que hace suponer se publicase a expensas de la Compañía o del propio autor.

Se trata de un breve devocionario que contiene "Varias meditaciones, para que los que frecuentan la sagrada Comunión puedan prepararse, comulgar y dar gracias", como indica el subtítulo. Son en total cincuenta meditaciones, cada una dividida en cuatro puntos, destinados el primero a la preparación; el segundo a la Comunión; el tercero, a lograr provecho de ella, y el cuarto, a dar gracias. A su vez, salvo contadas excepciones, cada uno de estos puntos se divide en dos partes, que en las primeras ediciones aparecen separadas por un asterisco. La primera, puramente expositiva del ejemplo bíblico a seguir, y la segunda, que viene a ser una deducción ascética de los hechos expuestos, dirigida al alma. Hay, pues, en este devoto manual, una estructura y proporción rigurosas, que harían adivinar en el autor —de sernos desconocido— al exigente hombre de letras.

De un escritor, y aun de un escritor barroco, es asimismo el estilo. No puede evitar Gracián el empleo de sus fórmulas estilísticas, tan avezado a ellas en sus obras de carácter profano y acaso en su oratoria, en su único libro religioso. Coster [1] puede reprocharle su falta de gusto en determinados pasajes en que hace uso de juegos de palabras o comparaciones de tipo gastronómico. No podía desconocer el sabio hispanista que tales símiles eran un lugar común de la ascética, y que, entre otros muchos poetas, habíalos usado Alonso de Ledesma, posible antecedente de Gracián, cuando en su *Testamento de Cristo Nuestro Señor,* dice:

> Y si el cuerpo que sepultan
> Comerse la tierra suele,
> Mando al hombre, pues es tierra,
> Que me coma, pues me tiene;
> Mas mire cómo me come,
> Que, puesto que el cuerpo muere,
> Tiene de comerme vivo,
> Cuerpo y alma juntamente [2].

Pero estos leves lunares que un espíritu crítico pudiera hallar en *El Comulgatorio,* desaparecen o se diluyen ante la sincera piedad, ante la auténtica emoción y congoja que sus páginas comunican. El lector, olvidado del estilo, sin darse cuenta, se sentirá traspasado por el dardo doloroso y dulce del amor divino, dejándose conducir por la suasoria exposición del escritor hacia la purificación de sí mismo.

El éxito inmediato y continuado que obtiene este haz de meditaciones es grande. A partir de su publicación figurará en todas las ediciones que de las obras de Gracián se hacen, con el título de *Meditaciones varias para antes y después de la sagrada Comunión, que hasta ahora ha corrido con el nombre de Comulgador.* Solamente

---

[1] *Op. cit.,* pág. 444 y ss.
[2] Vid. *BAE,* XXXV, pág. 103, *b.*

en el período de 1736 a 1860 —etapa neoclasicista o romántica, tan distante en gustos de la expresión barroca— puede anotar Sommervogel hasta doce ediciones diferentes, de las cuales cuatro pertenecen a traducciones en alemán (1734, 1738, 1751 y 1847), dos a la latina (1750 y 1753), una a la italiana (1675). La traducción inglesa se edita en 1875 y 1876, y vuelve a publicarse en dicho idioma en 1900. Nosotros podemos anotar tres más para la traducción italiana de Francesco de Castro (1713, 1714 y 1750), a las que habría que añadir, durante el mismo período, otras doce ediciones en español, con lo cual resultan veinticuatro.

Podría explicarse la resonancia de esta obra en lenguas extrañas por su mismo asunto universal, y por el hecho de que en la versión a otros idiomas su estilo recargado se aligera y desprende de sus galas externas innecesarias, conservando en cambio sus valores profundos, su fervor auténtico y transido.

Pero, aunque hoy este libro sea poco conocido del lector devoto español, que desconoce asimismo, de modo inexplicable, los libros de oración y meditación de nuestros grandes místicos y ascéticos, no debió serlo tanto en el XVII y XVIII —en que la devoción y la fe se apoyaban en un más firme conocimiento—, si tenemos en cuenta las múltiples veces que entonces se publica en nuestra lengua, lo que demuestra que el estilo recargado no era obstáculo para su difusión popular.

El arte barroco se había generalizado al púlpito y a la predicación, de tal modo que el conceptismo o el culteranismo no podrían estudiarse sin incluir la oratoria sagrada, la literatura religiosa, como una de sus modalidades de mayor interés. El lector, el oyente, el espectador (en el caso de que el asunto fuese llevado a la escena), se habían habituado a captar el meollo doctrinal, que asimilaba la oficina del alma, ya desposeído de toda alharaca y adorno, pero al mismo tiempo sentían viva complacencia en que ese elemento útil y asimilable le fuese presentado con una suntuosidad de expresión o con difícil y oscuro lenguaje, como una concesión que se hiciese a la vista y al oído. Era, pues, la forma externa, la parte aleatoria destinada a los sentidos, el regalo que se le hacía al juicio y al gusto del hombre, el modo de hacer gratas las llamadas urgentes al corazón adormecido.

Romera-Navarro [3] expone la conjetura de si *El Comulgatorio* de Gracián no vendría a ser la coordinación de "trozos selectos de sus piezas de oratoria sagrada". Repara para ello en las evidentes diferencias de estilo entre ésta y sus demás obras. "No son ya naturales entre libros mundanos y libros devotos. Son las diferencias entre obras destinadas a la lectura y piezas de oratoria, entre el estilo lacónico, sentencioso y ponderado de otros libros gracianos y el estilo ampuloso, florido y culterano de los sermones de su siglo; en aquéllos todo es sustancia y fruto, y en *El Comulgatorio,* todo amplificación de los accidentes, comparaciones excesivas, hinchazón de conceptos. La vehemencia, las ardientes sentencias de *El Comulgatorio* parecen de un orador que ha de impresionar y conmover a su auditorio con la palabra, más bien que de un escritor que va a persuadir en la serenidad del silencio".

No conocemos hoy ninguna pieza oratoria de Gracián más que a través de referencias. De tener las predilecciones que manifiesta en *Agudeza,* podríamos pensar que él mismo practicó la más arrebatada retórica barroca en el púlpito. Es posible que se valiese de todos los recursos dialécticos y de todos los sutiles, complicados artificios del ingenio para el logro de la persuasión y la eficacia del discurso, como lo comprueban sus éxitos como predicador en la Corte, de los que tenemos noticia a través de una carta del Padre Hortigas, en la que se nos cuenta quedaban fuera del templo verdaderas muchedumbres, o bien el dato de que en Valencia anuncie que va a abrir ante los devotos oyentes una carta recibida del infierno.

Ahora bien, en oposición al concepto apresurado que pudiéramos formar de Gracián como orador ingenioso, desbordado y brillante, podrían recordarse varios textos del propio Gracián [4], en los que

---

[3] Ed. cit., *Introducción,* pág. 7 y s.

[4] Al elogiar un sermón del P. Diego Pinto, dirá: "Esto es discurrir con fundamento asuntos plausibles, llanos, sustanciales y cuerdos, bien diferentes de aquéllos de que muchos caprichos se pagan, metafísicas de viento, alucinamientos, predicar en abstracto, amigos de concameraciones, sin provecho del auditorio". *Agudeza,* LIV. "Dejaron la sustancial ponderación del sagrado texto y dieron en alegorías frías, metáforas cansadas..., teniendo toda una hora ocupado al auditorio, pensando en un ave o en una flor. Dejaron esto y dieron en descripciones y pinturillas. Llegó a estar muy valida la humanidad [las humanidades], mezclando lo sagrado con lo profano, y comenzaba el otro

demuestra una preferencia manifiesta por un tipo de moderada y natural elocución en el púlpito, o las referencias de sus contemporáneos que nos lo presentan como un orador profundo, preocupado, que conmueve a sus oyentes, que les arrastra a la virtud. Es expresivo el hecho de que la Compañía haga constar en el vítor que figura en su retrato de Calatayud: "...*deditus Missionibus excitavit planctus verbo*...". Quien arrancaba llantos con su elocuencia, mal podría valerse de aquellas "metafísicas de viento" o de las "descripciones y pinturillas", que él desdeñaba. Para conseguirlo, tendría que hacer uso de los más nobles recursos de la palabra, de los resortes que conmueven al alma humana, que le muestran su miseria y la gran misericordia del Creador.

Es admisible la hipótesis que supone *El Comulgatorio* un centón o selección de sus sermones de aquéllos que hacían derramar lágrimas a los oyentes. Su prosa pertenece al gran estilo oratorio. Si bien hay en él concesiones a la forma del siglo, la medula emocional, la honda ascesis de que están saturadas estas meditaciones, conducen al alma hacia la luz, hacia la única salida del oscuro laberinto, de un modo llano y sencillo, como conviene a una guía espiritual.

---

afectado su sermón por un lugar de Séneca, como si no hubiera San Pablo...". *Criticón*, III, 10.

OTROS ESCRITOS DE GRACIAN

Hemos examinado independientemente los aspectos de mayor interés de cada una de las grandes obras de Gracián. Nos resta aludir ahora:

a) a *otras obras suyas de las que tenemos referencias,* aunque quizá su problemática existencia no haya pasado del título o de muy poco más;

b) a las *obras que se le han atribuído,* y, en fin,

c) a sus *escritos menores,* como son algunas necrologías y aprobaciones, su dedicatoria de *Predicación fructuosa,* del P. Continente, y su epistolario.

a) Lastanosa, en su aviso *A los lectores,* que figura al frente de *El Discreto,* alude a doce obras de Gracián: "El cuarto (que es calidad) de los trabajos de un amigo, doy al lucimiento. Muchos faltan hasta doce, que aspiran a tanta emulación". Se plantea esta ardua cuestión: El gran señor de Huesca, tan íntimo conocedor de la obra del jesuíta, ¿tenía noticia de la existencia real de tales libros? ¿O se trataba simplemente de expresar el deseo de que su amigo los escribiese? De dos, al menos, parecía tener directo conocimiento: "Si los que siguen, especialmente un *Atento* y un *Galante* que le vienen ya a los alcances y le han de pasar a *non plus ultra...*".

A *El Atento* o *Avisos al Varón Atento* hace alusión asimismo el propio autor de *El Discreto* y en varias ocasiones [1], y a él alude también, y a sus doce libros, un amigo del escritor, don Manuel de Salinas y Lizana, en el soneto acróstico que figura al frente de la obra citada.

---

[1] Vid. *El Discreto,* II, VIII y XI.

Ninguna referencia cierta poseemos de que estos libros hayan visto la luz, lo que hace posible la hipótesis de que pudiesen haber sido refundidos en el *Oráculo,* como dejamos indicado.

Noticia de un nuevo libro de Gracián, tal vez no publicado, la hallamos en la "Censura" del Doctor Juan Francisco Andrés de Uztarroz, que figura al frente de la edición princeps de *El Político* (Zaragoza, Dormer, 1640), descubierta por el Prof. Asensio, en la que se dice: "Merece *El Político* que V. Ex. le haga la honra que al *Héroe* y la que previene al *Ministro real".*

A través de Nicolás Antonio [2] y de Capmany [3], que debió tomarlo del gran bibliófilo, tenemos también el título de *El Forastero* como de una supuesta obra de Gracián editada en Bruselas en 1633. Ninguna referencia cierta sobre este libro aparece en la correspondencia del escritor y de sus amigos, ni en escritos de la época, lo que hace sospechar con fundamento que no tuvo existencia real. Tampoco se hace siquiera alusión a él en las *Bibliotecas* de Latassa ni en la *Bibliothèque de la Compagnie de Jésus,* de Backer y Carayón, en su reedición de Sommervogel [4], ni tampoco Coster y Romera-Navarro lo citan.

b) Los escritos atribuídos a Gracián y que no le pertenecen, se reducen a un poema titulado *Selvas del año,* que tan sólo comienza a ser incluído entre sus obras en la edición de Madrid de 1674.

Contra tal atribución podrían oponerse argumentos varios, entre ellos la escasa afición del jesuíta a trasladar al verso lo que podía decir en prosa, que era su modo natural de expresión. Ningún poema suyo se conoce, y aunque él declare que el Discreto "ni fué tan ignorante que no supiese hacer un verso, ni tan inconsiderado que hiciese dos" [5], la frase no puede admitirse como una confesión del escritor, ya que al expresarse así no hacía más que recordar otra que pudo leer en la *Floresta española de apotegmas,* de Melchor de Santa Cruz: "El conde de Orgaz, don Alvaro Pérez de Guzmán, dezía que tenía por necio al que no sabía hazer una copla, y por loco al que hacía dos" (I, 26).

---

[2] *Bibl. Nova,* II, 4.
[3] *Teatro histórico-crítico de la elocuencia española,* V, pág. 208.
[4] Bruxelles-Paris, 1892, III, pág. 1646 y ss.
[5] *El Discreto,* XXV.

En cuanto al estilo, difiere mucho este poema de gusto culterano de la prosa apretada y sintética del jesuíta.

Según Sommervogel, existe una edición de este poema impresa en Barcelona en 1668, o sea diez años después de la muerte de Gracián. Lastanosa, su fidelísimo amigo, que publica la mayor parte de sus escritos, que es el depositario de ellos, no hace alusión alguna a estos versos, aunque sobrevive al escritor en muchos años y en ocasiones se refiere a la totalidad de sus obras.

Nada, pues, inclinaba a atribuir las *Selvas* a Gracián con alguna probabilidad de acierto, ya que desde un primer momento se consideraron como apócrifas por quienes habían estudiado su obra con detenimiento.

Por fortuna, podemos descartar definitivamente tal atribución, merced al interesante hallazgo llevado a cabo por el profesor José Manuel Blecua, en un manuscrito de 1628 (el número 250-2 de la Biblioteca universitaria de Zaragoza) donde las *Selvas del año* figuran como de un Licenciado Ginovés, poeta zaragozano de comienzos del siglo XVII. Al publicar este manuscrito, que el erudito investigador titula *Cancionero de 1628* (Madrid, *Revista de Filología Española*, Anexo XXXII, 1945), queda suficientemente aclarada la paternidad de las *Selvas del año*. Aunque en él sólo aparece la *Selva al verano*, en versión primitiva, que puede fecharse, según el profesor Blecua [6] entre los años 1613 y 1628, es de suponer que el Licenciado Ginovés sea el autor de las restantes. Según los datos que nos ofrece el profesor Blecua, si bien en un principio [7] había pensado en un Licenciado Matías Ginovés, las *Selvas del año* parece pueden ser atribuídas [8] a un doctor Juan Francisco Ginovés, Vicario de la parroquial de San Pablo, de Zaragoza, oscuro poeta apenas elogiado o recordado por los escritores coetáneos (el poeta Josef Navarro, el marqués de San Felices y en unas décimas de autor anónimo conservadas en la Biblioteca Nacional), que en una ocasión debió presidir la Academia poética que se celebraba en el palacio del conde de Lemos, y que en 1654 firma la *Aprobación* para imprimir las *Poesías varias de grandes ingenios,* de Alfay. Poseía el autor de las *Selvas* conoci-

---

[6] *Op. cit.*, pág. 26.
[7] *Ibid.*, págs. 19-26.
[8] *Ibíd.*, pág. 651 y s.

mientos humanísticos como lo demuestra su versión de la *Egloga
cuarta* de Mantuano [9]; genio satírico, como se ve en su *Satyra a
los teatinos* [10]; gusto y soltura para la poesía amorosa en su composición en liras *A un sueño* [11], y musical elocución, de tenue matiz
culterano, en su *Selva al verano, en canción informe* [12], es decir, escrita en silvas. Aunque el Licenciado Matías Ginovés es premiado
en una Justa poética con sendos pares de guantes por un soneto y
un romance, y es elogiado por ello en el *Obelisco histórico,* de Uztarroz (Zaragoza, 1646), el profesor Blecua [13], "sin que pueda decidir
con toda honestidad quién de ellos es el autor de las *Selvas",* se inclina a favor del doctor Juan Francisco Ginovés, "por ser quien.
figura en las academias poéticas de su tiempo. El título de Licenciado
que da nuestro *Cancionero* podría corresponder a la época juvenil en
que escribió las *Selvas".* Desde luego, sea uno u otro, lo que importa
es que la versión inicial de una parte de dicha composición, hasta
ahora atribuída sin fundamento a Gracián, aparezca en el *Cancionero
de 1628* como obra de un *Licenciado Ginovés.*

Nada pierde la gloria de Gracián al eliminar de su obra esta
composición de gusto recargado, sin demasiado nervio ni aliento
poéticos. Quédese en gracia de Dios, con su prosa enjuta, férrea y
presurosa, cargada de significaciones.

c) Otro aspecto del máximo interés para el íntegro conocimiento de Gracián son los que pudiéramos considerar sus *Escritos menores,* y que cabe dividir en dos grupos: el primero, constituído por
dedicatorias, aprobaciones, necrologías, etc., y un segundo, de excepcional importancia para el conocimiento de su íntima personalidad,
formado por su correspondencia.

I.   En el primer grupo figuran, por orden cronológico:

a) la *Relación breve de la vida y muerte del hermano Bartholomé Vallsebre, defuncto en Tarragona a 26 de abril 1620,* escrita
por orden de su rector, y que se conserva autógrafa, sin firma y
título.

---

9   *Ibíd.,* pág. 181 y ss.
10   *Ibíd.,* pág. 306 y ss.
11   *Ibíd.,* pág. 335 y s.
12   *Ibíd.,* pág. 194 y ss.
13   *Ibíd.,* pág. 651.

b) la *Necrología del P. García de Alabiano,* fallecido en Zaragoza el año 1624, también autógrafa, aunque firmada por el P. Villanueva, que le habría encargado de su redacción.

c) su *Profesión de cuatro votos,* redactada en latín, con fecha de 25 de julio de 1635, firmada *Baltasar † Gratianus.*

d) la *Carta annua de la Casa de Probación de Tarragona* del año 1642, también autógrafa de Gracián, sin firma, escrita con soltura descriptiva, que se semeja a la de sus cartas.

Los cuatro escritos citados fueron dados a conocer por el P. Batllori en *La vida alternante de Baltasar Gracián* (Roma, 1948), entre los *Documentos* (Números 5, 6, 16 y 24), que siguen al texto. Posteriormente, en su trabajo *Los autógrafos de Gracián conservados en el Archivo Nacional de Santiago de Chile,* publicado en 1951, e inserto en su libro *Gracián y el Barroco* (Roma, 1958), tras un minucioso examen caligráfico, se inclina a pensar que de los varios manuscritos que examina, algunos (entre ellos la *Relación breve de la vida y muerte del hermano Bartholomé Vallsebre)* "sólo se pueden dar como *probablemente* suyos" (pág. 146) y sí como auténticos los que figuran en los apartados *b), c)* y *d).*

e) la *Dedicatoria a don Esteban Esmir,* obispo de Huesca, que Gracián pone al frente de su edición de *Predicación fructuosa,* del P. Pedro Jerónimo Continente (Zaragoza, 1652), firmada *Baltasar Gracián, de la Compañía de Jesús,* y que reprodujo Coster, *op. cit.,* págs. 383-384.

f) la *Aprobación* que figura al frente del libro *Entretenimiento de las Musas,* de Feniso [Francisco] de la Torre y Sebil (Zaragoza, 1653), en la que hace un cálido elogio de su gran amigo.

g) la *Aprobación* del libro *La Perla. Proverbios morales de Alonso de Barros* (Zaragoza, 1656), y que constituye una concisa alabanza de lo breve y sentencioso. "Todos estos libros que enseñan deben preferirse a los que solo entretienen; este adelanta mucho la prudencia y es antorcha del entendimiento".

Ambos escritos, que aparecen fechados en Zaragoza (12 de julio de 1654 y 25 de abril de 1656) y firmados por *Lorenço Gracián,* fueron recogidos por Romera-Navarro, primero en la *Hispanic Review* (1940, VIII, 257-260) y luego en sus *Estudios sobre Gracián* (Austin, 1950, págs. 129-134).

h) la *Aprobación* del libro *Vida de Santa Isabel, infanta de Ungría* (Zaragoza, Dormer, 1655), de *Fabio Clymente,* seudónimo de D. Francisco Jacinto Funes de Villalpando, marqués de Osera, noble aragonés, autor, entre otras, de la novela *Escarmientos de Jacinto,* de la comedia *Más pueden celos que amor* y del poema *Amor enamorado, fábula de Psiquis y Cupido* y que en su madurez se inclina a la vida religiosa, escribiendo *Vida de Santa Isabel* y sus *Lágrimas de San Pedro,* que firma como *Fray Jacinto de San Francisco,* a lo que aludirá Gracián al decir que "si dió ya con osado ingenio flores a la admiración, consagra hoy frutos a la devoción".

Mencionada por Ricardo del Arco en *La erudición española y el cronista Andrés de Uztarroz,* pág. 5, fué reimpresa por A. del Hoyo en *O. C. de B. G.,* Madrid, 1960.

i) Puede serle atribuída con suficiente fundamento la paternidad del *Prólogo* que figura al frente de las *Poesías varias de grandes ingenios españoles,* de Alfay (Zaragoza, Juan de Ibar, 1654), de la que existe edición reciente del profesor Blecua (Zaragoza, 1946), así como la selección de las composiciones que figuran en esta antología. Romera-Navarro (*op. cit.,* págs. 121-128) demuestra ambas cosas. La labor de selección llevada a cabo por Gracián aparece sobradamente manifiesta en la carta que le dirige (15 de agosto de 1654) el marqués de San Felices: "... aunque el libro que ha sacado Iusepe Alfay no sea hijo del discurso de V. P., pero se le deve mucho por el cuidado que ha tenido en hacerlo dar a la estampa y por haber hecho un Ramillete de tan fragantes flores, dignas de su buen gusto y mejor empleo..."; en el uso del vocablo *ingenio* en su acepción de "literato", que tan frecuentemente usa Gracián en sus obras, y sobre todo en la coincidencia de que, de los treinta y dos poetas escogidos en la antología de Alfay, más de la mitad de ellos habían sido incluídos asimismo en la *Agudeza.* En cuanto al *Prólogo,* que aparece sin firma, y que, conforme al uso, se debería suponer del mismo autor que firmaba la *Dedicatoria,* en este caso Alfay, del examen comparativo que de uno y otra realiza Romera-Navarro, así como del análisis que hace de las peculiaridades estilísticas del *Prólogo,* en cuanto al uso del sustantivo, del adjetivo, del verbo; del vocabulario; del estilo, de su construcción sintáctica, y de las ideas, puede deducirse, de modo convincente, que su autor sea Baltasar Gracián, con lo cual tenemos una nueva página que añadir a su obra total.

II. El segundo grupo de sus *Escritos menores* está constituído por sus cartas.

Aunque Gracián no debió ser gran amigo de conceder a la forma epistolar aquellas ideas y primicias que le parecían más adecuadas para desarrollar en sus libros laboriosamente trabajados, en los que tenía cabida todo, dada su concepción del tratado o la novela, podemos suponer, sin embargo, que las que han llegado a nosotros constituyen tan sólo una mínima parte de sus cartas, muchas de las cuales debieron perderse o permanecen ocultas en los archivos aragoneses y en especial en los archivos de la Compañía.

No concebía Gracián la carta como un género literario. Su estilo, en las que conocemos, es familiar, alígero, y si alguna vez se eleva a un estilo cuidado, es, a pesar suyo, sin pretenderlo, por lo que en él tenía de innata su expresión de hombre de letras. Lo que le importa, en este caso, es hacerse comprender con sus frases urgentes y gráficas, sin malgastar palabras.

Pero si su valor literario decrece con relación a sus escritos cuidados, tienen en cambio un subido valor para conocerlo íntimamente. Las más interesantes en este aspecto son las que van destinadas a sus grandes amigos Lastanosa, el doctor Juan Francisco Andrés de Uztarroz y don Francisco de la Torre Sevil, y en las que se expresa con la mayor llaneza y sinceridad, poniendo su corazón al desnudo. Otras, más bien de carácter informativo, están dirigidas a jesuítas de Madrid y se refieren especialmente a la guerra de Cataluña, en la que él mismo interviene. Tienen un especial valor, pues a través de ellas puede reconstruirse una época de su biografía. Un tercer aspecto de su epistolario está representado por su contestación al canónigo Salinas, en la que trata cuestiones eruditas y que puede mostrar asimismo un reflejo de su carácter.

Muchas de las cartas de Gracián se conocen hoy en toda su integridad, pero no así quince de ellas, que, por desgracia, tan sólo han llegado a nosotros en extracto [14].

Su procedencia es la siguiente:

1.º Las que en sus *Obras completas,* editadas por nosotros (Madrid, 1944), figuran con los números IV, XIII, XV, XVI, XVII, XVIII, XIX, XX, son ocho cartas autógrafas que se hallan en la Biblioteca Nacional (Sec. Mss., 8.391), así como también la carta de don Manuel de Salinas a Gracián y una copia de la respuesta de éste. Fueron publicadas por don Manuel Company [15] en 1896 y reproducidas por Coster [16], de acuerdo con los manuscritos.

2.º Las que llevan los números V, VI, VII, X, XI, XII y XIV fueron publicadas en el *Memorial histórico español,* tomos XIII a XIX en la correspondencia de los jesuítas. No se conoce el destinatario y son, en su mayor parte, copias hechas por el P. Sebastián González, de Madrid, para ser enviadas al P. Rafael Pereyra, de Sevilla. Fueron reproducidas por Coster [17], a base de los originales que hoy se hallan en la Biblioteca de la Academia de la Historia, rectificando ciertos pasajes que en el *Memorial* aparecían defectuosamente transcritos.

Entre ellas, la más importante y más extensa es la que lleva el número XIV, y en la cual Gracián describe la batalla de Lérida contra los franceses y su propia actuación como capellán del ejército. Este escrito, por la trascendencia del tema y por la plasticidad con que se relata, debió circular en numerosas copias.

Aparte de la publicada en el *Memorial histórico español,* el profesor Gili Gaya, en *Relación del Socorro de Lérida,* publicado en la revista *Ilerda* (Lérida, 1950, XIV), ofrece las variantes de las dos copias que se hallan en la Biblioteca Nacional (Sección de Manuscritos, núm. 2.377, fols. 200-203 y 173-176), y que según él "deben ser consideradas como las más próximas a la redacción primitiva".

---

[14] MOREL-FATIO, *Liste chronologique des lettres de Gracián dont l'existence a été signalée ou dont le texte a été publié,* en *BHi,* XII, pág. 204 y ss.

[15] MANUEL COMPAÑY, *Cartas inéditas de Gracián,* en *Revista Crítica de Historia y Literatura,* 1896, I, pág. 81 y ss.

[16] *Op. cit.,* Apénd. I, pág. 698 y ss.

[17] *Ibíd.*

Posteriormente, el P. Batllori, en su trabajo *El texto más genuino de la relación graciana sobre el Socorro de Lérida,* incluído en su libro *Gracián y el Barroco* (Roma, 1958), reproduce un nuevo texto hallado en el ms. 959 (k. 3. 20), fols. 325r-328v, de la Trinity College Library, de Dublín, que apenas añade algunas variantes a las copias anteriores y una curiosa posdata de estilo típicamente gracianista.

3.º Las restantes, salvo las que llevan los números XXXI y XXXII, son simples extractos llevados a cabo por el erudito aragonés don Félix de Latassa, y aparecen en el volumen I de sus *Memorias literarias,* que se conservan inéditas en la Biblioteca Provincial de Huesca. Fueron publicadas por don Ricardo del Arco, que tantos y admirables esfuerzos ha realizado a la mayor gloria literaria de Aragón, en su libro sobre *Don Vincencio Juan de Lastanossa. Apuntes bio-bibliográficos.* Huesca, 1911.

Algunos de estos extractos de las Cartas de Gracián no tienen otro valor que el de indicarnos la existencia y la fecha de las cartas perdidas.

4.º De las cartas que llevan los números XXXI y XXXII, dirigidas al escritor tortosino Francisco de la Torre y Sevil, se tenía una vaga noticia a través de Cayetano Alberto de la Barrera, quien, en su *Catálogo del teatro antiguo español,* daba sus fechas y destinatario, enunciando su asunto brevemente, indicando haberlas visto en un códice de papeles varios que habían pertenecido a don Francisco de la Torre y Sevil, algunos de ellos escritos de su propia mano. Dicho códice pasó a pertenecer sucesivamente a distintos poseedores —marqués de Santa Cruz, don Antonio Cabanilles, don Antonio Cánovas del Castillo—, hasta que llegó a manos de los libreros señores García Rico y Cía., que lo cedieron para su estudio a Bonilla y San Martín, el cual publicó un resumen de los escritos en él contenidos y reprodujo las dos cartas de Gracián a don Francisco de la Torre, en su trabajo *Un Manuscrito inédito del siglo XVII con dos cartas autógrafas de Baltasar Gracián* [18], así como también una recensión de la segunda carta del canónigo Salinas al autor de *El Criticón,* a la que ya hemos hecho referencia, reproduciéndola casi

---

[18] *Revista Crítica Hispano-Americana,* Madrid, 1916, II, pág. 121 y ss.

íntegramente en el capítulo *La polémica con Salinas,* aunque algún
reciente vulgarizador de Gracián se jacte de haberla "descubierto" [19].

Son estas dos cartas de Gracián de las más curiosas y extensas
de su epistolario. Toca en ellas gran variedad de temas, refiriéndose
desde los más menudos acontecimientos de la vida zaragozana hasta
las más hondas preocupaciones políticas, como si al escritor nada
de lo humano fuese ajeno.

---

[19] Cf. *Obras completas de Baltasar Gracián,* Madrid, 1944, páginas
XXXVII *b* y XXXVIII *a* y *b.*

SU DOCTRINA

Sería preciso todo un tratado magistral, al margen del dato concreto de su biografía o de cualquier referencia bibliográfica a sus obras, para discriminar, en minuciosa y abstracta disección, tan sólo las líneas generales de su doctrina, para trazar apenas un esquema de sus tesis y propósitos. De nada nos serviría en este caso la geometría, ni tampoco el cálculo y la cifra. Gracián rehuye la línea recta y las formas regulares. Su elucubración es lo que podríamos llamar "creación evasiva", sin sometimiento previo a cualquier sistema riguroso, si bien, internamente, obedece a unas normas y un método propios.

El pensamiento de Gracián no va de menos a más, sino, al contrario, de lo general a lo particular, aunque paradójicamente, en el pensador aragonés lo general y lo abstracto esté representado por el Hombre, por su propia personalidad, y lo particular y concreto, por las ideas y reacciones de los demás, de quienes le lean, y a los que van dirigidas sus exhortaciones y sugerencias.

Para Gracián el hombre lo es todo, aun con sus defectos y vilezas. Si Dios le hizo a su imagen y semejanza, perfecto y acabado, la vida le corrompe. "Dichoso tú —exclamará Critilo al referirle su vida al discípulo— que te criaste entre las fieras y, ¡ay de mí!, que entre los hombres, pues cada uno es un lobo para el otro, si ya no es peor el ser hombre" [1], palabras que, siendo un evidente recuerdo

---

[1] *El Criticón*, I, 4. En el aspecto de la convivencia, participaba Gracián del pesimismo que se manifiesta en los escritores españoles del siglo XVI y en sus contemporáneos. Se comprueba en el desarrollo que da al tema FR. ANTONIO DE GUEVARA en *Relox de príncipes*. SAAVEDRA FAJARDO (*Empresas*, XLVI)

de Plauto, cuando dice en su *Asinaria "Lupus est homo homini"*, adquieren valor de confesión dolorosa de un hombre desengañado de sus yerros y torpezas.

Cuanto se halla en estado de naturaleza ha nacido puro. "Todo cuanto obró el Supremo Artífice está tan acabado que no se puede mejorar, mas cuanto han añadido los hombres es imperfecto. Crióló Dios muy concertado y el hombre lo ha confundido" [2], juicio acerbo que ha de resonar más tarde en Juan Jacobo Rousseau, en quien se produce de nuevo esta colisión de la Naturaleza y el Artificio al decir: "Tout est bien sortant des mains de l'Auteur des choses; tout dégénère entre les mains des hommes" [3].

Gracián percibe en sí mismo, *in anima vili,* este torcedor de saber que ha nacido perfecto y de saber también que el contacto con el mundo y los hombres va destruyendo lo que su ser tiene de inmortal e imperecedero para reducirlo a vil materia. Sabe que él y los hombres, en lugar de seguir un camino ascensional, se precipitan en el declive y vacío de la Nada. Dándose cuenta de ello, percibiendo el peligro inminente, escribe sus avisos de prudencia, sus advertencias y admoniciones. No sería bastante prohibir y atemorizar. Es preciso estimular a la victoria los ánimos descaecidos.

Por varios nobles propósitos se levanta el hombre de su miseria: por el entusiasmo hacia lo grande y hermoso, por la emulación de los hechos trascendentales, por el cultivo de la inteligencia, por la victoria sobre nuestras propias flaquezas y la magnánima —o sagaz— lucha contra las artimañas y dobleces de nuestros antagonistas, por el logro de la fortaleza espiritual, por el paulatino acercamiento a

---

dice: "No acomete el águila al águila ni un áspid a otro áspid, y el hombre siempre maquina contra su propia especie". El P. Ambrosio Bautista *(Discurso breve de las miserias de la vida y calamidades de la Religión católica,* Madrid, Imp. Real, 1635, págs. 14 y s.), se ajusta más a la idea originaria: "No ay leon que contra otro se embravezca; no ay bruto que no acaricie al bruto que es de su especie; sólo el hombre para el hombre es lobo, sólo el hombre para el hombre es fiera".

[2] *Ibíd.,* I, 5.

[3] *Emile,* II, 1. Resulta extraño que Klaus Heger —que analiza con tal minuciosidad la estilística de Gracián—, apoyándose en este párrafo, en el que nos limitamos a registrar un eco, tal vez fortuito, de Gracián en el escritor ginebrino, nos atribuya la afirmación de "un parentesco entre Gracián y Rousseau". *(Op. cit.,* ed. alem., pág. 249, n. 5; ed. esp., pág. 213, n. 1176).

Dios y a la inmortalidad, y es preciso exhortar y acuciar al hombre, proponiéndole metas ideales.

Por fortuna, la vida del hombre se divide en varias etapas y estados, en los que, por virtud de la mayor o menor experiencia adquirida en contacto con lo humano, pasajero e imperfecto, vase purificando. El alma y la mente, más lúcidos cada día, como el guijarro al que las aguas en constante labor liman sus aristas, se suavizan con el conocimiento y la enseñanza. Para Gracián la vida efímera será comparable al discurrir de las aguas, "que van a dar a la mar, que es el morir", por recuerdo de Jorge Manrique [4]; al ciclo solar, con su orto, su mediodía y su ocaso, y aún mejor todavía, a la rotación anual, más varia y amplia, con sus cuatro estaciones sucesivas, cada una de ellas reacción apenas perceptible de la anterior. No podemos librarnos de la influencia de los astros, y así nuestra vida es también breve orbe de la que será reflejo nuestra obra.

¡Qué admirable concordancia entre la curva vital de Gracián y su obra! Sus libros constituyen un verdadero ciclo perfecto, muy en armonía con las diversas fases de su existencia, con las cuatro estaciones —símbolo que él tanto ama— de su propia vida.

El Héroe, publicado a los treinta y seis años, escrito acaso en sus años juveniles —"que le había dictado la lozanía de su profundo discurso en lo más florido de su mocedad"—, corresponde a su juvenil entusiasmo por lo heroico y combativo, por el triunfo y la gloria,

---

[4] Es bellísima la amplificación que hace de este tópico en *El Criticón,* II, 1: "Acertadamente discurría quien comparaba el vivir del hombre al correr del agua, cuando todos morimos y como ella nos vamos deslizando. Es la niñez fuente risueña. Nace entre las menudas arenas, que de los polvos de la nada se hacen los lodos del cuerpo. Brolla tan clara como sencilla. Ríe lo que no murmura, bulle entre campanillas de viento, arrúllase entre pucheros y cíñese de verduras que la fajan. Precipítase ya la mocedad en un impetuoso torrente, corre, salta, se arroja y se despeña, tropezando con las guijas, rifando con las flores. Va echando espumas, se enturbia y enfurece. Sosiégase, ya río, en la varonil edad. Va pasando tan callado, cuan profundo, caudalosamente vagoroso. Todo es fondo, sin ruido. Dilátase espaciosamente grave, fertiliza los campos, fortalece las ciudades, enriquece las provincias y de todas maneras aprovecha: Más, ¡ay!, que al cabo viene a parar en el amargo mar de la vejez, abismo de achaques, sin que le falte gota. Allí pierden los ríos sus bríos, sus nombres y su dulzura. Va a orza el carcomido bajel, haciendo agua por cien partes y a cada instante zozobrando entre borrascas tan deshechas, que le deshacen, hasta dar al través con dolor y con dolores en el abismo de un sepulcro, quedando encallado en el perpetuo olvido".

en que propone a la imitación un modelo de hombre superior, dejándose arrebatar de la admiración por los ejemplos antiguos. Está Gracián pleno de alegría creadora, imbuído su corazón de la que —con palabras del raro Diego Ruiz— podríamos denominar "teoría del acto entusiasta", y en la juventud y primavera de su vida no se contenta con menos que con un arquetipo sobrehumano y excepcional.

El Político, que publica en 1640, a los treinta y nueve años, es un hábil elogio de Fernando el Católico, rey que admira ilimitadamente, y en el cual, sirviéndose de los más egregios ejemplos de la historia antigua y de la de su época, quizá oculte una nostalgia indecible del tiempo pasado al contemplar la débil, ruinosa España de su tiempo. Predomina ya en este tratado o discurso el juego de ingenio sobre el entusiasmo natural, porque razona y justifica. Comienza a extinguirse la floración inicial, para dar paso a los frutos incipientes y tempranos.

La *Agudeza y Arte de Ingenio,* amplificación y desarrollo de su *Arte de Ingenio. Tratado de la Agudeza,* publicada a los cuarenta y un años, en 1642, es una tardía primavera estéril. Representa todavía esa misma fe y admiración juveniles, en cuanto a lo literario, por lo bizarro e ingenioso, lo sutil y oculto de la expresión.

Pero Gracián cabalga ya sobre la divisoria de los cuarenta años, edad definitivamente transicional, y ya es hora de entrar en razón. El mismo nos dirá lo que esto significa: "A los veinte años reina la voluntad; a los treinta, el ingenio; a los cuarenta, el juicio" [5], y *El Discreto,* publicado a los cuarenta y cinco años, inicia esa etapa de plenitud y reflexión que nos hace pensar que acaso las mayores virtudes del hombre son aquéllas que le convierten en varón prudente. Del mismo modo, en el *Oráculo* limita ya sus ilusiones a la formación del hombre medio, que sabe superarse a sí mismo y evadirse de las sutiles redes que le tienden sus contrarios. El entusiasmo desbordado de la juventud vase canalizando en raciocinio. Los primeros frutos estivales tienen el agridulce jugo de la madurez que se inicia.

---

[5] *Oráculo,* CCXXVIII.

El Criticón, cuyas tres partes pretenden representar en alegoría la rotación de las estaciones de la naturaleza, asimiladas a las de nuestra vida huidera, es ya una cosecha otoñal, una vendimia de experiencias. Publica la primera parte a los cincuenta años, y las siguientes, en años sucesivos. Gracián, que, a lo largo de las varias etapas de su vida, había creído en la heroicidad, en la grandeza de las obras y de las actitudes, en la belleza, en la sutileza del ingenio, en el saber comportarse y en el placer del trato humano, termina dándonos en *El Criticón* una versión amarga del mundo, una solución pesimista del hombre, que sólo puede hallar su salvación, que sólo puede liberarse de la angustia en que se debate, en la superación de su vileza, evadiéndose de lo terreno y transitorio. Bastaría meditar sobre aquella crisis que él titula *El despeñadero de la vida* para percibir con qué escepticismo juzga a sus semejantes, y también cuanta esperanza les comunica en la que cierra y corona su libro, la que se refiere a la Isla de la Inmortalidad.

Y, en fin, *El Comulgatorio* representa una meditación profunda frente al último arcano, un saberse anticipar a la noche del largo invierno.

Así, pues, el hombre, que nace perfecto, y en contacto con el mundo va corrompiéndose, según envejece, adquiere la sabiduría suficiente para manumitirse de su esclavitud. Es dolorosa la evolución y duro el aprendizaje, porque habrá de ser a costa de renunciar cada día a la vana ilusión de las cosas perecederas.

Cuando Gracián comenta el paso honroso de dos caballeros, que resultan ser el Fantástico y el Ocioso, y dice: "Si los hieren, no les sacan sangre, sino viento, haciendo más caso de la reputación que pierden que de la herida que reciben" [6], Romera-Navarro, su escrupuloso e inteligente comentarista, se alarma ante el supuesto desdén, invocando el ejemplo de Pedro Crespo, que sobre la hacienda y la vida pone el honor. Quizá no haya reparado Romera que Gracián censura en este caso la exageración del pundonor, de la negra honrilla, que cuando son auténticos merecen todo su respeto, como lo demuestran las afirmaciones que hará luego, unas líneas más adelante, poniéndolas en boca de Critilo, que viene a ser él mismo:

---

[6] *El Criticón,* III, 7.

"Cuanto más anciano uno es más hombre, y cuanto más hombre, debe anhelar más a la honra y a la fama. No se ha de alimentar de la tierra, sino del Cielo; no vive ya la vida material y sensual de los mozos o de los brutos, sino la espiritual y más superior de los viejos y los celestes espíritus" [7].

Gracián contempla con profundo pesar, y lo siente en su propio espíritu, cómo la materia humana degenera en bestialidad, no en estado de inocente pureza como en el animal, que responde ciegamente al fin para que ha sido creado, sino con perversidad, desarrollando malos instintos. Pero, asimismo, el barro deleznable de que está hecho es dúctil, por fortuna; puede moldearse y dársele una hermosa forma. Las ocultas ascuas, cubiertas de muertas cenizas, restos de la hoguera que Dios puso en su espíritu, consumida por las pasiones, pueden reavivarse con un noble aliento. La perfección y la virtud son comunicables, y Gracián, que conoce por sí mismo esta aptitud perfectiva del hombre, se esfuerza en inculcar ideales afanes en los demás, y así, parenéticamente, toda su obra es una suasoria, una permanente didáctica, encaminada al mejoramiento moral de las criaturas.

No teme a la soledad, que bastan a llenar sus pensamientos y soliloquios, pero siente asimismo la irresistible atracción, la necesidad imperiosa de ponerse en contacto con la vida turbulenta. Si en él predominase un frío intelectualismo podría serle suficiente el complemento de unos amigos dilectos, de unos libros curiosos, la contemplación de una obra de arte o un sitio acogedor, pero su corazón desea el ardiente combate con lo humano, la lucha cuerpo a cuerpo, a brazo partido, con el hombre, en apasionada polémica dialéctica, y aun con sutiles tretas y subterfugios. No se contenta con la soledad de su *hortus conclusus,* en puro deliquio emotivo o intelectual como Fray Luis de León, como los místicos o ascéticos contemplativos, sino que, sabiendo que fuera del radio íntimo en que se mueve todo es confusión, dolor y maldad, se entremete en la vida, y en anhelante catequesis, denodadamente, trata de salvar las almas con su fervor, con su entusiasmo, presentándoles a lo vivo la humana impureza, el lado grotesco de lo que aman, exhortándoles, en fin, a la fortaleza

⁷ *Ibíd.*

espiritual. De ahí este amargo y dulce claroscuro de sus obras, mezcolanza extraña de abstracta elucubración y de cálida y humanísima contaminación de lo real y concreto.

Todo a mayor gloria de Dios. La influencia de los *Exercitia Spiritualia* de su padre San Ignacio, tanto como en éste o aquel párrafo, —y que estudiaremos más adelante— es evidente en el conjunto y la intención moralizante de sus obras. Difieren, si acaso, en que el propósito del fundador se limita en sus exhortaciones a la formación y perfeccionamiento de la propia alma y la de un número limitado de escogidos, y Gracián, en cambio, no se contenta con su propia perfección o la de los suyos, y aspira a derramarse generosamente sobre los demás, a difundirse a todos, de modo amplio. La vía ascética sería limitada, y se sale de ella valiéndose de medios más generales, más eficaces, por lo que se refiere al lector medio, que los enfadosos, impertinentes tratados de moral, que las prédicas y sermones teológicos. Dora la píldora amarga, viste de galas y atractivos su moralidad, a la manera de los autores de apólogos, o como —aunque por otro camino— Malón de Chaide en su *Libro de la Conversión de la Magdalena*. Gracián se propuso convencer al hombre, atraerle y reducirle al bien, no tan sólo por la rígida plática y la severa instrucción cristiana, sino asimismo de un modo plástico, poniendo ante él un espejo deformante que le mostrase su humanidad atrabiliaria, a conciencia de que sus cáusticas frases, que la sátira de sus costumbres, podrían tener mayor eficacia que las suaves palabras persuasivas o el lívido anuncio de los males que esperan en la otra vida a los impenitentes.

Pero no sería bastante flagelarle con violencia para que el hombre volviese en sí de su torpeza, de su ceguedad, si al mismo tiempo no se le mostrase el premio que espera al arrepentido. Para esforzar al débil viandante, que ha de recorrer a trompicones, como un divino castigo, las lentas, las penosas estaciones de la vida, le ofrece la recompensa final de la Fama, de la Inmortalidad.

Toda su enseñanza se encamina al logro del varón justo, del varón prudente, virtuoso y sabio, colmado de desengaños, humanidades y perfecciones. Si para el hombre vulgar, simplemente virtuoso, es más que suficiente la promesa de un descanso feliz, de una dicha permanente en el Paraíso, el hombre de excepción, que intenta formar, habrá de ser recompensado con esta deleitosa paz y reposo definitivo, y también, por añadidura, con la fama duradera de sus hechos y cualidades, de la fama que no necesita de epitafios, porque vuela y trasciende a través de los siglos. Su Isla de la Inmortalidad no es, por tanto, una versión pagana de la concepción católica del Paraíso, sino una parte del todo, una isla, la más prodigiosa, dentro de lo que podríamos concebir como archipiélago imaginario.

Es frecuente en Gracián esta modalidad de equivalencias. Sabe, por ejemplo —y he aquí la tragedia vital del hombre—, que no todo depende de su propia virtud y perfección, sino que también anda de por medio la Fortuna. Este es el gran debatir de la literatura española, el de mayor trascendencia metafísica, su más angustioso contrapunto, el de saber que no bastan las buenas obras y propósitos, sino que gravita sobre nosotros un poder ilimitado que nos convierte en vilanos en el aire. Gracián, saturado de doctrina renacentista, formado en la elegante sabiduría de los clásicos, empapado de literatura hasta el tuétano, alude reiteradamente a la Fortuna, pero desposeyendo al vocablo de la valoración pagana y grecolatina que le habían dado un Juan de Mena, un Santillana o Fernando de Rojas [8], transfundiéndole, en cambio, una equivalencia cristiana: "La Fortuna —nos dirá—, tan nombrada cuan poco conocida, no es otra, hablando a lo cuerdo y aun a lo católico, que aquella gran madre de contingencias y gran hija de la Suprema Providencia, asistente siempre a sus causas, ya queriendo, ya permitiendo" [9].

No se trata de una conciliación de dos conceptos antagónicos, ni es la Providencia un nombre con que se ha confirmado la Fortuna, como solía hacer el cristianismo, en oportuna revalorización semántica, con los elementos que asimilaba como válidos, sino que la Fortuna es simplemente hija suya, una de las formas que la Providencia

---

[8] Que ya en el siglo xv se percibía lo que el valor de la palabra tenía de sabor pagano y de antagónico con la idea católica, nos lo muestra DIEGO DE VALERA con su *Tratado de Providencia contra Fortuna*, 1462.

[9] *El Héroe*, X. Para la comparación con los vacilantes y contradictorios conceptos sobre este tema en Cervantes y sus contemporáneos, vid. AMÉRICO CASTRO, *El Pensamiento de Cervantes*, Madrid, *RFE*, Anejo VI, 1925, página 337 y ss.

toma [10]. Hecha esta discriminación, precisamente en su primera obra, Gracián podrá seguir hablando de la Fortuna sin que pensemos por ello que pueda creer, como las gentes del Renacimiento, que cada uno es artífice de su propio destino o que el misterioso poder de los astros, de la naturaleza o de las circunstancias nos gobiernan, sino que, siendo hijos de nuestras propias obras, Dios está sobre nosotros, conforme a la fórmula conciliadora que nos da la metafísica popular: "El hombre propone y Dios dispone".

En el Héroe hay una vocación inicial, un impulso, un propósito, una emulación latentes, pero los realces y primores que le adornan, son dones con que Dios le favorece. "Las principales de estas heroicas prendas son antes favores del celestial destino, que méritos del propio desvelo" [11]. Del mismo modo que previamente había establecido el binomio Fortuna-Providencia, el *ananké,* el *fatum* o, en romance, el *hado,* el *destino,* el *sino,* tomarán en Gracián un calificativo que lo diversifica de lo pagano: el *celestial destino.*

Pero si el hombre, convencido de que no se mueve la hoja del árbol sin la voluntad de Dios, se resignase a sus mandatos en espera de lo irremediable, en estéril quietismo, se produciría perezosamente ante lo fatal, posición negativa, aniquiladora, heterodoxa. Sometidas ciegamente a su poder, poseídas de la idea de que todo depende de El, a las criaturas les queda, asimismo, la ilusión de que son libres para poder desarrollar su iniciativa personal, su libre albedrío. Y así, esta pugna que surge entre la convicción íntima de que existe una autoridad suprema que nos guía y hace como somos, ante la que sería inútil rebelarse, y la ilusión cotidiana de que en cierto modo podemos elaborar nuestra propia ventura, es justamente lo que le da este sabor agridulce a la vida, privándola de monotonía o conteniendo la ambición desmesurada. En Gracián, el equilibrio de estas dos fuerzas contrarias es perfecto. Le desvela y aterra el poder ilimitado del Creador, pero sabe también cuánta es su conmiseración ante las torpezas de los hombres, que había formado perfectos, a su imagen. Imaginando la tristeza de Dios, se esfuerza, sin

---

[10] Calderón, en quien se hace más tajante esta versión cristiana, titulará uno de sus autos sacramentales *No hay más Fortuna que Dios* (1675).
[11] *El Político.*

fatiga, en mejorar al hombre, en elevarle de la ciénaga en que se revuelca y para ello recurre a los más varios medios: al generoso aliento, a la sátira, a la admonición.

Y como, además de vencerse a sí mismo, es preciso que venza a sus antagonistas, que con su ejemplo le corrompen, que se le interponen en el recto camino, es natural también que el hombre se valga de habilidades y subterfugios, ya que el buen fin que se propone coronará la obra. "Todo lo dora un buen fin, aunque lo desmientan los desaciertos de los medios" [12]. No ha de ser simplemente columbino. No basta que sea dueño de sí. Este mundo es una continua lucha. "No hay cosa que no tenga su contrario con quien pelee, ya con victoria, ya con rendimiento". Son muchos los peligros que le acechan y acosan, y en legítima defensa cabe recurrir a toda clase de expedientes para defenderse y sobrevivir. Si es preciso, en última instancia, altérnese la astucia de la serpiente con la candidez de la paloma. Cuando uno no puede vestirse la piel del león, vístase la de la vulpeja. La prudencia, la cordura, la circunspección, son medios de defensa tan naturales como el ataque franco, la llaneza, la cordialidad. Contra la *malicia* la *milicia,* pero, si éste fuese un procedimiento demasiado ingenuo, la malicia también.

Con todo, Gracián no aborrece la vida ni se resigna en un desesperado pesimismo, sin solución. Sabe que el hombre es perfectible, y para el logro de esta perfección, siembra incansablemente la semilla de su palabra, con la esperanza de que a Dios, que está presente en todo momento, le sea grata su labor de catequesis y se aplaque en sus terribles designios, del mismo modo que el buen sembrador confía, tanto como en los minúsculos granillos que esparce, en que las aguas del cielo desciendan a fecundarlos, y así obra a conciencia de que su esfuerzo y su cosecha dependen de la voluntad del Creador.

Que no aborrece la vida, que la ama apasionadamente, que aprecia sus nobles cualidades, nos lo muestra su insistente exhortación a tomar de la existencia lo que tiene de grato y hermoso. "¿Cómo preconizar un método en empresas que se han de abandonar? ¿Para qué estudiar la ciencia de la conducta cuando creemos que la vida

---

[12] *Oráculo.*

es un mal?", se pregunta un comentarista [13]. Su nostalgia de una paradisíaca edad de oro es continua. Su admiración por la naturaleza, ilimitada. Pero si Gracián enseña a vivir, "que es lo que más importa" [14], también enseña a morir. Ya que no sea posible que el hombre vuelva a aquella primitiva inocencia que poseía en la infancia del mundo, deberá guiársele, como a un niño ciego, por un camino bordeado de abismos, hasta la hora atroz de sus postrimerías, desarrollando sus cualidades y virtudes en potencia, templando su ánimo, alumbrando su entendimiento.

La concepción que Gracián tiene del mundo parece desoladora. La Naturaleza es madrastra del hombre, ya que, privándole de conocimiento al nacer, se lo restituye en la ancianidad. La vida es fugaz, y para eso el vivir no es más que un ir muriendo cada día. Todo es imaginación, pura imagen, vana apariencia, viento, aire. Inútil es buscar la felicidad aquí abajo, en que todo está trastocado y al revés. Es perseguida la verdad, aplaudido el vicio; la verdad, muda; el vicio, trilingüe. Los buenos van por tierra, y son ensalzados los malos. El mundo es inmundo y disparatado. El hombre es la más temerosa fiera de su prójimo. Y a todo esto, como insensatos, hacemos volatines, no sobre maroma, ni siquiera hebra de seda, ni aún menos sobre un cabello o hilo de araña, sino, lo que es peor, sobre el hilo de la existencia, más sutil todavía. Gracián reduce toda la tópica de la poesía y patrística cristianas, unidas a la ideología de la moral pagana sobre lo efímero, sobre lo imperfecto y confuso de la vida, a síntesis amargas, apotegmas y relámpagos.

Siente por lo humano un profundo desprecio, aunque le tiente con sus frescos racimos. "El mundo es un cero", dirá, y quien lea tan sólo esta tremenda negación quedará aterrado por su irremediable pesimismo. Pero él continuará luego, terciando el sentido de las palabras, como si pretendiese lograr el ritmo del versículo paralelístico, con las antítesis que siguen: "A solas vale nada; juntándolo con el Cielo, mucho". Esta es la clave de su pensamiento. Nada, y todo. A la negación de lo terreno y transitorio seguirá la afirmación

---

[13] ANDRÉS OVEJERO, en su prólogo a la edición de *El Político*, Madrid, 1934, pág. 10.
[14] *Criticón*, I, 7.

de lo infinito y eterno. "La posición de Gracián —podrá resumir Romera-Navarro [15]— es clara: ve el mundo tal como es, y no se hace ilusiones sobre la naturaleza humana. Levantando algo el plano de observación, diré que tiene el pesimismo y el optimismo del cristiano: pesimismo en la vida; optimismo en el fin de la vida."

Juzgándole de modo simplista —mala manera de enjuiciar el complejo pensamiento de un escritor— resulta cómodo aplicarle la definición de pesimista, y aun de traer a cuento a Schopenhauer, que tanto se diferencia de él. El filósofo alemán —que es acreedor en tantas sugerencias al moralista español, como intentaremos mostrar más adelante—, desarrolla su sistema a base de un pesimismo absoluto, sin esperanza, o ésta vaga y ateísta. Es, en cierto modo, el producto del resentimiento, del fracaso [16]. El pesimismo de Gracián está originado por su propio espíritu de finura, que repelía lo vulgar; por su gusto selecto, que repudiaba lo confuso y multitudinario; por su conocimiento de la historia, que le hacía recordar las virtudes antiguas; por su saber y cultura, que rechazaba lo grosero; por sus exigencias morales, opuestas decididamente a todo vicio, contubernio o corrupción, e incluso por su acendrado españolismo, que le hacía ver con claridad la decadencia en que España se precipitaba. Las características diferenciales son muchas. Actúan sobre ellas, de modo especial, el tiempo, el espacio, el ámbito moral en que los dos pensadores se producen, tan distantes, que los separan totalmente. Gracián vive en una época todavía heroica, impulsada por altos ideales, saturada por una sola fe, de la que el moralista viene a ser una expresión alquitarada, un producto exquisito, un fruto de madurez. Y también el país en que nace. No se concebiría su obra fuera de España. "Participa el agua —nos dirá él mismo— las cualidades buenas o malas de las venas por donde pasa, y el hombre, las del clima donde nace." Schopenhauer, en cambio, es hijo de su tiempo, del XIX corrompido y atormentado, al que no logra comunicar entusiasmo la ilusión materialista de un ficticio progreso externo. Su pesimismo espanta porque es un producto de la razón. Gracián,

---

[15] *Op. cit.*, pág. 21.
[16] Vid. PFANDL, *Hist. de la Liter. nacional españ. de la Edad de Oro*, Barcelona, 1933, pág. 613.

escéptico ante tantas cosas, ama otras apasionadamente. Su pesimismo es relativo, y se transforma en canto jubilar en cuanto atisba la salvación del espíritu. Se apoya sobre sólida cimentación moral, que le impide ver al mundo y a los hombres parcialmente, tan sólo por su lado negativo. Gravita sobre nosotros un futuro mejor, una vida nueva, y su sola esperanza basta para ilusionar la penumbra de la vida presente. Su obra nos desasosiega precisamente por este continuado contraste, por este debatir de negación y afirmación, la negación de la vida y la afirmación de la muerte, hasta traspasarnos con su profunda, con su cristiana congoja.

El alma de Gracián es complejísima, y no le conviene ninguna definición rigurosa y unilateral. Tan pronto es humano, demasiado humano, y desmonta pieza a pieza —aun las más menudas— la maquinaria del mundo, como se eleva a regiones irreales; tan pronto es melancólico y taciturno, poseído de un acre pesimismo, como disuelve su tristeza con un donaire e irrumpe en elogio entusiasta.

Dos facetas suyas, cuando menos, son perfectamente evidentes: las que representan sus dos personajes, Critilo, o sea el Juicio, y Andrenio, o sea el Instinto, a los que puede asociarse también, como en la otra inmortal pareja de Cervantes que echó a andar por las llanuras de la Mancha, el Ideal y la Realidad. Critilo y Andrenio son la expresión de este torcedor que conmovía el alma de Gracián, pero observemos que es siempre el anciano mentor, el hombre juicioso y prudente, que esquiva toda tentación, que se purifica en contacto con las flaquezas humanas, que aspira a la Inmortalidad, el verdadero héroe de la alegoría, el vencedor. En este San Jorge moral e intelectual, se vería Gracián a sí propio. Las locuras de Andrenio, sus ímpetus, sus instintos incontenidos, equivaldrían en cierto modo —si el suyo fuese un libro de memorias— a aquellos dolorosos capítulos en que San Agustín nos cuenta en sus *Confesiones* las torpezas y caídas de su juventud.

Es siempre Critilo, es decir, la moral y la virtud, quienes triunfan en este duro batallar, quienes quedan por encima, victoriosas, en la obra y el pensamiento de Gracián.

¡Y pensar que ha podido ponerse en tela de juicio su espíritu religioso, su pura ortodoxia! Conviene no alarmarse, porque ha sido un francés, un hombre de letras de ese alegre país, en que los escritores de imaginación improvisan un delicioso libro sobre Ceylán —pongamos por caso— en cinco días de urgente viaje o el estudio de un pensador a base de la lectura superficial de sus obras. Por fortuna, Francia ha producido también un tipo de serio investigador de los temas hispánicos, y entre ellos varios que han estudiado a Gracián, pero en este caso nos referimos a André Rouveyre [17], que, a vuelta de bastantes aciertos de interpretación, aunque con información escasa y apresurada, como le reprocha Bouillier [18], al referirse al carácter puramente intuitivo de determinadas conclusiones, nos da una versión sectaria de la ideología del moralista español.

Del valor de sus juicios y de su fundamento podrá juzgarse por su afirmación de que Gracián era un buen *gourmet,* basándose en el tono con que habla de los vinos generosos en un brevísimo pasaje de *El Discreto,* VII, lo que prueba su desconocimiento de tantos pasajes de sus obras en que satiriza la vinolencia y los vicios que de ella se derivan [19].

Según Rouveyre, Gracián no reniega de su religión, pero la olvida, haciendo abstracción de ella, semejándose en esto a ciertos pensadores de los siglos XVI y XVII (Montaigne, Descartes, Gassendi, etc.); buenos cristianos en la práctica y en la creencia, que una vez libres de sus deberes religiosos, en su gabinete de trabajo, sustituyen la fe por la razón, el libro de horas por la filosofía pagana, las preocupaciones religiosas por las temporales [20]. Recuerda, a propósito, el último capítulo de *El Criticón,* ejemplo sin valor, pues, como hemos visto, su Isla de la Inmortalidad viene a ser una superación del Paraíso, una versión intelectual —no pagana— del Cielo, la recompensa ultraterrena adaptada a los varones de excepción. La vida religiosa de Gracián es irreprochable, pues los momentos de tensión que se produjeron en él y la Compañía apenas hubiesen trascendido de la órbita claustral —como tampoco traspasan sus muros

---

[17] En el estudio que figura al frente de *Pages caractéristiques,* traducidas por V. Bouillier, París, 1925.

[18] Víctor Bouillier, *Baltasar Gracián et Nietzsche,* en *Rev. de Littér. Comparée,* 1926, VI, pág. 381 y ss.

[19] Véase, por ejemplo, *El Criticón,* II, 3.

[20] *Op. cit.,* pág. 50.

otras incidencias de la disciplina interna— de no haberse exhumado la correspondencia de los jesuítas. Y, para eso, los reproches que los superiores puedan hacerle, y que recoge Romera-Navarro [21], no se refieren nunca a hechos graves e irreparables, a su falta de celo y fervor, al descuido de sus deberes, sino a su afán de poseer unos cuantos libros —lo que en verdad, en un intelectual, no desdecía del voto de pobreza—, y a su tesonería en seguir publicando las partes de una novela que perseguía la intención nobilísima de zaherir los vicios y exaltar las virtudes —con lo que tampoco infringía demasiado el voto de obediencia, más bien referido a la conducta moral—.

Rouveyre divaga, sin consistencia alguna, en sus deducciones, cuando presenta a Gracián como un carácter desenvuelto y oportunista, sin convicciones religiosas ni políticas. Supone, por ejemplo, que *El Comulgatorio* —acendrada expresión de su fe— fué escrito con intención de paliar y contener las iras del General, a raíz de la publicación de *El Criticón*. Ya hemos visto cómo su conducta entereza se amoldaba difícilmente a toda contemporización, y también cómo este libro de meditaciones —posible selección de sus anteriores sermones— corresponde a su última etapa de fervoroso ascetismo.

Nos tranquiliza el escritor francés, cuando declara: "Certes, c'est un religieux énigmatique, mais on ne peut le considérer comme consciemment en révolte contre sa religion" [22]. En efecto, sería absurdo querer aplicar a Gracián el morboso método —que tanto se ha generalizado con relación a otros pensadores y creadores literarios— de sospechar, de adivinar encubiertas en su obra ideologías y tendencias subversivas y disolventes, tan contrarias a la intención que perseguía.

Nos dirá, asimismo, que no da a su religión más que lo necesario, pero olvida que lo necesario era mucho, suficiente a llenar las horas del día: Sus obligaciones de religioso, profesar cátedras en distintos Colegios de la Orden, misionar incansablemente por los pueblos de Aragón, Cataluña y Valencia. Que una vez cumplidos sus deberes

---

[21] Vid. *Interpretación del carácter de Gracián*, en *Estudios sobre Gracián*, págs. 8-10.

[22] *Op. cit.*, pág. 93.

se entregase al mundo, a las letras, a la filosofía, sería un noble empleo de sus ocios, teniendo en cuenta que para Gracián "el mundo"
se reducía al cordial conciliábulo con unos cuantos amigos dilectí-
simos y poco más, y que la lectura era un modo de acumular en su
espíritu nuevos posos de bondad y sabiduría. Que no se percibe en
sus obras la pluma o el espíritu de un religioso, que de no conocer
su biografía nada impediría atribuirlas a un laico, que se preocupa
más que del Cielo, del Mundo ("Sa recherche dominante est d'ensei-
gner, non pas comment on fait son salut, mais comment on fait son
chemin, et comment on peut bien s'asseoir ici-bas") [23] es mucho decir e interpretar a la ligera, ya que cuantos consejos para vivir da
el moralista, conducen siempre al logro del último fin, a una perfección ética del hombre. Sus máximas y obras se cierran siempre
con una exhortación a la virtud. "Es tan hermosa que se lleva la
gracia de Dios y de las gentes; no hay cosa amable sino la virtud,
ni aborrecible sino el vicio. La virtud es cosa de veras, todo lo demás,
de burlas..." [24]. La vida, la naturaleza humanas, tienen sus derechos
inalienables, que no pueden ser desconocidos, que no pueden ser so-
juzgados rigurosamente, y él, moralista práctico, les concede aquello
que les corresponde, siempre atento a que, en fin de cuentas, a la
hora de la verdad, el hombre recapacite y haga examen de conciencia.

Romera-Navarro [25] parece responder al reproche del escritor
francés cuando dice que Gracián no pretendía "hablar como teólogo
o predicador, sino como hombre del siglo que da reglas de sagacidad
mundana. No ha faltado quien vea algo de tibieza de su fervor religioso en el hecho de escribir libros profanos. Olvídase que Gracián
no hizo sino seguir una tradición literaria de prosistas del estado
eclesiástico que escribieron libros sin la sustancia religiosa". Trae a
cuento a Guevara, franciscano, que, como el jesuíta aragonés, dos
siglos antes, escribe diversos libros de asunto mundano y sólo uno
puramente religioso, el *Oratorio de religiosos,* y más ejemplos podrían ponerse que probasen la libertad con que han actuado siempre en España los pensadores y creadores literarios de estado eclesiástico.

---

[23] *Ibíd.,* pág. 97.
[24] *Oráculo.*
[25] Ed. cit., *Introd.,* pág. 26 y s.

Interpretar la obra de Gracián como producto de una relajada ortodoxia es caer en el mismo reproche que le hacían sus más enconados enemigos, como el autor de la *Crítica de reflección,* que le acusaba (pág. 191) de que en *El Criticón,* el personaje Critilo no hubiese instruído en la fe cristiana a Andrenio: "Y éste es el error más intolerable desta obra: lo que te acuso es de no haber instruído su rudeza en los misterios de la verdadera religión, ni haber destinado en la carrera de la vida puesto donde se enseñe, un templo donde se aprenda; y es tanto mayor el delito cuanto en ti más se precisa la obligación de enseñar la doctrina cristiana".

La delación, que partía sin duda de algún religioso, que no alcanzaba a percibir la purísima exaltación de la Moral y de la Virtud, intelectualizadas, divinizadas en *El Criticón;* que hubiese preferido ver a Gracián limitado a una función catequista de cortos vuelos, se proponía la siniestra intención de ponerle en evidencia ante las autoridades eclesiásticas, acusación que tal vez le acarrease nuevos y graves disgustos de haber sobrevivido unos años más después de su publicación.

Por fortuna, en su tiempo, la religiosidad, el catolicismo se daban por supuestos, y no era preciso, ni siquiera para los regulares, insistir en ello ni que proclamasen insistentemente, a los cuatro vientos, su auténtica fe. En todo caso, salvo en los tratados de carácter doctrinal, esto sería lo sospechoso de ocultación y disimulo.

No es Gracián, en efecto, un místico, un contemplativo, sino un evangelizador actuante. Desciende de la cátedra, del púlpito, se sale de su confesionario, deja atrás su silencioso convento, donde sus hermanos en religión practican la virtud, y vase en busca de quienes más le necesitan. Sabe que la perfección es difícil y que sólo se alcanza por grados, paulatinamente. En principio, es preciso transigir con el mal menor, como hace el domador de potros cerriles, que les da rienda, hasta que poco a poco los enfrena y domeña. El hombre no es menos instintivo e impetuoso, y para reducirle de sus errores y vicios habrá de procederse, no con taxativas prohibiciones ni temerosos castigos, sí con maña y cautela, enseñándole a vivir, dominándole en sus tretas, para que, una vez devuelto a la razón, pueda guiársele por el buen camino.

Si nos atenemos a los datos que su biografía nos ofrece, veremos
que la vida de Gracián se desliza apaciblemente, con escasos altiba-
jos. No es la suya una existencia agitada y tormentosa como la de
Quevedo, el único gran moralista y satírico que puede comparársele,
sino relativamente sosegada, sin grandes alternativas. El *mundo* en
que se mueve el jesuíta, insistamos, es un círculo cerrado, limitado
al trato con sus hermanos en religión, y, en el siglo, a grupos de
gentes refinadas, selectas, preocupadas de las letras humanas, de las
antigüedades, consagradas al cultivo del alma y del ingenio. ¿Dónde
pudo adquirir tanta sabiduría en la ciencia de la vida como nos muestran sus obras? ¿Acaso en sus furtivos contactos con la artificiosi-
dad cortesana? ¿En su breve actuación castrense? ¿En la hondura abisal del confesonario? No serían bastantes los elementos
reales, recogidos en su observación directa, para que pudiese darnos
la visión integral del mundo, en todas sus edades y estamentos,
tiempos y lugares, en sus aspectos todos, que sus obras, en especial
El Criticón, nos presentan, si Gracián no fuese, además, un intuitivo
genial, un sagaz zahorí de los misterios del mundo, un agudísimo
escrutador del alma humana. Escribe del hombre, para el hombre,
y de él le atrae, no lo material y perecedero, sino lo que tiene de
divino y eterno, ese hálito que le anima y mueve y conmueve. Su
mirada traspasa la vestidura carnal hasta llegar al hondón del alma.
No es preciso que el hombre lleve una ventanita sobre el corazón,
como pedía Thales de Mileto. También él, como su personaje, sabía
escudriñar "clarísimamente los corazones de todos, aun los más
cerrados, como si fuesen de cristal, y lo que por ellos pasa, como
si los tocara con las manos" [26].

Y una vez ante el hombre, ante la vida, como aquellos que "no
paran en la superficie vulgar, no se satisfacen de la exterioridad, ni
se pagan de todo aquello que seduce" [27], va separando lo falso de
lo verdadero. No se contenta con lo de fuera, con pasar la vista
sobre las cosas. Al par de la mirada, clavará en ellas las saetas de
su meditación. "Va grande diferencia del ver al mirar, que quien no
entiende, no atiende; poco importa ver mucho con los ojos, si con el

---

[26] *El Criticón,* III, 5.
[27] *El Discreto,* XIX.

entendimiento nada, ni vale el ver sin el notar." De ahí la perspicacia de su observación, lo sutil de su disección, lo penetrante de su análisis, que va disociando los temas más complejos, revalorizando las ideas cotidianas, considerando las cosas por todos sus aspectos y lados.

No puede negarse que Gracián sea un espectador, aunque severo, imparcial y objetivo. Observa, describe, pinta el mundo tal como es, con sus grandezas y miserias, con sus lacras y hermosuras, con su limpidez y suciedad. Cuando contempla el universo en su desnuda belleza o al hombre colmado de perfección, se extasía, lo que no impide que ataque sarcásticamente las vergüenzas y mezquindades de la vida. Dos limitaciones le halla Romera-Navarro [28]. Una, que se inclina frecuentemente a presentarnos como el único aspecto real lo tempestuoso del corazón y la existencia. En efecto, quizá peque Gracián, en su intención moralizante y proselitista, de sobrecargar las negras tintas, pero su visión es proporcionada si tenemos en cuenta —a poco que reparemos en ello— que en el mundo predomina lo sucio y repugnante, lo feo y lo triste, la maldad y la pelea, que la vida es un lento, fatal discurrir por un camino doloroso.

La otra limitación que le reprocha su comentarista es el concepto libresco que tiene de la mujer. Para Gracián, la mujer es un ser satánico, vil, inferior, como ha de serlo dos siglos más tarde en su seguidor Schopenhauer. No podemos pensar que en tales invectivas hayan actuado exclusivamente los recuerdos literarios, en especial las diatribas bíblicas, al margen de toda experiencia personal, ya que el confesionario bastaría a facilitarle sobrados elementos de juicio, del mismo modo que a Fray Gabriel Téllez —temperamento menos concentrado y taciturno— le fué suficiente para caracterizar las mujeres de sus comedias. Que Gracián las conocía bien, con sus artimañas, sus vicios y flaquezas, sus modas y costumbres, nos lo muestran innumerables páginas de *El Criticón*. Con todo, su misoginismo no le impide que alguna vez se complazca en reproducir y comentar pasajes poéticos que a las gracias femeninas se refieren, por puro petrarquismo, por inocente y literaria recreación (tal es el caso de Felisinda, de Virtelia, más que mujeres, símbolos, tan lejanas, tan distantes como Beatriz o Dulcinea), o en alabar sus

---

[28] Ed. cit., pág. 21.

virtudes cuando las halla. Como en su interpretación integral de la
vida humana, tiende a ser imparcial en este aspecto de ella, aunque
su estado eclesiástico le incline a la severidad del juicio.

No puede hablarse propiamente de un sistema filosófico en Gracián. El genio español produce un tipo de pensadores mágicos, in-
tuitivos, insobornables, que derraman sus ideas en generoso desor-
den, que no pueden o no quieren someter su doctrina a escueta
canalización y métodos rigurosos. Como los filósofos antiguos, que
se complacían en encerrar las esencias del intelecto en las hermosísimas ánforas de la forma, los españoles también gustan de adornar
las ideas con los ringorrangos de la expresión. Gracián es uno de
estos pensadores. No constriñe su pensamiento a un plan o método,
sino que la doctrina fluye libérrima, con espontaneidad, por sus cau-
ces naturales. El hontanar es hondo, de secreto y profundo caudal;
el álveo no es liso y llano, sino áspero y desigual, aunque ello no
trascienda a la serena superficie. Por veces es tan densa y espesa
la vegetación formal de las riberas, se sintetiza o recarga tanto la
expresión, que la doctrina se oculta, aunque se perciba su manso
ruido. Tampoco son rectas las orillas, que se divierten en meandros
y curvas, en bifurcaciones e isletas floridas. Lo que importa es llegar,
aunque con divagaciones, a la desembocadura. Y el fin que Gracián
se propone es, a vueltas y revueltas, en lucha tenaz, a brazo partido,
inculcándole benéficas enseñanzas, instruyéndole en las mañas de
los demás, mostrándole lejanas metas ideales, el mejoramiento moral
del hombre.

Si en su obra hacemos omisión de los adornos accesorios, de lo
que pueda tener de localista y circunstancial, de lo anecdótico y superfluo, que no es excesivo, queda reducida a un apretado conglomerado de máximas, de apotegmas, de consejos, de ideas eternas,
que le convierten en uno de los moralistas más profundos, en uno
de los más agudos psicólogos, en uno de los pensadores más sutiles
del pensamiento europeo, que es decir cristiano y universal [29].

    [29] Vid. Morel-Fatio, *Les moralistes espagnols du XVII⁰ siècle et en par-
ticulier sur Baltasar Gracián*, en BHi., 1910, pág. 201 y ss., y M. Romera-
Navarro, *Sobre la moral de Gracián*, en HR, 1935, II, pág. 119 y ss. No
nos ha sido posible consultar F. Maldonado, *Baltasar Gracián, como pesimista
y político*, Salamanca, 1916, y G. Marone, *Morale e Politica di Baltasar Gracián*, Nápoles, 1925.

SU PREOCUPACION ESPAÑOLA

Quien pase y repase las páginas de Gracián percibirá un nuevo contraste, la permanente paradoja de que, viéndole preocupado de continuo por las ideas eternas, por los postulados universales, por la más pura abstracción, estén al mismo tiempo impregnadas de las más concentradas esencias localistas. A la par que cita el escritor clásico o extranjero —en especial, los italianos o portugueses, mucho menos los franceses—, recordará complacidamente a algún oscuro poeta aragonés; al lado de los apotegmas que se refieren a hombres ilustres aparecen los dichos y hechos de un personaje cualquiera que conoció al paso. Al mismo tiempo que le vienen a la memoria lejanos y desconocidos países, traerá a colación una y otra vez el ejemplo de su tierra aragonesa o recordará insistentemente su Calatayud entrañable, como si las virtudes terrícolas le comunicasen savia y fortaleza. Los elogios a su región, a su tierra natal —ya lo hemos visto—, surgen con regulares intermitencias. En su ciego afán de atribuirle las mayores excelencias, no recelará en llegar a la hipérbole y aun a la inexactitud. Arrastrado por este amor local, hará bilbilitano a Pedro Liñán de Riaza, natural de Toledo, o bien supondrá que el autor de *La Celestina* sea un encubierto aragonés [1], pasaje que interpreta el profesor Maldonado [2] como posible alusión a don Pedro Manuel de Urrea, escritor aragonés, que en 1513 publica en su *Cancionero* una refundición en verso del primer acto de la obra del bachiller Fernando de Rojas.

---

[1] *Agudeza*, LVI.
[2] FRANCISCO MALDONADO, *Varios pasajes de Baltasar Gracián,* en *Revista Histórica de Valladolid,* 1918, 6 y 7, pág. 243 y ss.

Así, pues, este hombre que proyecta sus concepciones al vasto y universo mundo, será esencialmente localista, español por los cuatro costados, como si su pensamiento radicase en la tierra madre y se nutriese del subsuelo hispánico, y sus aspiraciones fuesen, en ese árbol con que podría representársele, el ramaje universalista.

Pero si la alusión a lo aragonés, tan insistente, pudiese no ser otra cosa que anécdota, aunque expresiva por lo que significa en la conformación de su carácter, más honda y trascendente es su continua preocupación de España. Toda su obra parece dirigida intencionadamente al logro de un perfeccionamiento moral y social de sus gentes, a la consecución de hombres excepcionales que sirvan y mejoren su propio país. Con *El Héroe* invita a la admiración de un arquetipo guerrero, victorioso, no sólo en la batalla, sino también en la vida. En *El Político* aspira a la formación de un adalid perfecto. En *El Discreto* se contenta con el adiestramiento de los hombres de mundo, que son, después de todo, quienes han de dar una tónica más genérica. Renuncia ya a la intención de perfecciones, para contentarse con la extensión de las virtudes. Pero la humanidad a quien Gracián se dirige —concretamente, a las gentes españolas— no es perfecta, y es preciso ofrecerles en el *Oráculo* un conjunto de advertencias que les sirvan para desenvolverse en ese mundo turbulento en que se mueven y aun para defenderse de sus semejantes. Quizá sea inútil su didáctica generosa, y al comprenderlo así, intentará con la amarga sátira de *El Criticón* el castigo de la viciosa estulticia humana, proponiendo al hombre, al mismo tiempo que le muestra el revuelto caos en que vive, el único camino de salvación, que ya en *El Comulgatorio* aparecerá sin rebozos simbolistas.

En la iniciación de su vida literaria, al publicar *El Héroe* en 1639, todavía exalta con entusiasmo un arquetipo ideal de hombre de mando, y cree aún en la eficacia suasoria de sus consejos áulicos. En puridad, no puede interpolarse a Gracián en la que José María Jover [3] llama "generación de 1635", y en la cual agrupa a un núcleo de escritores políticos, entrados por entonces en los cincuenta

---

[3] José M.ª Jover, 1635. *Historia de una polémica y semblanza de una generación*. Madrid, Instituto Jerónimo Zurita, 1949.

años, que reaccionan patrióticamente contra la *Declaración del Rey de Francia sobre el rompimiento de la guerra con el Rey de España en 6 de junio de 1635,* como son Alonso Guillén de la Carrera, Gonzalo de Céspedes y Meneses (que firma con el seudónimo *Gerardo Hispano),* José Pellicer de Ossau, Quevedo, Matías de Novoa, Saavedra Fajardo, Juan de Jáuregui, el P. Ambrosio Bautista, Francisco Mateu, autores de manifiestos, panfletos, libelos contra Francia y su rey, donde a vueltas de panegíricos a Felipe V, censuras veladas o amargas a su gobierno, proyectos y ansiedades, se defiende con ardor combativo la hegemonía hispánica, en trance de iniciar entonces su decadencia. Salvo Guillén de la Carrera, jurista razonador y reflexivo, los demás se caracterizan por su elocución y su ímpetu barrocos. Para estos vigías patrióticos, "las cosas del imperio no andaban bien... Todo ello se integrará en un sentimiento de angustiosa criticidad que llamamos *catastrofismo"* [4]. Entre los mitos históricos que esta generación evoca reiteradamente como ejemplo y añoranza de perfecciones, está el de Fernando el Católico, y para darse alientos y esperanzas, levanta en alto el nombre de don Fernando de Austria, el Cardenal-Infante, hijo de Felipe III, como si uno y otro Fernando fuesen los hitos que marcasen el comienzo y fin del poderío español. En ambos, en la nostalgia del pasado y en la ilusión del futuro, coincide Gracián, a pesar de ser más joven que los componentes del grupo. En *El Héroe* llamará a Fernando el Católico "aquel gran rey primero del Nuevo Mundo, último de Aragón, si no el *non plus ultra* de sus heroicos reyes" [5]. Tres años más tarde *El Político D. Fernando el Católico* será una apología calurosa del gran rey. Del Cardenal-Infante dirá ya en su primera obra: "El Benjamín hoy de la felicidad es, con evidencia de su esplendor, el heroico, invicto y serenísimo señor Cardenal Infante de España, don Fernando, nombre que pasa a blasón o corona nominal de tantos héroes" [6].

No comparte, en cambio, el humor melancólico, el pesimismo de esta generación, como si desconociese sus alegatos, aunque, como ella, sienta admiración desmesurada por esas dos figuras excepcio-

[4] *Ibíd.,* pág. 171.
[5] *El Héroe,* X.
[6] *Ibíd.,* X.

nales. Es significativo que en *El Héroe* (XIX) se revuelva contra
"el criticismo de España", que condena al Héroe "a que peca en
no pecar". Le duele este "criticismo" de los escritores políticos, que
no saben comprender los defectos como precisos y útiles también.
"Sea, pues, treta política permitirse algún venial desliz que roa la
envidia y distraiga el veneno de la emulación".

Si en su segunda obra propone como ideal de rey ejemplar, de
rey-rey, a Fernando el Católico, se inicia ya en esta apología su
nostalgia del tiempo pasado y su descontento de lo contemporáneo,
que aún no se atreve a enjuiciar severamente. "Llegó el encareci-
miento de un gran político a decir que el remedio de esta Monarquía, si acaso declinase, no era otro sino que resucitase el Rey Católico y volviese a restaurarla" [7]. Mala cosa es que se refiera a la
posibilidad de esta decadencia, porque ello ya supone que está
sobre aviso.

En una parte de este tratado se expone la teoría de que el rey
debe asistir personalmente a las batallas, si bien evitando toda temeridad, que pudiera tener su fuente en aquellas afirmaciones que
se hallan en el tratado *De rege et regis institutione*, del Padre Mariana: "El ejército y el pueblo desprecian al rey cobarde; sólo el
que es valeroso despierta entusiasmo".

¿Deseaba Gracián íntimamente que el rey asistiese a las guerras
que entonces se sostenían para salvar la integridad y grandeza de
España y para que con su presencia comunicase ánimos a las tropas
desilusionadas, que diese popularidad a las campañas con su presti-
gio y aureola?

Aunque en *El Político* —que todavía refleja su entusiasmo juvenil— trate de justificar a Felipe IV, diciéndonos que "se ha ex-
tremado en el gobierno, violentándose y como hurtándose a la natural belicosa inclinación", y más adelante conteste a la "célebre cuestión política si el príncipe ha de asistir en un centro por presencia y en
todas partes por potencia y por noticia", conciliando ambos extremos: "Hállanse eficaces argumentos y acreditativos ejemplos para
el uno y otro dictamen", Gracián no puede menos de declarar paladinamente a renglón seguido que considera esencial la presencia

---

[7]   *El Político.*

del Rey en la batalla: "Todos los hazañosos príncipes, y que obraron cosas grandes, asistieron en persona a las empresas" o "Así que todos los príncipes, los que hicieron cosas hazañosas, acaudillaron personalmente sus ejércitos", y todavía: "El ver sus soldados un rey es premiarlos, y su presencia vale por otro ejército".

Pero Felipe IV es demasiado pusilánime, y cuando la guerra de Cataluña contra el invasor francés no bien se asoma a la segunda línea, ya está de vuelta en el Retiro. Gracián, no sin un dejo de ironía, describe el suntuoso aparato cortesano que le rodea al llegar a Zaragoza. Sólo ofrece una nota de simpatía: la campechanía del rey, que pasea por la ciudad, sin guarda.

La pérdida de una ciudad querida, que cae en poder de los franceses, le hará decir: "el nombrado Monzón, emporio de las Cortes de Aragón, Valencia y Cataluña, oficina de tantas leyes y paces, en poder del enemigo. ¡Quién se lo dijera al rey católico don Jaime de Aragón o al rey Católico don Fernando!" [8]. Gracián escribe para el hombre español y sobre las cosas de España, cuya contemplación le produce un dolorido sentir. Decíamos que una de las posibles causas de su pesimismo pudiera hallarse en el malestar que siente al contemplar cómo el poderío cenital de España se viene abajo y desmorona sin remedio. Quien con tal espíritu de zahorí escrutaba el enigma de las almas y las reacciones de la colectividad, no podía estar ajeno a los cambios políticos que en su país se operaban ni dejar de percibir con tristeza sus consecuencias.

Se tenía al francés dentro de España, y los sucesos de Europa no nos eran tampoco más favorables. En ellos está ya el germen de la derrota de Rocroy, que tiene lugar en 1643; las concesiones de los tratados de Westfalia y de Münster, en 1648, en los que España transige con todos sus enemigos; la derrota de las Dunas y la pérdida de Jamaica, en 1658, y la Paz de los Pirineos, en 1659, por la que Francia hereda nuestro poderío.

Las cosas no iban bien para aquella gran España, que, si antes apenas cabía en el orbe, ahora se iba amenguando cada día. La poesía, que en esta época actúa de sutil sismógrafo, lo proclama a los cuatro vientos, y así, un romance anónimo, atribuído a Quevedo,

---

[8] Carta de 24 de junio de 1642.

cantará unas cuantas dolorosas verdades, dirigiéndose al monarca.
Se le comienza recordando los levantamientos de Cataluña y Portugal, al mismo tiempo que se acusa a los políticos de tales fracasos:

> Hablemos claro, mi rey,
> toda España va de rota,
> el portugués más se engríe,
> el catalán más se entona.
> Lo militar no se ejerce,
> lo político lo estorba,
> los que pierden nos gobiernan,
> los que ganan se arrinconan.

Viene luego el reproche a su falta de valor heroico:

> Porque ya os vió en la jornada
> el que más se os apasiona,
> con pies de plomo a la ida,
> y a la vuelta por la posta.
> Si cariños del Retiro,
> señor, tan apriesa os tornan,
> Rey que a retirarse llega
> mucho sus armas desdora.
> No se castiguen soldados
> aunque se vuelvan a tropas;
> que buen ejemplo les da
> el mismo Rey en persona.

Se justifica el alzamiento del duque de Medina-Sidonia en An-
dalucía con amargo sarcasmo, ya que él es leal y devolverá estas
tierras una vez que se hayan perdido las demás:

> Justamente se quería
> el de Medina-Sidonia
> alzar con algunas tierras,
> pues han de perderse todas.
> Mirad que es Guzmán el Bueno,
> soltadle, a ver si las toma,
> y os podrá volver aquéllas
> después que perdáis estotras.

Los españoles pasan por una difícil prueba, peor que la misma muerte:

> Están en tan triste estado,
> ¡oh, majestad poderosa!,
> vuestros vasallos, que tienen
> aún la muerte por lisonja.

Termina el romance con sangrienta ironía, invitando al rey a la alegre inconsciencia, para que la muerte de la patria se consume:

> Volved, pues; tenga el Retiro
> fiestas, banquetes, pandorgas;
> que para perderse a prisa,
> así se han de hacer las cosas.

Que el rey, en momentos de tan alta tensión, cuando más necesitada estaba España de su acción personal, se refugiase en los alegres ocios del Retiro, irritaba a los españoles preocupados del porvenir de su patria. Otro romance anónimo lo expresa descaradamente:

> Que no es buena razón
> que, cuando hay tantos desastres,
> hagas buscar fuentes de agua
> cuando corren ríos de sangre.
> No es razón que cuando el cielo,
> desenvainando el alfanje,
> se mira contra nosotros
> por nuestros pecados graves,
> andes haciendo *retiros,*
> y no haciendo *soledades...*

Por modo poético, en concisas preguntas y respuestas, se nos informa, asimismo, en un soneto anónimo —¿de Quevedo, de Villamediana?—, del estado de la España de entonces. El supuesto diálogo se tiene "entre un Monarca y un Consejero de Estado", que es sin duda el Conde-duque de Olivares, ya que al final se alude a la merced que Felipe IV concedió a su valido por el socorro prestado a Fuenterrabía, en 1638, que consistía en una copa de oro con que

el Rey le obsequiaba cada año en conmemoración de tal triunfo militar. El soneto es elocuente:

> ¿Qué es lo que hacéis? — En nada discurrimos.
> ¿Pensáis en algún medio? — No sabemos.
> ¿Buscáisle en la Justicia? — No podemos.
> ¿Esforzáis la milicia? — No la vimos.
> ¿Dónde está el bien común? — No lo sentimos.
> Su honra, ¿dónde está? — No la tenemos.
> Habladme sin rebozo. — No queremos.
> Advertirme siquiera. — No advertimos.
> ¿Qué consultáis? — Los cuándos y los cómos.
> ¿Y los motivos? — Eso no alcanzamos.
> De guerra, ¿qué sentís? — Perdidos somos.
> ¿Socorréis al imperio? — No atinamos.
> ¿Hay alguna esperanza? — Ni aun asomos.
> ¿Y el caso de la copa? — En eso estamos.

No podía Gracián desconocer el malestar del país, que se manifestaba esporádicamente en éstas y otras sátiras políticas. Si aparece algún elogio del Rey en sus obras, se trata de oficiosidad formu-
laria[9]. Reiterará, en cambio, las alabanzas al príncipe Baltasar
Carlos, que es la última posibilidad de que algún día España vuelva
a ser regida con mano fuerte. Aunque quizá no ignorase su extraña
afición a capar gatos, de la que se burla donosamente otro romance
anónimo —el poeta representa la voz del pueblo—, presagia que él
volverá a señorear las cuatro partes del mundo, por la razón pueril
de que en su nombre se contienen las letras iniciales de Asia, Africa,
América y Europa, las grandes unidades geográficas del universo
entonces admitido. A él, asimismo, dedicará Lastanosa *El Discreto*.
Pero esta esperanza se trunca con la prematura muerte del príncipe en 1646, a los diecisiete años, lo que le sume en definitiva
melancolía.

---

[9] Es asimismo significativo, por su sarcasmo, el elogio que Saavedra Fajardo hace de Felipe IV, a pesar de ser su plenipotenciario en las Cortes de
Europa: "Lo robusto y suelto en la caza del Rey nuestro señor..., su brío
y destreza en los ejercicios militares, su gracia y airoso movimiento en las
acciones públicas, ¿qué voluntad no ha granjeado?" (*Empresas*, III).

Con la edad y la experiencia vendrá el desaliento y el pesimismo, la renunciación a toda posibilidad humana. Con sutil perspicacia observa Gracián cómo la fortaleza de España se iba debilitando, cómo la corrupción interna minaba sus virtudes cívicas, cómo la vitalidad del español amenguaba y se sometía a los extraños. Todavía restaba la apariencia, pero la mirada penetrante del jesuíta —del mismo modo que Saavedra Fajardo o Quevedo— percibía ya los síntomas de este ocaso inevitable y fatal. España es un sol que declina, y él se contentará, en un repliegue de dolorosa resignación, de irremediable desesperanza, con más limitadas ambiciones, reducidas a lograr el hombre de ingenio y discreción, prudente, vencedor de sí mismo, acaso retirado en la pequeña ciudad, lejos de la Corte y de su contubernio, a solas con sus libros y sus pensamientos o luciendo su discreto saber y su donaire espontáneo o artificioso en un breve círculo de amigos dilectos, con la ilusión de que algún día resurgiese quizá de esos vivos rescoldos el Fénix político, el individuo culminante, la criatura de excepción que renovase las efemérides añoradas.

Es un espíritu alerta, con un fino sentido de percepción para el fenómeno político, al que basta mirar hacia atrás para adivinar, a la vista del presente, el porvenir de España, su declive sin remedio, y así, sus escritos comenzarán a entreverarse de amargura y frío análisis. Si en su primera obra se lamenta del "criticismo de España" [10], como malsano al ambiente en que el héroe habrá de surgir y desenvolverse, terminará ejercitando en su libro de mayores proporciones y más considerable doctrina, un puro criticismo que le llevará a lamentarse de los males de su país, reflejando con sarcasmos sus estados y costumbres. Con todo, no se acostumbra a la idea de renunciar definitivamente a su afán inicial, porque todavía, aquí y allá, aunque muy aisladamente, se complace en destacar de entre el cieno y la confusión y las sombras, que esto es el mundo de España en las páginas de *El Criticón,* figuras señeras de virtud y heroicidad. Hay en esta tremenda sátira social una última finalidad moral y ética y patriótica, como si con su diatriba pretendiera

[10] *El Héroe,* XIX.

volver a la razón a los cobardes que retroceden, dar ánimos a los desalentados y regenerar a los corrompidos.

Quevedo se irritará vivamente al contemplar cómo va la cosa pública, y así en la epístola que comienza *No he de callar, por más que con el dedo...*, en el soneto *Al mal gobierno de Felipe IV*, en su memorial a la *Católica, sacra y real majestad...*, que dice:

> Grande sois, Filipo, a manera de hoyo...

en *El Padre Nuestro glosado*, o en las décimas *Sobre el estado de la Monarquía*, que se inician con aquellos versos:

> Toda España está en un tris
> Y a pique de dar un tras...,

se las canta claras al Rey, a su valido y expone ásperamente los males de su patria.

Gracián, no. Su larvada y suave amargura, que la ironía sarcástica hace más triste, es un producto de su dolorosa renunciación al darse cuenta de que ya todo es inútil. Conoce demasiado a España y a los españoles para fundar en realidades su optimismo. Los españoles son grandes iniciadores, que no saben coronar su obra. Vencen en la guerra, pero no saben triunfar en la paz: "Todo se les va a algunos en comenzar, y nada acaban; inventan, pero no prosiguen; todo para en parar; si bien nace en otros de impaciencia de ánimo, tacha de españoles, así como la paciencia es la ventaja de los belgas. Estos acaban las cosas, aquéllos acaban con ellas; hasta vencer la dificultad sudan, y conténtanse con el vencer. No saben llevar a cabo la victoria; prueban que pueden, mas no quieren. Pero siempre es defecto de imposibilidad o liviandad" [11].

La comparación con otro pueblo más metódico y constante, y el reproche justificado de que España malogra sus victorias, parece un anticipo de lo que dirán tras él los arbitristas y patriotas del XVIII y XIX, el abate La Gándara o don Ramón de la Sagra, por ejemplo.

Como ellos, se dolerá del atraso de su país y de lo poco que se ha hecho por mejorarlo: "Porque es de notar que España se está

---

[11]   *Oráculo.*

hoy del mismo modo que Dios la crió, sin haberla mejorado en cosa sus moradores, fuera de lo poco que labraron en ella los romanos: los montes se están hoy tan soberbios y zahareños como al principio, los ríos innavegables, corriendo por el mismo camino que les abrió la Naturaleza, las campañas se están páramos, sin haber sacado para sus riegos las acequias, las tierras incultas; de suerte que no l.a obrado nada la industria" [12].

Los hombres que podían llevar a cabo grandes empresas, en la guerra, en la paz, no existen. Como Guevara, en su *Menosprecio de corte y alabanza de aldea,* afirmará y negará de su tiempo: "No es éste siglo de hombres, digo de aquellos de otros tiempos..., no es siglo de hombres eminentes ni en las armas ni en las letras" [13]. O bien: "Floreció en el Siglo de Oro la llaneza; en éste de hierro, la malicia" [14]. Y todavía, como el obispo de Mondoñedo, llamará al suyo siglo de lodo: "todo lo veo puesto de él: tanta inmundicia de costumbres, todo lo bueno por tierra, la virtud dió en el suelo con su letrero: "Aquí yace". La basura a caballo, los muladares dorados y, al cabo, todo hombre es barro" [15], palabras que parecen un eco de aquéllas de Guevara: "Gozaron nuestros pasados del siglo férreo y quedó para nosotros, míseros, el siglo lúteo, al cual justamente llamamos lúteo, pues nos tiene a todos puestos de lodo".

La añoranza de otros países más adelantados, de otras épocas más puras y, sobre todo, de los hombres representativos de otras edades, desasosiega el ánimo español de Gracián. En sus páginas surge con insistencia el recuerdo de los grandes forjadores de pueblos, de los héroes y adalides famosos: "¿Qué? ¿Pensabais hallar ahora un don Alonso el Magnánimo en Italia, un Gran Capitán en España, un Enrique IV en Francia? Ya no hay tales héroes en el mundo ni aun memoria de ellos..." [16]. "Ya no hay Rómulos ni Alejandros ni Constantinos" [17]. "¿Volverá al mundo otro Alejandro Magno, un Trajano y el gran Teodosio? ¡Gran cosa sería!" Sus interrogaciones sin respuesta expresan una viva ansiedad.

[12] *Criticón,* III, 9.
[13] *Ibíd.,* I, 6.
[14] *Oráculo.*
[15] *Criticón,* II, 3.
[16] *Ibíd.,* I, 6.
[17] *Ibíd.,* II, 1.

Aparte de los elogios oficiosos que le tributa en sus primeras obras, perdido su áulico entusiasmo, nada puede afirmar de su rey, Felipe IV, distraído de sus deberes, si no es para alabar su piedad. A él y a su pusilanimidad guerrera, como lo había demostrado en la campaña de Cataluña, parece aludir en *El Criticón,* cuando dice: "No hay que admirar, que iban los mismos reyes en persona, no en sustituto, que hay gran diferencia de pelear el amo o el criado. Asegúroos que no hay batería de cañones reforzados como una ojeada de un rey" [18].

Cuando se trata de apoyar su teoría con ejemplos insignes, elude su nombre con puntos suspensivos. "¡No hay espada como la del señor don Juan de Austria, no hay bastón como el de Caracena, no hay testa como la de Oñate!..." y sigue una larga enumeración de hombres ejemplares en las más diversas actividades, todos ellos de su época, para terminar: "No hay cetro como el de...!" [19]. Aunque cite a su hijo ilegítimo como figura heroica, y a todos los demás, que son contemporáneos, se abstiene de nombrar a Felipe IV como arquetipo de rey. Su entereza le impide afirmar con falsía aquello que no siente, aunque se trate del propio Monarca. El pobre rey débil, dándose cuenta asimismo de la ineficacia de su actuación, se lamentará en la carta que el 4 de octubre de 1646 dirige a su confidente política, Sor María de Agreda: "ando con deseo de acertar, y no sé en qué yerro...".

Las cosas van de mal en peor en Cataluña, en Flandes, en Italia, y se han frustrado las ilusiones que había puesto en el Cardenal-Infante, muerto en 1641, a los treinta y dos años, y en el Príncipe Baltasar Carlos, al que había dedicado su *Arte de Ingenio* en 1642, y *El Discreto,* en 1646, que muere a los diecisiete años. En *El Criticón* y en su Segunda Parte, en 1653, al presentar la *Fama, Fortuna, Naturaleza, reñidas,* tendrá un grave recuerdo para estas dos promesas, de las que esperaba el bien de España: "un Infante Cardenal antecogido", es decir, malogrado; "un príncipe don Baltasar, sol de España, eclipsado".

---

[18] *Ibíd.,* III, 10.
[19] *Ibíd.,* III, 12.

No le queda a Gracián y a su patria otra esperanza que la originada de la gravidez de la reina. En las dos cartas que en 1655 escribe a su amigo don Francisco de la Torre, insistirá una y otra vez, como si fuese un amargo estribillo, en tal acontecimiento.

Y luego, años después, en la Tercera Parte de *El Criticón,* que se publica en 1657, como si renunciase definitivamente a su Rey y sólo confiase en el sucesor:

—¿Qué atiendes con tanto ahinco?—le preguntó el Cortesano.

—Estoy mirando si vuelven a salir aquellos Quintos tan famosos y plausibles en el mundo, un don Fernando el Quinto, un Carlos Quinto y un Pío Quinto.

—¡Ojalá que eso fuese y que saliese un don Felipe el Quinto en España! ¡Y cómo vendrá nacido! ¡Qué gran rey había de ser, copiando en sí todo el valor y el saber de sus pasados! [20].

La ilusión se desvanece en los párrafos siguientes: "Pero lo que noto es que antes vuelven a salir los males que los bienes. Tardan éstos lo que avanzan aquéllos" [21].

No verán los ojos de Gracián la realización de su sueño patriótico, porque los príncipes salvadores en que confía, se malogran. Muere en 1658, el mismo año en que el Imperio pierde el florón de la Jamaica y nuestro ejército es derrotado en las Dunas. Un año más de vida le hubiera bastado para contemplar nuestra derrota definitiva, que eso significaba la Paz de los Pirineos, por la que España cedía a Luis XIV de Francia el Artois, ciertas zonas de Flandes, Luxemburgo, la Cerdeña y el Rosellón; por la que España abdicaba definitivamente de su poderío ante el empuje renaciente de Francia.

Siete años más sigue España dando tumbos, mal gobernada por su Rey, que, a la postre, en el momento de la verdad, que es el de la muerte, reconocerá humildemente en su testamento:

Por cuanto, por desgracia mía, tengo sobrada experiencia de lo pernicioso que es entregar un príncipe las riendas del Gobierno y aun su propia voluntad, a la de un privado, pues de esto resultan los mayo-

---

[20] *Criticón,* III, 10.
[21] *Ibíd.*

res detrimentos de los vasallos y la ninguna autoridad del Príncipe, pues sólo lo es en el nombre, por serlo verdaderamente el privado en el ejercicio; y que estos males, daños y perjuicios que nacen de esta sujeción, yo los conocí tarde, por más que algunos vasallos timoratos y leales me lo hicieron saber varias veces en sus escritos, a que yo no di crédito, por la necia confianza que en mi privado tenía, encargo mucho a mis sucesores no tengan semejante especie de validos, y si alguno tuvieren, sea de tal modo, que nada pueda obrar sin noticia suya.

De poco valen sus tardíos consejos y advertencias, porque —para que España caiga en irremediable decadencia— le sucederá un rey enfermo, hijo de padres consanguíneos, niño de cuatro años, gobernado por los encontrados y turbios intereses de una camarilla cortesana.

Por fortuna, no alcanza a ver Gracián tanta pública calamidad, que hubiera colmado de amargura su ansiedad española, su ilusión de un futuro mejor, que superase los modelos antiguos.

SU ESTILO

Habría que preguntarse si se puede hablar propiamente de un estilo de Gracián, único, uniforme. Como gran creador que es, Gracián percibe con evidencia la forma peculiar que exige el fondo, el tono, el carácter del tema, y así adopta el modo de expresión adecuado a cada modalidad, lo que motiva diferencias y matices en su estilo.

Asimismo, de igual manera que hemos podido referirnos a una evolución de su pensamiento paralela a su ciclo vital, que hace que una vez traspuestas la mayor edad y senectud su doctrina madure y colme de dulces frutos, del mismo modo, el estilo responde a esta evolución y tiende a la claridad, naturalidad y fuerza expresiva, según adquiere experiencia literaria. Sus primeras obras —a pesar de que se siente en ellas la tenaz corrección— pudieran pecar en algunos momentos de inexperta captación de los conceptos, por lo mismo que es más difícil expresarse brevemente que en prosa larga y tendida, pero este balbuceo inicial va siendo eliminado tan pronto adquiere el adiestramiento sabio que dan los años y los libros. En cuanto a esta evolución, tenemos un ejemplo evidente en el *Oráculo*, donde se recogen las ideas esenciales de los libros anteriores, pero ya con una concisión y exactitud lapidarias. Lo mismo sucede en *El Criticón*, su obra última, que, en relación con las precedentes, muestra una visible superación por lo que se refiere a la naturalidad, soltura, intención, profundidad y donaire de la forma.

Con todo, aunque se percibe un denominador común que pudiera estar representado por la frase breve y sucinta, nerviosa y ágil, podemos anotar en su estilo distintas variaciones, muy apreciables a simple vista, que podrían reducirse a esquema, de este modo:

a) Estilo familiar, representado por sus cartas, escritas al correr de la pluma, con la máxima espontaneidad, sin pretensiones literarias, olvidado de los lectores. Podría añadirse a este grupo la dedicatoria de la *Predicación fructuosa,* las aprobaciones a diversos libros, los documentos oficiales de la Compañía que se le atribuyen, e incluso el prólogo a la antología de Alfay, ya que, dada la índole de cada uno de estos géneros, no podía salirse del carácter y los límites impuestos, aunque aparezcan aquí y allá rasgos muy personales del escritor en cuanto a sus variantes de estilo más elaboradas.

b) Estilo oratorio, de tono levantado, en el que observaríamos dos variantes: una, de tipo académico, del que serían muestra *El Político* y algunos capítulos de *El Discreto,* que tienen todo el carácter de disertaciones leídas ante un grupo de gentes selectas, y otra, de mayor interés, de tipo religioso, representada por *El Comulgatorio,* que, en efecto, pudiera considerarse una amalgama de retazos de sus sermones, que no conocemos, pero de los que tenemos elogiosas referencias de sus contemporáneos.

c) Estilo flúido y plástico, con el que describe tipos y costumbres en muchas páginas de *El Criticón,* asimilable en ocasiones al utilizado por los autores de la novela picaresca y por Quevedo en sus sátiras. Como ellos, se vale en este caso de la antítesis, del retruécano, del lenguaje de germanía y de los neologismos ingeniosos, para lograr los efectos burlescos que se propone.

d) Y, en fin, un estilo lacónico, condensado, que le es el más propio, castigado de todo elemento innecesario, hasta reducir el pensamiento a la mínima expresión; tan hermético, que pretende sugerir lo que apenas pueden decir las palabras por sí mismas. Es esta forma estilística, cerrada, sentenciosa, que acuña la frase en apotegmas, la que predomina en sus obras, y culmina en el *Oráculo.*

Enunciadas estas variaciones, enumeremos los caracteres generales a todos ellos, en especial a los tres últimos, en los que puede variar el tono o la fluidez del discurso, pero no así los recursos estilísticos de que se vale permanentemente.

Hay en Gracián una manifiesta voluntad de estilo. Se puede imaginarle escribiendo, concentrado, ensimismado en su labor, eliminando cuanto le parece superfluo, añadiendo elementos que considera expresivos, nunca satisfecho de sí mismo. El cuaderno, el pliego en que escribe, está colmado de tachaduras y añadidos, notas y llamadas. No debía ser Gracián escritor fácil y espontáneo, o, si lo era, sus escrúpulos estéticos le harían reformar y corregir continuamente cuanto le salía de primera intención. Nos lo demuestra a las claras el autógrafo que de *El Héroe* se conserva en Madrid [1], en el cual las abundantes correcciones tienden a lograr una mayor claridad, concisión o significación recóndita de la frase, siempre en busca de una expresión más refinada, sintética o ampulosa, según lo considere necesario. Sería preciosa la existencia de los manuscritos de sus demás obras para el estudio total de sus preocupaciones estilísticas. De su rigurosa técnica, que pasaba por distintas fases y sucesivas revisiones, parecen ser indicio sus propias palabras al frente de la Primera Parte de *El Criticón:* "Si esta primera te contentare, te ofrezco luego la segunda, ya dibujada, ya colorida; pero no retocada". Que le inquietaba hondamente la exactitud de expresión, que trabajaba su prosa como una delicada y difícil orfebrería, él mismo lo declara cuando dice en carta a Uztarroz: "Esto sí que es correr y aun volar, y no como nosotros a paso de un nogal, que es menester siempre coger el fruto con violencia" (Huesca, 12 de enero de 1648).

Pesaban sobre él, en ese momento indecible de la creación, demasiadas reminiscencias y ordenanzas de las humanidades, de la preceptiva escolástica, de la retórica eclesiástica, con su complicado casuísmo, y aunque él, cuando se propone escribir un tratado de retórica, procura disimular su perfecto conocimiento de la materia, confirmando las figuras y elegancias con oscuras denominaciones, eludiendo su definición clásica, se percibe claramente que son las mismas normas antiguas que él había aprendido en las escuelas

---

[1] Vid. Coster, *Baltasar Gracián. El Héroe. Reimpresión de la edición de 1639. Publicada con las variantes del códice inédito de Madrid y el retrato del autor.* Chartres, 1911, y también *Sur une contrefaçon de l'édition de "El Héroe" de 1639,* en *RHi.,* 1910, XXIII, pág. 594 y ss., en donde se hace un estudio comparativo de ambos textos. Supera a estos trabajos en minuciosidad y cuidado, no sólo en el estudio de las variantes, sino también en la interpretación estilística, el ya citado *Estudio del autógrafo de "El Héroe" graciano,* de Romera-Navarro. Madrid, *RFE,* Anejo XXXV, 1946.

y en los libros, aunque con nombres nuevos. La *Agudeza* viene a ser un código de toda la sabiduría retórica anterior, a la que añade las novedades aportadas por las dos tendencias literarias más recientes.

Resultaría muy fecundo indagar en qué medida se hace ostensible en la obra personal de Gracián este saber preceptivo. Ya hemos visto, al comentar su *Agudeza y Arte de Ingenio,* cómo, a pesar de su frecuentación de los autores conceptistas y culteranos, no puede asimilársele a una u otra tendencia sin pecar de inexactitud en el juicio. Si acaso, participa, como éstos y aquéllos, de ciertas fórmulas y procedimientos estilísticos, pero en él, todo mesura y meditación, no hay orgías de pensamiento ni desbordamientos de forma. Le apasiona la expresión del concepto apretado e ingenioso, y en ello podrá semejarse a los conceptistas; gusta por veces del estilo elegante y florido, lo que hará pensar en una cierta identidad con los culteranos, y para el logro de sus propósitos se valdrá de fórmulas coincidentes. Eso es todo. Su temperamento, su emoción, su doctrina, su sensibilidad y gusto —los auténticos veneros de la creación literaria, junto a los que determinadas modalidades de expresión son puramente accesorias—, le distanciarán, en cambio, de unos y otros.

En el estilo de Gracián deberíamos ver, pues, más que el influjo inmediato de los escritores contemporáneos, una semejanza formal atribuíble a una formación clásica común y, sobre todo, a la aplicación de una serie de recursos técnicos del mismo origen. Como los conceptistas, usa y abusa de ciertas figuras de dicción, tales como el asíndeton, por el que desaparece todo enlace de las palabras y oraciones; la conmutación o retruécano, inversión de los vocablos para significar lo opuesto: "tantos subieron del cuchillo a la corona como bajaron de la corona al cuchillo"; la concatenación: La Historia "no es sino la maestra de la vida, la vida de la fama, la fama de la verdad y la verdad de los hechos"; la aliteración, que repite los sonidos consonánticos, frecuentemente unida a la paronomasia, la derivación y el equívoco, juegos de palabras de distinto sentido, aunque iguales o con pequeñas variantes, en el que se complace: "Qué de veces y sin voces...", "las vanas Venus...", "entre peñas y entre penas...", "bulla el valle, brega la vega, trisca el risco y los bosques, voces", "cada uno de su gesto y de su gusto", "Para que se doblase su tormento con la tormenta". Los ejemplos desde su primera hasta su última obra, podrían ser ilimitados.

Asimismo, se asemeja a ellos, en el empleo reiterado de ciertos tropos de sentencia, como el enigma, la sarcástica ironía, la desmesurada hipérbole ("Ya me arrojaban tan alto las olas, que tal vez temí quedar enganchado en algunas de las puntas de la luna o estrellado en aquel cielo..."), la alusión, la reticencia, la paradoja. En sus escritos pululan las figuras lógicas y entre ellas, la prolepsis, subyección, sentencia, amplificación, perífrasis, clímax, comparación, antítesis y corrección. Podría escribirse un minucioso tratado de los tropos y figuras, poniendo exclusivamente como ejemplos de cada definición, frases y cláusulas de Gracián, que al escribir debía tener muy en la memoria las fórmulas retóricas aprendidas en sus años escolares, aunque en él, por la espontaneidad con que fluyen, no se perciba el molde.

A los escritores de amplio período —que había leído complacidamente, aunque su gusto por la concisión le distanciase de su técnica ampulosa—, se parece en la utilización de ciertas elegancias, como la similicadencia, sinonimia y paradiástole, y también en el uso de varias figuras patéticas, que ellos prodigan... Pero adviértase por anticipado que la modelación de su pensamiento en tales figuras retóricas, que en los demás puede ser mero juego verbal, adquiere categoría trascendente en Gracián. Se propone alcanzar con estas variaciones, aparentemente pueriles, un doble sentido, una significación ideológica, un nuevo concepto: "De sus joyas sólo quedó el eco en hoyas y sepulcros". "Las sedas y damascos fueron ascos...; los olores, hedores". "Todo aquel encanto paró en canto y en responso y los ecos de la vida en huecos de la muerte". No pretende divertirse con chisporroteos de vano ingenio, sino que destaca, subrayándola, la intención profunda de su pensamiento.

Con los culteranistas tiene una cierta concomitancia en el empleo frecuente de los tropos. Cuando Gracián define el concepto como "un acto del entendimiento, que exprime la correspondencia que se halla entre los objetos" [2], ¿qué hace sino acumular en esta definición

---

[2] *Agudeza*, II.

las características de los tropos, en sus distintas variantes? Reiterará
hasta la saciedad el uso de este vocablo, y, por el contrario, disimu-
lará cuanto le sea posible las denominaciones clásicas de metáfora,
sinécdoque y metonimia, del mismo modo que las sutiles y bizantinas
clases y divisiones de la agudeza, podrían asimilarse sin reparo a las
antiguas clasificaciones de la poética. Se acerca asimismo a los cul-
tistas en su complacencia por el lenguaje metafórico, más discreto
que en ellos, pero insistente, aunque sin prodigalidad. Las metáforas
no se entrelazan en guirnalda como en Góngora, por ejemplo, sino
que surgen aquí y allá, aisladas. Contemplando el mar, Andrenio
sentirá "hidrópica la vista de los líquidos cristales". El agua tendrá
"sus entrañas cristalinas". Un navío que atraviesa el Atlántico será
"portátil Europa". Tales flores de artificio vienen a ser un adorno
preciso y discreto, y su atractivo mayor está en que nacen espontáneamente, sin aparente esfuerzo ni fatiga, porque pronto volverá
Gracián a su expresión natural o sentenciosa.

Más se asemeja a los culteranos por su continua construcción
figurada, indudable influencia de la literatura latina, de la que estaba
saturado: "Aquellos estiman la abundancia de la paz que pasaron
las miserias de la guerra". El verbo, al que Gracián confiere tan
expresiva intención [3], tácito en la frase ("Lo bueno si breve, dos
veces bueno; lo malo, si poco, menos malo") o anticipado al sujeto:
"Aquél diría yo es feliz, que fué primero desdichado". Tan forzado
es el hipérbaton, tan desquiciados están en su lugar los elementos
de la frase, elípticos frecuentemente, que por veces se requiere un
esfuerzo lógico para interpretar justamente su sentido.

Le aleja de ellos, en cambio, su repugnancia por las alusiones
mitológicas, tan traídas y llevadas por los culteranos. Más que ser-
virse de vagas entidades de las religiones antiguas, prefiere crearse

---

[3] "Mas el nervio del estilo consiste en la intensa profundidad del verbo.
Hay los significativos, llenos de alma, que exprimen con doblada énfasis, y la
sazonada elección de ellos hace perfecto el decir... Preñado ha de ser el verbo,
no hinchado, que signifique, no que resuene; verbos con fondo, donde se en-
golfe la atención, donde tenga en qué cebarse la comprensión. Hace animado
el verbo la translación, que cuesta la alusión, crisis, ponderación y otras semejantes perfecciones, que con aumento de sutileza fecundan y redoblan la significación... porque hay grados en el significar, exageran unos; al contrario
otros escasamente apuntan...". *Agudeza*, LX.

para su uso particular una mitología propia, a base de símbolos morales. Rehuye a toda costa el mundo pagano, que apenas asoma a su obra, porque nada, o muy poco, le sugiere a su alma cristiana. Bajo el *humus* humano y humanístico superficial, en el subsuelo de su conciencia española, se extienden las raíces de un sentimiento, de un saber religioso y sapiencial, que le habían comunicado los libros sagrados de la Biblia, con su hondura de pensamiento y su peculiar belleza de forma, y que tan al pormenor conocía, como se muestra en las numerosas alusiones y paráfrasis que hallaríamos en sus obras de los textos bíblicos. Y no sólo por lo que se refiere al contenido esencial, a la idea, sino también a la misma forma de expresión, terciada y contrapuesta. A poco que se observe, es frecuente percibir en las sentencias de Gracián el eco de los versículos bíblicos. "Hay hombres ocasionados por genio, aun por nación, fáciles de meterse en obligaciones, pero el que camina a la luz de la razón siempre va muy sobre el caso". "Algunos ponen más la mira en el rigor de la dirección que en la felicidad del conseguir intento, pero más prepondera siempre el descrédito de la infelicidad que el abono de la diligencia". "Hacíasele cuesta arriba a Andrenio, como todos los que suben a la virtud, que nunca hubo altura sin cuesta". "Los que más tienen menos saben y los que saben menos tienen. Que siempre conduce la ignorancia borregos con vellocinos de oro". En estos ejemplos, escogidos al azar, la simetría y proporción de las frases contrapuestas por las conjunciones que las enlazan, se logra a perfección el ritmo paralelístico, en su modalidad antitética. Si en ocasiones Gracián se divierte en desdoblar el sentido de las palabras para extraerles todo su jugo, más le complace el paralelismo de las ideas, su frecuente contraposición, como si de su choque y contraste se produjese un desdoblamiento y un mayor alcance en su significación, al iluminarlas recíprocamente. "...todo este universo —dirá— se compone de contrarios y se concierta de desconciertos" [4].

Así como Góngora y los suyos se preocupan esencialmente de la perfección de la forma, recargando su adorno, y los conceptistas persiguen de modo especial la captación de la idea, valiéndose asi-

---

[4] *El Criticón*, I, III. Para un estudio más amplio de estas formas paralelísticas en Gracián, vid. HELMUT HATZFELD, *The Baroquism of Gracián's "El Oráculo Manual"*, en *H. a G.*, págs. 113 y ss.

mismo de una cierta superabundancia de elementos expresivos, Gracián, que participa en varios aspectos de ambas tendencias, se diferencia de los primeros en su propósito doctrinal y en la brevedad suma de su frase, y de los segundos, que escribían sobre temas populares y en un tono grato a la mayoría, por su intención sibilina y su estilo hermético, sólo comprensibles por los selectos· Si, en efecto, puede hallársele aire de familia con el Quevedo de los tratados morales, la semejanza con *El Buscón,* los *Sueños* o los versos satíricos sería muy tenue y ocasional.

Lo que le importa esencialmente a Gracián es la consecución de una cierta oscuridad de expresión y de sentido que haga esotérico y recóndito su pensamiento, como si escribiese en un lenguaje cifrado, que sólo pudiesen interpretar los iniciados, y para ello crea previamente una nomenclatura propia, en la cual los vocablos tienen un valor particular. Evita toda claridad por un prurito de selección y señorío. "Los ingenios claros son plausibles, los confusos fueron venerados por no entendidos, y tal vez conviene la oscuridad para no ser vulgar" [5].

Pero Gracián, escritor oscuro en ciertas zonas de su obra, tiene su clave de interpretación. Sin recurrir a la minuciosa equivalencia de las definiciones que nos da en *Agudeza* con las denominaciones de la retórica y poética escolásticas y, en muchos casos, con las fórmulas de disección de la moderna estilística —lo que podría ser motivo de un estudio especial—, veamos cuáles son los procedimientos peculiares de que se vale.

¿Cómo logra, por ejemplo, ese premeditado hermetismo en que tanto se recrea? Primeramente, por el uso intencionado de un estilo lacónico, evitando a toda costa el período amplio y enfático, las oraciones compuestas, recargadas, subordinadas por nexos abusivos. El se contenta con la oración simple, enjuta, o a lo sumo enlazadas unas y otras por elementos coordinativos. Estamos muy lejos ya de las cláusulas rotundas, oratorias, de Fray Antonio de Guevara o de Fray Luis de Granada, escritores que tan bien conocía, que dejan en su obra evidentes reminiscencias, aunque nunca los cite. Utiliza, como ellos, acaso por su influjo, la asonancia, las enumeraciones, la

---

[5] *Oráculo.*

simetría de las frases, la amplificación o la antítesis, pero sin su prodigalidad, refrenando la andadura de la frase. En él los conceptos, en brevísimas cláusulas, se suceden simplemente yuxtapuestos, eliminados como innecesarios los nexos relativos o adverbiales. La elisión de términos oracionales es continua. Frecuentemente van tácitos, el artículo, el sujeto que habla o el verbo. "Nadie mira el sol resplandeciente y todos [le miran] eclipsado". El más frecuentemente elidido es el verbo *ser*. "Con los necios poco importa ser sabio, y con los locos [poco importa ser] cuerdo". "Hombre sin noticias, mundo a oscuras". "Ciencia sin seso, locura doble".

Los ejemplos podrían ser numerosos, tomándolos especialmente del *Oráculo,* su obra de expresión más concisa. Subsisten en *El Criticón,* aunque ya con intención diferente, para el logro del juego de palabras: "Gran juicio se requiere para medir el ajeno" [juicio], "todos se quedaron en blanco. Y por no haber dado en él" [blanco].

Gracián es elíptico y sinuoso, no tan sólo en el estilo, sino también en la ideología, y no por eso menos abundante y barroco, porque en sus síntesis apretadas hay que adivinar —y es necesario hacerlo para su comprensión total— aquello que ha eliminado por aleatorio y superfluo. Aunque parezca paradójico, su barroquismo se expresa, tanto como en su lenguaje gnómico y cerrado y en sus ideas en quinta esencia, en lo que da por sobrentendido.

Se esfuerza incansablemente hasta conseguir la máxima brevedad, la concisión suma, hasta dejar reducida la elocución a su propia esencia, sin aditamentos ni floripondios. El adjetivo apenas aparece o es sobrio [6], aunque en ocasiones, por contraste, se complazca en subrayar las cualidades duplicando el calificativo antepuesto: "Con

---

[6] Son interesantes las opiniones de Gracián sobre los adjetivos: "Los adjuntos y epítetos son gran parte del aliño del estilo, circunstancias de agudeza y aun cifras; sola la eminencia en esta parte, pudo dar crédito de ingeniosa elocuencia". "...no han de ser continuos ni comunes, sino significativos y selectos, porque en el epíteto se cifra tal vez el concepto, una alusión o una crisis, y hállanse algunos tan relevantes, que pasan los términos de su esfera". Pero Gracián, si los admite moderadamente en los demás estilos, los rechaza en el suyo propio, que considera el más perfecto: "El estilo lacónico los tiene desterrados en primera ley de atender a la intensión, no a la extensión". *Agudeza,* LX. Y luego de contar una anécdota y reproducir un dístico, dirá, expresivamente: "Mas el nervio del estilo consiste en la intensa profundidad del verbo".

una soberana callada majestad", "Aunque todo para mí era una
prodigiosa continua novedad", "La desnuda narración es como el
canto llano; sobre él se echa después el agradable artificioso contrapunto", "la virginal aljofarada aurora".

Cada aforismo es como un dardo dirigido a una intención, que
Gracián quiere expresar desnudamente, con intensidad, sin envolverla
en excesivas palabras, que atenuarían su vigor. Tantas ideas como
vocablos, y a cada idea, una pausa. La cláusula está tan reducida
a pura síntesis, es tan alquitarada y sutil la elocución, que según se
avanza en la lectura, habremos de irnos deteniendo a cada paso, a
cada punto y seguido, a cada punto final, para meditar, para desentrañar su ideación, para interpretar su doctrina, para asimilar su
condensada densidad.

"Escribo breve por tu mucho entender; corto, por mi poco pensar", confiesa humildemente [7]. Quizá no fuese sincero al decirlo,
porque más tarde declarará que las sentencias "cuanto más breves
son en el dicho, suelen ser más profundas" [8]. Que escribía en estilo
breve, a conciencia de lo que hacía, nos lo manifiesta su desdén
reiterado por la abundancia y amplitud retóricas: "No consiste la
perfección en la cantidad, sino en la calidad. Todo lo bueno fué
siempre poco y raro; es descrédito lo mucho" [9]. "La extensión sola
nunca pudo exceder de medianía, y es plaga de hombres universales,
por querer estar en todo, estar en nada" [10]. "Lo bueno, si breve, dos
veces bueno. Y aun lo malo, si poco, no tan malo. Más obran quintaesencias que fárragos" [11]. "Lo bien dicho se dice presto" [12].

Es posible que esta sintética brevedad, esta condensación del
sentido esencial, hagan de Gracián un escritor enigmático. La oscuridad es una de las características de los creadores barrocos. En
este aspecto, Gracián lo es en sumo grado. Como ningún otro, se
complace en hurtarse, en esquivarse a una primera y apresurada lectura. Muchas de sus máximas exigen que se las considere por uno

---

[7] *El Héroe,* "Al lector".
[8] *Agudeza,* XXIX
[9] *Oráculo.*
[10] *Ibíd.*
[11] *Ibíd.*
[12] *Ibíd.*

y otro lado, que se les den las vueltas en agudo y lento raciocinio, como si en ellas plantease una ecuación, cuya solución requiere un cierto esfuerzo mental al ir eliminando las incógnitas, pero que una vez hallada nos comunica el gozo de haberla descifrado.

No se contenta tan sólo con disimular su complejo, su recóndito pensamiento en un lenguaje difícil. Para encubrir los términos de ese teorema, se complace en complicar el significado de su ideología con emblemas y jeroglíficos, formas muy del gusto barroco. "Los emblemas, jeroglíficos, apólogos, empresas, son la pedrería preciosa al oro del fino discurrir", declarará [13]. Si Orozco, Solórzano Pereira, Saavedra Fajardo, seguidores de Alciato, aclaran su intención moral o política con la imagen plástica del dibujo alegórico, Gracián, en cambio, en su afán de encubrir cuanto le sea posible su propósito, utilizará este procedimiento, pero prescindiendo de la figura simbólica que les precedía, ya que de acuerdo con Pfandl [14], podemos considerar cada una de las máximas del *Oráculo* como una "empresa" propiamente tal, en la que, de los tres elementos que las constituían (imagen, sentencia y comentario), sólo falta la imagen visual que las iniciaba.

La extremada economía del léxico, la concisión del estilo, y la frecuente exposición de las ideas como enigmas, que exigen en muchos casos sutil exégesis, hacen de Gracián, en efecto, un escritor de difícil interpretación. Ya en 1637, decía Uztarroz en carta a Lastanosa, a propósito de *El Héroe* [15]: "En él hay mucho que admirar, ver la concisión de su estilo y los misterios que en él se comprenden. Obra es de poco volumen, pero de mucha comprehensión". Y advierte: "digna también de que todos los curiosos la lean atentísimamente por el peligro de huírseles el sentido". Pone un leve reparo, trayendo a cuento al prudente Horacio: "porque siempre el estilo lacónico suele tener algunos celajes de oscuridad, como lo advirtió en su *Arte poética*: *Dum brevis esse laboro obscurus fio.* Pero en el volumen que Vm. publica no corre el riesgo de oscuro, sino el de algo reflexivo, y algunas veces por vulgares pudieran ha-

---

[13] *Agudeza,* LVIII.
[14] *Op. cit.,* pág. 608.
[15] Vid. R. DEL ARCO, *Lastanosa. Apuntes,* pág. 63.

berse negado a tan sublime asunto, porque como las cláusulas y
períodos están en tantos matices, cualquiera sombra oscurece sus
luminosos resplandores, pero no por eso deja de ser el todo ilustre".
Y ya hemos visto cómo Uztarroz, al declararse enemigo de Gracián,
amplificará, con malevolencia, con acritud, estas censuras a su estilo
en la Censura que va al frente de la Segunda Parte de *El Criticón*.

Los reproches a la oscuridad de su estilo y al misterio de su
significación, se convierten en un lugar común entre sus contemporáneos, que subsiste hasta hoy. El canónigo Salinas dirá en su
aprobación de *El Discreto:* "El estilo es lacónico, tan divinizado, que
a fuer de lo más sacro, tiene hasta en la puntuación misterios".
Uztarroz insistirá, al frente del mismo libro, en la conveniencia de
leer las obras del jesuíta con la máxima atención, dada su profundidad, que exige una reposada hermenéutica. "No basta leerle para
comprenderle. La cultura de su estilo y la sutileza de sus conceptos
se unen con engarce tan relevante, que necesita la atención de sus
cuidadosos reparos para aprovecharse de su doctrina". El viajero
Antoine de Brunel [16], dirá de *El Criticón*: "il est si concis, si rompu & si estrangement coupé, qu'il semble qu'il ait pris l'obscurité à
tasche: aussi le lecteur a besoin d'en deviner le sens...", juicio que
se generaliza a otros críticos y traductores extranjeros.

Lastanosa, un poco fatigado de este tópico, sale gallardamente
a la palestra para defender a su amigo de los reproches que se le
hacen [17]. Lamentan unos, entre ellos la condesa de Aranda, que las
materias sublimes de que trata "se vulgarizasen con la estampa, y
que cualquier plebeyo, por precio de un real, haya de malograr lo
que no le tiene". Por lo que se refiere al estilo dirá: "Oponen los
segundos, que este modo de escribir puntual, con estilo conciso, echa
a perder la lengua castellana, destruyendo su claridad, que ellos
llaman pureza". Lastanosa, fino, inteligente hombre de letras, plantea aquí una grave cuestión estética. ¿Ha de escribirse para los menos, en un lenguaje de selección, que intenta hallar la expresión
buída y exacta, o bien en un tono corriente y moliente al alcance de
todos? El nos expondrá su opinión sin ambages: "Intento responder

---

[16]   Ed. cit., pág. 321.
[17]   *El Discreto,* "A los lectores".

a ambos de una vez, y satisfacer a los unos con los otros, de suerte que la objeción primera sea solución de la segunda, y la segunda de la primera. Digo, pues, que no se escribe para todos, y por eso es de modo que la arcanidad del estilo aumente veneración a la sublimidad de la materia, haciendo más veneradas las cosas el misterioso modo de decirlas. Que no echaron a perder Aristóteles ni Séneca las dos lenguas, griega y latina, con su escribir recóndito. Afectáronle, por no vulgarizar entrambas filosofías, la natural aquél y la moral éste, por más que el Momo inútil, los apode a entrambos, de Jibia al uno y de arena sin cal al otro".

Vese que Lastanosa trata de ejemplarizar con un escritor de cada una de las dos lenguas sabias, aunque el nombre de Aristóteles no venga demasiado a cuento. Mejor hubiese sido —rompiendo la simetría— recordar a Tácito, que Gracián debió conocer muy bien, emparejándolo con Séneca, que, ése, sí, es un claro antecedente del moralista aragonés y el iniciador de una escuela filosófica española, caracterizada no sólo por el carácter severo y profundo de los temas éticos, sino también por una sobriedad y concisión estilística muy raciales. "Leyendo a Gracián —podrá decir certeramente Aubrey Bell [18]— se da uno cuenta de lo español que es Séneca". Como él, Gracián se expresa en un estilo relampagueante, en cláusulas brevísimas, como arena suelta, sin argamasa innecesaria. Sobran los nexos accesorios, las palabras vanas, y de este modo lo que pierde en extensión, tendrá de más en honda significación, en intención trascendente.

Esta condensación expresará las ideas en purísimas síntesis, sin aditamentos inútiles, que dan a sus cláusulas el aire de aforismos y máximas, de proverbios y apotegmas, por los que Gracián sentía viva predilección. Siguiendo una tradición muy española, cuyos libros representativos están henchidos plenamente del saber popular —baste recordar el *Libro de Buen Amor, La Celestina, El Quijote*—, Gracián, que conocía a la perfección nuestro refranero, que estaba empapado de él, lo asimila a su obra [19], aunque tergiverse con frecuencia

---

[18] Aubrey F. G. Bell, *B. Gracián (Hispanic Notes and Monographs Spanish Series,* vol. III). Oxford, 1921, pág. 54.

[19] Romera-Navarro, *op. cit.,* III, pág. 498 y ss., tuvo el cuidado de reunir en un amplio *Registro de refranes y dichos proverbiales,* aquellos que

su verdadero sentido o su forma: "A pocas palabras, buen entende-dor". La retorsión ha sido suficiente para que el significado tenga mayor alcance. Si recordamos su "crítica reforma de los comunes refranes", incluída en la tercera parte de *El Criticón,* veríamos cómo, complaciéndole en sumo grado la escueta expresión paremiológica, no le contenta siempre su intención, que modifica humorísticamente.

Una nueva paradoja, muy española, por cierto, en este escritor exquisito, selecto, de minorías, es el vivo placer que siente al apro-vecharse de la breve filosofía del pueblo y al acuñar él mismo su compleja doctrina en cláusulas sucintas, simétricas, en consonancia, que nos hacen pensar, más que en la máxima o el aforismo, en el refrán demótico, sabroso y profundo, como si con ello pretendiese que su idea se derramase fuera de la órbita de los cultos y rodase entre todas las gentes, igual que monedas. En efecto, podría com-probarse que, siendo Gracián escasamente conocido por su obra to-tal, es, en cambio, uno de los escritores españoles más traído a las mientes por sus sentencias aisladas.

Asimismo, utilizará frecuentemente los modos adverbiales en uso o forjará locuciones de este tipo con fines ingeniosos, y esto con tal insistencia que, en ocasiones, podría pensarse que tanto como do-tar a su prosa de una densa doctrina o prodigar en ella los primores del estilo, le preocupaba la naturalidad y llaneza de la expresión. Vésele, desvelado por captar el genio autóctono de la lengua, su ri-queza de idiotismos, cuyo valor desdobla y complica todavía.

Y, sobre todo, el vocabulario. No puede decirse que sea abun-dante, pero sí es oportuno y está en su lugar. La palabra escogida parece haber fluído con espontaneidad en el discurso, sin aparente esfuerzo, porque expresa certeramente lo que Gracián se proponía. Su sabiduría idiomática es más perceptible en *El Criticón* que en ninguna de sus otras obras. Allí surge de continuo el vocablo justo e insustituible y, en muchos casos, en su acepción etimológica, ya perdida, más exacta aún, cosa natural en él, que era tan excelente latinista, aunque en otros, para lograr su intención satírica con un juego de palabras, se valga de falsas etimologías, como cuando hace

Gracián intercala en *El Criticón,* en especial los incluídos en su *Crítica reforma de los comunes refranes,* reproducida por J. M. SBARBI en su *Refranero General,* 1878, IX, pág. 93 y s.

proceder *corazón* de *cura* (*Crit.*, I, IX); *moneda* de *monendo,* 'persuadir' (II, III) o *mercadería* de *Mercurio* (II, V).

Pero la aparente naturalidad de Gracián en cuanto al léxico, esconde, sin duda, un penoso esfuerzo. Concebía la creación literaria como una laboriosa artesanía, como un continuado artificio, y es de suponer que le inquietase el hallazgo del vocablo preciso, esencial. Podemos apreciar sus escrúpulos estilísticos en el autógrafo de *El Héroe.* El mismo lo confesará: "Mas el nervio del estilo consiste en la intensa profundidad del verbo" [20]. Buscaba anhelantemente el término expresivo y adecuado, y cuando éste, después de insistente búsqueda y reflexión, no aparece, recurrirá al cultismo latino o al caprichoso neologismo, aunque sin caer en la extremosidad de los culteranos y conceptistas. Consciente de su libertad de creación, nos dirá que, así como el latín es un círculo cerrado, en el que no pueden introducirse voces nuevas si no es para designar cosas que en Roma no existían, "en el castellano puédese inventar, porque estos autores van haciendo la lengua" [21].

Contamos con un precioso documento contemporáneo, en el que se censura, con relación al lenguaje de la época, el libre léxico del escritor. Nos referimos a la *Crítica de reflección,* del P. Rajas o de Matheu y Sanz, que pretende actuar de espejo en el que se reflejan los defectos de Gracián, los mismos que él veía en los demás, en especial los de los valencianos. La censura tiene poca consistencia, por lo que se refiere a los latinismos, pues el hecho de que hayan pasado en su mayor parte al lenguaje habitual nos mostrará suficientemente el acierto de su empleo. El libelista anónimo le reprocha, por ejemplo, latinismos como *antagonistas, ascéticas, balteo, bivio, cacoetes, candidatos, crasicies, catástrofe, deliquio, desmentan, escandescencia, fachata, fanático, fruición, inedia, letífero, linfas, medula, morulas, piraustas, trineos, vaticinante, vial, vicisitud.* Porque en una ocasión y al paso, Gracián hubiese dicho que Villamediana, sin citarle, que "dábase a entender latinizando" [22], su contrincante excla-

---

[20] *Agudeza,* LX.
[21] Carta de Salinas.
[22] *Criticón,* II, 4.

mará: "¿Cómo pareciéndote imperfección te vales de tantas voces latinizadas?" [23].

Cuando los conocedores de los idiomas sabios se hallan ante la dificultad de expresar ciertas ideas con palabras de su lengua romance, de acepción más limitada o inexistente todavía, ante esta dificultad de expresión se resuelven a utilizar el vocablo culto, con lo cual benefician el idioma vernáculo al aumentar su léxico. A Gracián, gran latinista, le saldrían al paso estas expresiones que condensaban su pensamiento con exactitud, evitándole —a él, que era tan opuesto al circunloquio— toda perífrasis superflua. El uso de los latinismos respondía, además, a su gusto por la expresión hermética, que exige saber e interpretación.

Con todo, no puede decirse que abuse inmoderadamente de los cultismos, como Góngora y los culteranos, sino en su justa proporción, como tampoco prodiga con exceso los neologismos, a la manera de los conceptistas, que fraguan, uno tras otro, términos de significación pintoresca. Es mucho más moderado que Quevedo en la invención de vocablos, y hasta alguna vez, trata de justificarlos, como cuando dice: "No brilla tan ufano el casi eterno diamante en medio de los voraces carbunclos como *soliza, si así puede decirse un hacer del sol,* un augusto corazón en medio de las violencias del riesgo". Pocos más podrían hallarse esparcidos en su obra: *arrapaltares, marivenido, masecuentos, niquilote, reconsejo, refinos, titibilicios,* etc.

En este aspecto lingüístico, está entre unos y otros, sin extralimitarse. Para lograr "el nervio del estilo", traerá a cuento la palabra que considera conveniente, sin reparar demasiado si es culta o vulgar, si existe o es preciso crearla. Prueba de esta indiferencia, es la acusación que le hará la *Crítica de reflección,* al decirle: "Usas de palabras soeces, humildes, ásperas, bárbaras, obscenas y agrestes... *mocos, gargajos, borrego, muladares,* son las soeces... *Fatiguillas, albardas, tronchos, rebuznos, pasma simples* y *fajados,* las humildes. *Apegadizo, ruincillos, monadillas, redrojos, apañado, fofas,* las ásperas. *Salvajaz, desquijarado, cogín, esquiroles, amigado, punchoneros, desmalazados, angarillas, miceros, atapado,* las bárbaras. *Oste puto, empreña* y *ojo atrás,* las obscenas. Y últimamente las agrestes, *co-*

---

[23] *Crítica de reflección,* pág. 85.

banchón, refilando, vejedad, villanón, necidiscreto, mentecato y otras muchas" [24].

Que Gracián hacía uso premeditado de tales vocablos disonantes en apariencia, si los desprendemos y aislamos del contexto, pero que consideraba legítimos en la prosa, porque respondían a su propósito de trasladar fielmente su pensamiento, sin ambages ni rodeos, nos lo demuestra el hecho de que él, a su vez, hace el mismo reproche al canónigo Salinas, cuando escribe su poema *La casta Susana*: "algunas palabras civilísimas, que aunque no haya otras como *candil, cedazo, orinal,* etc., que no son para el verso...", cosa, en efecto, grave cuando se trata de poesía.

Gracián utiliza la palabra que cree necesaria, ya sea un cultismo, un neologismo, un término vulgar o del lenguaje de germanía, un aragonesismo, un derivado caprichoso, voces desusadas o impropias. Lo que le interesa y preocupa es que la palabra cumpla la misión que él le asigna, que responda a su propósito. "Cada palabra de Gracián —nos dirá Alfonso Reyes [25], certero apologista del escritor aragonés— tiene una función dinámica: nos lleva rápidamente, sobre un objeto que se está transformando en sus semejantes, de una en otra idea transitiva: sus conceptos están en marcha. De aquí su aparente imprecisión; de aquí su esfuerzo por huir del término "vulgar", cargado de connotaciones estáticas, y de buscar una designación nueva, rara, que todavía "desconcierte", que todavía haga pensar, a la vez que en el objeto transitoriamente designado, en sus semejantes".

La palabra, la palabra expresiva, he ahí su constante ansiedad; la palabra sobrecargada de sentidos y valores, a fin de que en la cláusula sea mayor el número de las ideas y las alusiones que el de los términos en que se contienen. El vocablo tendrá su valor directo, y además aquél o aquéllos que el escritor le añade. Hasta los nombres propios desdoblan su significación, si tenemos en cuenta la tesis de Leo Spitzer [26], al referirse a su tendencia a la "apelativización" de los sustantivos. No se trata de un banal juego de ingenio, sino de dotar a cada vocablo de una doble o triple valoración, de

---

[24] *Op. cit.,* pág. 73 y s.
[25] Nota crítica del libro de Coster, en *RFE*, 1915, II, pág. 386.
[26] *Op. cit.,* pág. 178 y ss.

exprimirle todos sus jugos, de mostrarlo en todas sus facetas. Cuando dice: "y las [mujeres] menos cuerdas más tocadas" [27], empleará la palabra "tocadas" de un modo significativo, apurando sus varias posibles acepciones, propias e intencionales, cosa muy peculiar en Gracián. Como aclara Romera-Navarro [28], estará usado con triple sentido, "por tocadas como cuerdas de instrumento musical, por tocadas de locura y por ataviadas".

En resumen, podríamos decir que Gracián tiende en todo momento a la exactitud de la expresión, valiéndose para ello de la concisión máxima, eliminando todo elemento accesorio, utilizando indiferentemente latinismos o neologismos, palabras vulgares o localismos. Se propone conducir al lector por veredas desusadas, abruptas, difíciles, para mostrarle desde la altura conseguida el admirable panorama de su obra total. Voltaire, que tan mal le conocía a través de versiones imperfectas, pudo llamar a su modo de escribir "*style d'Arlequin*", quizá reparando, más que en la profundidad de su pensamiento, en sus equívocos y chanzas, en sus pueriles juegos de expresión, superficiales e intraducibles. Rouveyre [29], que acierta algunas veces a interpretar con clara intuición al moralista español, justifica certeramente su estilo, cuando dice: "L'étude à outrance et la pratique à outrance, de tous les moyens de la rhétorique, c'était le feu d'artifice que cet homme profond faisait éclater, à la surface de son expression authentique, pour en protéger le véritable travail analytique et satirique".

Nosotros, viéndole desde lejos para alcanzar su verdadera perspectiva, que nos lo muestra en masa y conjunto, a grandes líneas, podremos proclamarle uno de los más prodigiosos y originales creadores de nuestro idioma [30].

[27] *Criticón,* III, 9.
[28] Ed. cit., III, pág. *278, n.*
[29] *Op. cit.,* pág. 114.
[30] Para un estudio pormenorizado del estilo de Gracián, además del libro del Prof. Blecua y del estudio de Hatzfeld, ya citados, puede consultarse el trabajo de FRANCISCO YNDURÁIN *Gracián, un estilo* (*H. a G.,* Zaragoza, 1958, 163-188), en el que se intenta, asimismo, aplicar a la prosa del autor del *Oráculo* las nuevas fórmulas de la Estilística.

FUENTES E INFLUENCIAS

Una sutil pormenorización de las fuentes utilizadas por Gracián, podría hacer pensar al lector poco avisado que el escritor no era sino un eco de ecos, un resumen de lecturas, que sus obras son curiosas polianteas y centones sin originalidad alguna.

Fué Gracián, sin duda, un constante, un apasionado lector, y esta frecuentación de los libros más diversos dejó en él numerosos sedimentos y reminiscencias que, llegada la oportunidad, utilizó sin recelo, indicando honradamente su origen y autor, unas veces, y que otras, echó en olvido con desenfado.

Su concepto de la originalidad aparece declarado en múltiples lugares. Baste recordar lo que a este propósito nos dice en *El Discreto,* XXII:

> Vese esto en los empleos del ingenio, que, aunque sean las cosas muy sabidas, si el modo de decirlas en el retórico y del escribirlas en el historiador fuese nuevo, las hace apetecibles.
>
> Cuando las cosas son selectas, no cansa el repetirlas hasta siete veces, pero aunque no enfadan, no admiran, y es menester guisarlas de otra manera para que soliciten la atención; es lisonjera la novedad, hechiza el gusto, y con sólo variar de sainete se renuevan los objetos, que es gran arte de agradar.
>
> ¡Cuántas cosas muy vulgares y ordinarias las pudo realzar a nuevas y excelentes y las vendió a precio de gusto y admiración! Y, al contrario, por escogidas que sean, sin este sainete no pican el gusto ni consiguen el agrado.

A través de esta paladina confesión podría creerse, en efecto, que Gracián no había hecho otra cosa que ir componiendo pacientemente un mosaico de ideas o anécdotas tomadas de aquí y de allá, adobándolas, dándoles forma nueva y ese sainete —vocablo del cual el diccionario académico nos ofrece varias acepciones utilizables [1]— que las hace sabrosas y picantes. Pero esto no es todo, porque él sabía perfectamente la distancia que mediaba entre la copia vulgar, el servil aprovechamiento de otros autores y la simple utilización de sugerencias, transmutándolas en valores propios:

> Gran felicidad conocer los primeros autores en su clase...; suele faltarle de eminencia a la imitación lo que alcanza de facilidad; no se ha de depasar los límites del seguir, que sería latrocinio... La destreza está en transfigurar los pensamientos, en transponer los asuntos, que siquiera se le debe el disfraz de la acomodación al segundo, y tal vez el aliño, que hay ingenios gitanos de agudeza. (*Agud.*, LXIII.)

Es decir, las viejas ideas, tan antiguas como el mundo en muchos casos, presentadas en forma nueva, que las desfigura y diferencia, dándoles el carácter de novedad.

Con este criterio, que es, en general, el de todo creador literario, aunque lo practique con menos franqueza, ya que nada surge en la mente por generación espontánea, porque todo pensamiento, expresión o asunto habrá de tener sus antecedentes más o menos lejanos, más o menos encubiertos y velados, Gracián se aprovecha, a la vista de todos, de sus lecturas.

El escritor de su tiempo tenía, por otra parte, un concepto diferente del actual por lo que se refería a la originalidad. El Renacimiento —del que Gracián es una madura consecuencia— consideraba aleatorio el título, la anécdota del asunto, el pretexto para el vuelo, la expresión superable, como si estos elementos dispersos y secundarios fuesen *res nullius,* acervo común del que todos podrían aprovecharse. El ejemplo más patente nos lo da el teatro. Lope escribe *El Alcalde de Zalamea,* lo que no obsta para que su contemporáneo Calderón utilice el mismo título y argumento y mejore o no —habría

---

[1] En el *Dic. Autoridades*: "*Saynete.* met. Qualquier bocadito delicado y gustoso al paladar. Dícese también del suave y delicado sabor de algún manjar". "Qualquier cosa que mueve a la complacencia, inclinación, o gusto de otra; como el donayre, discreción, etc.". "Salsa que se usa para dar buen sabor a las cosas".

que verlo— el inmediato modelo. Raro es el narrador que no incluye en sus escritos alguna *premática*: Cervantes, Quevedo, Gracián, entre otros. El asunto no difiere, pero sí el estilo o la intención. Los pintores o escultores tratarán el mismo tema, pero han creado obras totalmente diversas.

Es acaso Gracián, entre todos los escritores españoles, el que menos haya disimulado sus frecuentes préstamos, pero, no obstante, juzgando su obra en conjunto, podríamos afirmar que la eliminación de todos estos ingredientes extraños disminuiría en muy poco su valorización. "Quítese todo lo ajeno —dirá Romera-Navarro [2]—, y no parecerá menos rico; desnudémosle de toda prenda y ornato extraño, y seguirá siendo un atleta de las letras españolas".

Veamos cuáles son las influencias que pesan sobre el moralista. Sus páginas están empedradas de nombres de sus autores favoritos, especialmente *Agudeza* —buena guía para seguirle en sus gustos y predilecciones de juventud— y *El Criticón,* donde rectifica estos gustos o insiste en ellos, citando nuevos autores, más en consonancia con sus preferencias de la madurez. No tiene escrúpulo en declararlos, y así nos dirá en su prólogo a la Primera Parte de *El Criticón*: "En cada uno de los autores de buen genio he atendido a imitar lo que siempre me agradó: Las alegorías de Homero, las ficciones de Esopo, lo doctrinal de Séneca, lo juicioso de Luciano, las descripciones de Apuleyo, las moralidades de Plutarco, los empeños de Heliodoro, las suspensiones del Ariosto, las crisis del Boquelino y las mordacidades de Barclayo". ¿Son éstos, justamente, los escritores que mayor influjo han ejercido en su obra alegórica? Ante ésta y otras confesiones de parte, parece que deberíamos contestar afirmativamente, como lo hace Rouveyre, que lo ha estudiado a flor de piel, cuando dice: "Ce professeur d'Ecriture sainte affectionne, plus que la Bible, des écrivains profanes, certains très profanes, tels que Sénèque, Marc-Aurèle, Martial, Lucien" [3]. A ello contestará Romera-Navarro, ahondando profundamente en su exégesis de *El Criticón,* que, si bien es grande el caudal de referencias a los moralistas latinos, "sólo en los tratados de índole religiosa y didáctica se hallará

---

[2] Ed. cit., *Introducción,* pág. 46 y s.
[3] *Op. cit.,* pág. 97.

igual riqueza de alusiones bíblicas" [4], hasta el punto de que representan la séptima parte del total de referencias, mientras que las que aluden a los cuatro autores citados —en primer lugar Séneca y en segundo, Marcial—, apenas llegan a la mitad de las que tienen su origen en los textos sagrados.

Gracián despista y aturde a sus más fieles exegetas, aun cuando se le aplique el más sutil procedimiento erudito. Farinelli, por ejemplo, confiesa con sinceridad: "El estudio de las fuentes de Gracián presenta infinitas dificultades. La experiencia propia se cubre con la experiencia ajena" [5]. O bien, humildemente, como conviene a un serio investigador: "Difícil es establecer con rigor si esta u otra sentencia pertenece a Gracián o a algunos de sus predecesores. El crítico más experimentado y más docto puede también errar en el estudio de las fuentes de Gracián" [6]. En efecto, si se intentara un análisis al por menor de cada una de sus máximas, de cada una de sus ideas o frases —sólo posible sobre el mismo texto, al pie de la página, en una exhaustiva edición crítica—, nos encontraríamos con que los autores más citados por el moralista son precisamente los que están más lejos de él. Lo hemos visto, por ejemplo, en el caso de las citas bíblicas, en las que acaso considerase obvio recordar su procedencia. Hay que suponer que el lector medio de su tiempo —y Baltasar Gracián se dirigía con preferencia a los cultos— tenía una mayor formación religiosa y humanística que la de hoy. Por otra parte, los autores que utilizaba estaban más próximos a los lectores, y muchos de los que hoy apenas son conocidos —el caso de Alciato y de otros muchos— eran populares entonces. La misma cultura religiosa y teológica era más íntima. Hoy nos vemos y deseamos para comprender el simbolismo de un auto sacramental, que en el XVII podía interpretar la muchedumbre. Lo que entonces se sabía, se sabía mejor, con mayor fundamento, debido a la solidez y constancia en la enseñanza de las humanidades. Desde entonces a acá, el centro de interés se ha dislocado de los clásicos greco-latinos y de la patrística a los clásicos nacionales, y aun, en épocas de decadencia, de

---

4   Ed. cit., _Introduc.,_ pág. 44.
5   _Op. cit.,_ pág. 117.
6   _Ibíd.,_ pág. 130.

los siglos áureos de nuestra literatura, a los más próximos o a los escritores extraños.

Pero, lo que aparece claro y justificado con relación a los textos bíblicos, se presta a confusión en cuanto se trata de otros autores. Cita con prodigalidad poetas y obras distantes de sus gustos y pensamientos, de los que ninguna sugestión asimila, y, sin embargo, deja en olvido otros que ejercen sobre él evidente influencia. Es el caso de Guevara, de Fray Luis de Granada, de los místicos, cuya huella es muy perceptible en algunos pasajes de sus libros. Es el caso de Cervantes, que debió conocer perfectamente, ya que la pareja de caminantes de la vida de su *Criticón* pudiera considerarse un desarrollo ético y docente de los dos compañeros andantes de *El Quijote,* y al que solamente alude con desdén.

A pesar de que Gracián se complace en esquivarse, en hacerse inaprehensible, en escurrirse de las manos, a fuerza de rodeos y pesquisas, de atenernos a sus propias confesiones por lo que se refiere a sus preferencias literarias y de investigar sobre otras que él no declara, podríamos resumir a grandes líneas las fuentes de su pensamiento y de su expresión.

Serían éstas siguiendo un cierto orden cronológico y una agrupación geográfica :

a) *Las influencias bíblicas,* muy notorias y abundantes, perceptibles a lo largo de toda su producción y en especial de su ficción alegórica. Su base moral se asienta, en gran parte, sobre la profundidad sapiencial de los libros sagrados [7], con preferencia en el *Eclesiastés,* el *Eclesiástico* y en el *Evangelio de San Mateo.*

b) *Autores griegos.* Aunque excelente latinista, Gracián no debió conocer el griego, o al menos ninguna noticia tenemos de ello. Los que más frecuentemente cita pertenecen al período de la decadencia, más inmediato a la época y al espíritu latinos, como si los hubiese conocido a través de la lengua de Roma. Aunque Luciano de Samosata tiene un genio alegre y sombrío, afín al suyo, acaso sea Plutarco, con sus moralidades y apotegmas, y también con sus *Vidas paralelas,* el autor más utilizado.

---

[7] Vid. E. SARMIENTO, *Une note sur "El Criticón" et l'Ecclésiaste,* en *BHi.,* 1932, XXXIV, pág. 130. M. ROMERA-NAVARRO, *Citas bíblicas en "El Criticón",* en *HR.,* 1933, I, pág. 323 y ss.

c) *Latinos.* De la literatura latina, que debió conocer a la perfección, asimila, más que a los grandes poetas de la época áurea
—aunque cite a Horacio, Virgilio y Ovidio en su *Agudeza*—, a los
moralistas e historiadores como Cicerón, Tácito, Plinio el Joven,
César, y al naturalista Plinio el Viejo. Y sobre todo a los hispano-
romanos, como Séneca, que deja su impronta en muchas de las máximas del aragonés, y Marcial, por el que sentía viva admiración,
tanto quizá como por su incisivo y punzante humor, por el orgullo
de tener ambos una patria común. Y luego —en su gusto por los
escritores de época de decadencia—, Suetonio, con sus *Vidas de los
Césares,* Apuleyo, Marco Aurelio, Aulo Gelio y sus *Noches áticas,*
Petronio, etc. Con todo, si se hace excepción de la ética senequista
y de la moral ciceroniana, de la ironía de Marcial, coincidente con
la suya, del estilo breve de Tácito, del *Panegírico de Trajano* de
Plinio el Joven, los latinos apenas dejan en Gracián más que elementos accesorios, el dicho, la anécdota, el ejemplo [8].

d) *Escritores italianos.* Tampoco debió conocer la lengua italiana a la perfección, como da a entender una carta suya a Uztarroz
("Vm. no deje de recoger, si halla, *El pastor fido,* del Guarini, y
si está en castellano, mejor. (Yo le vi y le leí traducido) [9]. Y si no
sea en italiano, como se hallare"). Gracián debió conocer muy bien
determinados autores de Italia, ya fuese en su lengua original, ya
en versiones españolas. Dada la constante comunicación cultural de
ambos pueblos, rara es la obra de cierto interés para los curiosos
de entonces —muchas de ellas hoy olvidadas— que no pasará a nuestra lengua en un plazo más o menos corto, como iremos viendo, y
aun en ocasiones vertida por diferentes traductores.

De los poetas, los más citados en *Agudeza,* son Guarini y Marino,
por ser los más conformes a su gusto juvenil por lo florido, y aunque
cite alguna vez a Tasso y al Ariosto, no parecen haberle llegado al
alma. A Dante —que con la *Divina Comedia* pudo sugerirle en cierto
modo la arquitectura de *El Criticón*— y Petrarca, se refiere con
desdén.

---

[8] Vid. M. Romera-Navarro, *Autores latinos en "El Criticón",* en *HR.,*
II, pág. 102 y ss.
[9] Fué traducido al castellano por Suárez de Figueroa y también por
Isabel Correa.

Más le conmueven los tratadistas políticos, especialmente Maquiavelo, que le atrae como una tentación. Sus doctrinas "no son otra que una confitada inmundicia de vicios y de pecados; razones, no de estado, sino de establo; parece que tiene candidez en sus labios, pureza en su lengua, y arroja fuego infernal, que abrasa las costumbres y abrasa las repúblicas" [10]. Participa de esta aversión la *República* de Bodin, del Bodino, como él dirá. Con todo, *El Príncipe* ejerce sobre el aragonés una influencia manifiesta, de tal modo que *El Héroe* viene a ser un doble "a lo moral", limitado por la continencia cristiana, del perverso tratado, que asimismo deja su huella sutil en muchas máximas del *Oráculo*. Gracián forma en el grupo de impugnadores de Maquiavelo, acaso sea su más esforzado adalid, pero sin querer ha dejado brechas abiertas en su defensa, por las que el enemigo se ha entremetido. Era preciso conocerlo a fondo para combatirlo, y de este conocimiento procede, sin duda, cierta "antisemejanza" con el florentino.

Que esta repulsa está basada en una auténtica pasión, nos lo da a entender su independencia de criterio al juzgar a otros tratadistas italianos, que, si bien le son gratos por su ideología, arremeten en ocasiones contra España, cosa que les perdona, a pesar de sentirse y ser tan español, o contra la Compañía, a la que está tan íntimamente ligado. Es el caso de Trajano Boccalini, al cual, por más que sea un fiel intérprete de Maquiavelo, al que comprende y alaba, y de que en su *Pietra del paragone politico* lance una tremenda diatriba contra los españoles, elogia y recuerda repetidas veces por su libro *I ragguagli di Parnaso* (Venecia, 1612), traducido al castellano por Fernando Pérez de Sousa con el título *Discursos Políticos y Avisos del Parnaso de Trajano Bocalini* (Madrid, 1634, y Huesca, 1640), libro que, como hemos visto, pudo servirle de estímulo para la estructura de su *Oráculo*. Pero no sólo por lo que pudiera complacerle como creador literario, sino también por espíritu de independencia, Gracián habla sin animosidad del italiano, sin participar en la diatriba que Lope, por ejemplo, le dirige:

> Señores Españoles, ¿que le hizistes
> al Bocalino, o boca del infierno,

---

[10] *Criticón,* I, 7.

que con la espada y militar gouierno
tanta ocasión de murmurar le distes? [11].

El se limitará a decir donosamente: "Estos raguallos del Boquelino son muy apetitosos, pero de toda una hoja sólo se come el cabo
con su sal y su vinagre" y a denominar al autor italiano "el que supo
más bien decir mal" [12].

Es el caso de Conestaggio, al que ensalza cuando debe hacerlo,
olvidando en cambio sus ataques a España, que dieron lugar a que
Felipe II ordenara recoger sus libros.

Como una demostración de su eclecticismo, que halla virtud donde la hay —aunque en muchos casos no sea más que virtuosismo
literario—, podrían recordarse asimismo sus alabanzas del Barclayo,
de Juan Barclay, satírico inglés, enemigo apasionado de los jesuítas,
lo que no impide que Gracián le recuerde insistentemente por su
poema *Argenis* (París, 1622), traducido cuatro años después, en 1626,
por don José Pellicer de Salas y Tovar, y también por su novela *Satyricón* (París y Londres, 1603) —en la que se pone muy de manifiesto su intencionada malevolencia contra la Compañía—, y que, sin embargo, influye en diversos pasajes suyos y acaso en el mismo título
de *El Criticón*. Que su imparcialidad de criterio estaba sobre lo humano, aunque se le hiriese en lo más íntimo, vendría a corroborarlo
su actitud ante el famoso obispo de la Puebla de los Angeles, don
Juan de Palafox, enemigo acérrimo de la Orden, que inicia una
campaña de descrédito contra los jesuítas en 1645, a pesar de lo
cual se referirá a él con elogio en *El Discreto*, XVIII, publicado
en 1646, y todavía una vez más en *Agudeza,* LVI, que se publica
en 1648, lo que prueba cómo su espíritu independiente se cernía
en vuelo alto, sobre las cumbres, sin reparar en mezquindades te-
rrenas.

Más cerca estaba de otros tratadistas políticos y escritores de
Italia, como Botero y Malvezzi, como Alciato o Castiglione, a los
que alaba sin reservas.

De Giovanni Botero, su compañero de Orden en Italia, recordará con insistencia, proponiéndolas como modelo por su utilísima

---

[11]   *Rimas humanas y divinas,* Madrid, 1634, fol. 52, v.
[12]   *Criticón,* II, 4, y III, 9.

enseñanza, dos obras: *Della ragione di Stato* (1589), en las que se combaten las tesis políticas de Maquiavelo, que para Gracián está "toda embutida de perlas y piedras preciosas" [13], y que por mandato "del prudente Filipo" fué vertida al castellano por Antonio de Herrera con el título *Diez libros de la razón de Estado. Con tres libros de las causas de la grandeza de las ciudades* (Madrid, 1593), y *Delle relazione universali* (Ferrara, 1593), traducida a nuestra lengua por Diego Aguiar *(Relaciones Universales del mundo,* Valladolid, 1603), y Fr. Jaime de Rebullosa *(Descripción de todas las Provincias y Reynos del Mundo, sacada de las Relaciones Toscanas de Juan Botero Benes,* Gerona, 1622), y a las que Gracián consideraba merecedoras de "ser colocadas en la Librería Délfica" [14].

Otro libro de Giovanni Botero, *Detti memorabili di personnaggi illustri* (Turín, 1608), que según cuenta el propio autor le fué sugerido durante un pasco que dió en compañía del conde de Lemos por los jardines de Aranjuez, al oír hablar de un gentilhombre, acaso el famoso Juan Rufo, autor de *Las Seiscientas apotegmas,* fué utilizado ampliamente por Gracián de un modo especial en *El Héroe* y aun en el resto de sus obras, modificando apenas el texto de sus anécdotas. En *El Héroe* pasan de treinta estas coincidencias entre uno y otro respecto del personaje y sus dichos.

Del marqués de Malvezzi, que "parece un Séneca que historia y un Valerio que filosofa" [15], recordará especialmente el *Rómulo* (Bolonia, 1629), traducido muy pronto por Quevedo (Pamplona, 1638), del que dice que "no tiene palabra que no encierre un alma; todo es viveza y espíritu" [16].

Apasionado por las vidas heroicas, y asimismo por los rasgos de ingenio, por las frases sentenciosas de los varones ilustres, Gracián debió ser un entusiasta lector de las colecciones de biografías que circulaban en su tiempo, sobre todo *Elogia virorum bellica virtute illustrium* (Florencia, 1548), de Paulo Giovio, traducida al castellano por Gaspar de Baeza con el título de *Elogios o Vidas breves de Ca-*

---

[13] *Criticón,* II, 4.
[14] *Agudeza,* XXVIII. Vid. M. ROMERA-NAVARRO, *Reminiscencias de Botero y Boccalini en "El Criticón",* en *BHi.,* 1934, XXXVI, pág. 149 y ss.
[15] *Agudeza,* LVII.
[16] *Ibíd.,* LV.

*ualleros antiguos y modernos, Illustres en valor de guerra, que estan
al vivo pintados en el Museo de Paulo Jovio* (Granada, 1568), y
también *De dictis et factis Alphonsi regis Aragonum* (Nápoles, 1455),
de Antonio Beccadelli, llamado *el Panormitano,* que fueron traducidos por Juan de Molina, *Antonio Panormita. De los dichos y hechos
del rey don Alonso de Nápoles* (Burgos, 1530) y más tarde por
Antonio Rodríguez Dávalos, titulándolo *Dichos y hechos notables,
graciosos y elegantes, del sabio Rey Don Alonso de Aragón y de
Nápoles. Adicionados por Eneas Silvio, Obispo de Sena, otramente
dicho Papa Pío, aora nuevamente traducidos y recopilados en lengua
castellana* (Amberes, 1554). De ambas colecciones, ya fuesen leídas
en su original o en la versión española, debió valerse Gracián en
ocasiones, sobre todo en *El Héroe* y *El Político* para ejemplificar
sus ideas.

Alciato, con su *Emblemata,* de la que reproduce gran número de
muestras en *Agudeza,* es una de las grandes devociones de Gracián.
Pudo haberla saboreado en latín o en la versión castellana de Ber-
nardino Daza Pinciano, *Los emblemas de Alciato. Traducidos en
rhimas Españolas. Añadidos de figuras y de nuevos emblemas en la
tercera parte de la obra* (Lyon, 1549), y acaso dos libros que los
glosaban: *Comment. in And. Alciati Emblemata: Nunc denuó multis
in locis accuraté recognita, et qua, plurimis figuris illustrata,* de Francisco Sánchez el Brocense (Lyon, 1573) o la *Declaración magistral
sobre los emblemas de Andrés Alciato, con todas las Historias, Antigüedades, Moralidad y Doctrina tocante a las buenas costumbres,*
por Diego López (Nájera, 1615). Ya hemos visto su afición a los
emblemas, empresas y jeroglíficos, y en general a toda expresión
alegórica, y Alciato, que, entre todos los cultivadores de estos juegos
de ingenio, acierta a encerrar en breves versos una intención moral
profunda, era el que más le compiacia.

El conde Baltasar de Castiglione, aunque apenas citado en la
obra de Gracián, ejerce sobre él una evidente influencia. *El Discreto*
es a *Il Cortegiano,* lo que *El Héroe* a *Il Principe.* Para comprender
esta correlación, bastará tener en cuenta los siglos que median entre
el florentino y el aragonés; los lustros de diferencia, y el ambiente
distinto, que separan al brillante purpurado del oscuro jesuíta. El

cortesano de las Cortes italianas del Renacimiento ha pasado a ser el caballero prudente, de finos modales, del barroco español, como *El Político,* de *Azorín,* publicada en 1908, será al cabo de los años una versión tenue de dos obras gracianescas, *El Político don Fernando* y *El Discreto,* es decir, un político en tono menor, vestido de luto, inteligente, amable, sensible a la preocupación de España.

De otros autores italianos que Gracián desdeña, como a Garzoni —de cuyas obras, en especial de la *Piazza universale,* que tradujo libremente Suárez de Figueroa con el título de *Plaça universal de todas ciencias y artes* (1615), dirá con desdén que es "echar a perder buenos títulos"—, o no cita siquiera, como Peregrini, se aprovecha visiblemente.

En el caso de Matteo Peregrini incluso se ha llegado a hablar de plagio, calificativo exagerado si se tienen en cuenta los verdaderos términos de la cuestión. En 1639 se publica en Italia la segunda edición de un breve tratado titulado *Delle Acutezze che altrimenti, Spiriti, Vivezze e Concetti,* de Matteo Peregrini, y tres años después, en 1642, el libro de Gracián *Arte de Ingenio. Tratado de la Agudeza,* que nuevamente sale a luz en 1648, muy ampliado y con el nuevo título de *Agudeza y Arte de Ingenio.*

En 1646, dirá Lastanosa al frente de *El Discreto:* "Contentóle tanto a un genovés que la tradujo luego en italiano, y aun se la apropió, que no se contentan estos con traducir el oro y plata de España, sino que quieren chuparla hasta los ingenios".

La contestación de Peregrini no se hace esperar. En 1650, en el prefacio de su libro *Fonti dell'Ingegno,* responderá: "Non parlerò già cosi di chi mi trattasse come un certo, che tradotto il mio libretto delle Acutezze in Castigliano, se ne fece autore, e di più si gloriò che fosse stato da me trasportato in Toscano. Nel primo io non avrei difficultà in darcene perdono, e quasi dissi, in compiacermene perche non potea quel bell'Ingegno dar altra maggior prova di farne stima grandissima. Il secondo poi è bene stato un tiro, per non dir'altro, sfoggiamente indiscreto".

¿Cuál de los dos fué el imitador? Las fechas parecen aclararlo suficientemente, ya que no parece posible que el manuscrito del tratado gracianesco fuese conocido en Italia con anterioridad al libro de Peregrini. Croce [17] se decide a conceder la originalidad al genovés. Sólo quedan en el aire, sin justificación, las acusaciones de Lastanosa. A él, tan buen conocedor de la obra de Gracián, ¿qué seguridades le movían a hacerlas? ¿Sorprendió el escritor la buena fe de su mecenas?

Pero el supuesto plagio, aun concediendo la primacía de la originalidad a Peregrini, debe ser reducido a sus exactos límites. Las coincidencias son mínimas, y apenas se refieren al título y a algunas expresiones y ejemplos. En el resto, difieren profundamente ambas obras, hasta el punto de que Coster, que estudia menudamente el asunto, puede resumir su tesis diciendo que, mientras el libro del italiano marca una reacción contra el conceptismo, Gracián es un apasionado defensor de él y de la *agudeza,* que es su expresión; que mientras el español admira los distintos modos ingeniosos del lenguaje, Peregrini los considera manifestaciones inferiores de la inteligencia [18].

Desde luego, parece evidente que Gracián conoció el tratado italiano y que asimiló de él elementos secundarios, sugerencias menores, que le sirvieron para levantar el fantástico baldaquino de su *Agudeza,* al que recargó con todos los ejemplos de la literatura precedente y contemporánea que colmaban su gusto barroco.

Así como de los tratados políticos a que nos hemos referido, hay versiones castellanas a los pocos años de su aparición, en las que pudo haberlas saboreado Gracián, no se tiene noticia de que el libro de Peregrini se tradujese entonces, lo que hace suponer que lo leyese en su propia lengua, y que por ello su influencia fuese menos intensa.

e) *Autores franceses.* Escasas son las huellas que dejan los escritores franceses en la obra de Gracián. La influencia más evidente, aunque se reduzca a alguna expresión como *"palabras de seda"* o a alguna sugerencia en los títulos de los tres *primores* de *El Héroe,* es la de Nicolás Faret, autor de *L'Honneste-Homme, ou l'Art de plaire à la court,* publicado en París, 1630, y que fué traducido al español por Ambrosio de Salazar (París, 1634). Anterior por tanto

---

[17] *Op. cit.,* pág. 11 y ss.
[18] *Op. cit.,* pág. 621 y ss. E. SARMIENTO, a su vez, descarta con convincentes razones la influencia de Peregrini sobre Gracián. Vid. *On Two Criticisms of Gracián's "Agudeza",* en *HR,* 1935, III, págs. 23-35.

a *El Héroe* (1637) y a *El Discreto* (1646), no puede pensarse —como lo hace Lastanosa, al frente del *Oráculo manual,* repitiendo su acusación injustificada de la *Agudeza*— que *L'Honneste-Homme* sea una traducción francesa de *El Discreto.*

En cuanto a la expresión "palabras de seda", grata a Gracián, que hace uso de ella en el *Oráculo* (CCLVII) y vuelve a emplear dos veces en *El Criticón* (I, XI y II, X), no le era preciso recurrir al francés, porque ya su admirado paisano Juan Vitrián, traductor de *Las Memorias de Felipe de Comines,* "con escolios propios" (Amberes, 1643), lo había hecho de la propia fuente de donde tal frase procedía: *"Verba byssina,* dijo Plutarco, palabras de seda" (I, 26).

Más interesante nos parece el dato ofrecido por Charles V. Aubrun en su magnífico estudio *Gracián contre Faret (H. a G.,* Zaragoza, 1958, pág. 8 *n.*) al observar la coincidencia entre una frase de Montaigne "quand il oppose les paroles de soie aux paroles faites de gros bureau d'Auvergne" con otra que aparece en *El Criticón* (I, XI): "No son buenas palabras de seda para orejas de buriel", que muestra a las claras que Gracián debió leer los *Essais.*

Aubrun supone que Gracián pudo conocer *L'Honneste-homme* en su lengua original a través de Gastón d'Orleans, a quien el libro iba dedicado, que había sido huésped de Lastanosa durante una temporada de mes y medio, y, en consecuencia, también posible amigo del jesuíta, tan allegado a la casa, y después de establecer un paralelo entre el escritor francés y el español, de anotar las coincidencias de ambos, como evidente influencia de Faret, viene a resumir que "Les chetives paroles de Faret trouvent toujours une geniale transcription sous la plume de Gracián".

f) *Autores españoles.* Bastante intrincado se nos presenta el estudio de las fuentes españolas de Gracián. Algunas aparecen aclaradas explícitamente; otras, parece haberlas velado con toda intención. Autores hay cuyo eco se percibe claramente; otros, quizá los más citados, los admira aunque no los imite.

Las dos primeras crisis de *El Criticón* hicieron pensar a Paul Ricaut, primer traductor al inglés de esta obra (Londres, 1681), en la posibilidad de que el jesuíta hubiese conocido a un filósofo árabe

de la Edad Media, Aben-Tofail, autor de *Hay ben Yacdán,* en castellano *El Filósofo autodidacto* (ed. González Palencia, 1934). El
primero en apoyar esta hipótesis es Menéndez Pelayo, en su prólogo a la versión castellana del libro árabe hecha por Francisco
Pons (Zaragoza, 1900). La semejanza entre la crianza de Hay,
protagonista de la novela árabe, y Andrenio, es grande, pero el
Hay ben Yacdán no se conoce hasta que en 1671 se publica en
Oxford la traducción latina de Pocock, con fecha posterior a la
muerte de Gracián, que no pudo haberlo leído. García Gómez [19] ha
aclarado en lo posible la razón de estas coincidencias, suponiendo que
ambas obras derivan de una fuente común, el *Cuento del ídolo y del
rey y de su hija,* que perduró entre los moriscos aragoneses, de quienes Gracián acaso lo hubiese escuchado.

Otro escritor medieval, el príncipe Don Juan Manuel, aparece
citado reiteradas veces en *Agudeza* y *El Criticón.* En toda ocasión le
colma de elogios y trae a cuento sus apólogos de *El Conde Lucanor,*
pero este insistente recuerdo significa viva admiración [20], si no al
estilo, que reproduce con su arcaica contextura, sí "a la extremada
moralidad y al artificio con que enseña" [21], sin que deje en él huella
alguna.

En cambio, de Fray Antonio de Guevara, tan dispar en el estilo,
al que no cita nunca, hemos hallado al paso frecuentes préstamos en
las obras de Gracián, especialmente de *Menosprecio de corte y alabanza de aldea* y de las *Epístolas familiares,* hasta el punto de que
utiliza ambas obras sin escrúpulo, trasladando conceptos y expresiones del franciscano. Un paralelo minucioso de uno y otro daría interesantes resultados. Por nuestra parte, lo hemos iniciado con algunas anotaciones al texto de sus *Obras completas.* De menor interés
es su utilización de *Una década de Césares. Es, a saber, las vidas de
diez Emperadores romanos que imperaron en los tiempos del buen
Marco Aurelio* (Amberes, 1544), del propio Guevara, de la cual

---

[19] Emilio García Gómez, *Un cuento árabe, fuente común de Abentofail
y de Gracián,* en *RABM,* Madrid, 1926, XLVII, pág. 1 y ss.
[20] Erasmo Buceta, *La admiración de Gracián por el Infante Don Juan
Manuel,* en *RFE,* 1924, XI, pág. 63 y ss.
[21] *El Criticón,* II, 4.

Gracián aprovecha, particularmente en *El Político,* datos o anécdotas de personajes romanos.

Lo mismo sucede con Fray Luis de Granada, del cual utiliza con cierta frecuencia la *Introducción al Símbolo de la Fe,* sin que le nombre en ocasión alguna.

Se produce en Gracián una extraña contradicción. Este escritor moralista y ascético, no cita jamás a los grandes escritores místicos, y, sin embargo, recuerda a ciertos autores de la novela picaresca, como Mateo Alemán, que debía complacerle mucho. Le pondrá como ejemplo del estilo natural, olvidándose en cambio de Cervantes, a cuyas obras alude desdeñosamente alguna vez, aunque en *El Quijote* esté en germen su novela alegórica. Trae a cuento cuanto le divierte y parece olvidarse de propósito de aquello que no está de acuerdo con su temperamento.

Que no debía interesarle demasiado el teatro nos lo indican las escasas referencias que a él hace, salvo de *Las Firmezas de Isabela,* de Góngora, y de algunas comedias de Hurtado de Mendoza, que debió conocer por la lectura.

Una de las más arduas cuestiones que se plantean al estudiar las influencias que sobre Gracián pesan, sería la discriminación de las simpatías y diferencias que le unen a Quevedo, puesto que a ambos se les agrupa en la escuela conceptista. A poco que se estudiasen sus obras más representativas, podría observarse que las concomitancias de uno y otro son escasas y apenas se refieren a ciertas maneras estilísticas y al tono mayor moral y educativo —cuando Quevedo se propone lograrlo en sus tratados—. ¿Qué aprovecha Gracián de su antecesor, el gran satírico? Cuando intercala fragmentos suyos en *Agudeza,* no son los más expresivos del poeta, y en *El Criticón* alude a ciertos romances suyos, bastante escabrosos, que no le añaden gloria. Coinciden ambos en el gusto por los equívocos, y en los textos de Gracián algunos parecen tener su origen en *Los Sueños.* Y en la intención moral de los tratados del uno, semejante en los libros del otro. Eso es todo. Se diferencian, en cambio, en muchos aspectos. Aunque Gracián procura en todo momento darnos una intermitente visión burlesca de lo humano, predomina sobre ella un amarguísimo sarcasmo y una docencia trascendente, mientras que Quevedo aisla en obras diferentes ambos propósitos. En unos, todo es pura diversión, que a la larga fatiga; en los otros, todo solemne gravedad, que angustia. Recogiendo el reproche que al satírico hace Gracián —que parece referirse a su obra bufa— cuando dice: "estas hojas de Quevedo son como las del tabaco, de más vicio que provecho, más para reir que aprovechar" [22], podríamos afirmar con Alfonso Reyes [23] que Gracián "nunca desperdició sus recursos técnicos en asuntos insignificantes, como acontece, por ejemplo, con otro gran conceptista, Quevedo", aunque al recoger tal juicio no pretendamos valuarlos comparativamente, puesto que son desemejantes, sino diferenciar en lo posible lo que uno y otro intentan y el procedimiento de que se valen. Si en algún punto coinciden, que pudiera ser en un cierto gusto común por la expresión conceptuosa y en la alternativa de lo grave y satírico, apenas son equiparables en el resto de su obra. Farinelli [24] puede sintetizar su juicio de ambos, al decir: "En Quevedo hay exuberancia de fantasía; en Gracián, plenitud de reflexión. Quevedo es más poeta; Gracián, más filósofo".

Aunque tenga altísima estimación por él, como lo prueba la inclusión de su nombre entre otras grandes figuras, para demostrar que ningún hombre fué estimado en vida: "ni lo fué el Ticiano en la pintura ni el Bonarota en la escultura ni Góngora en la Poesía ni Quevedo en la prosa", la influencia que ejerció en su obra debió ser superficial, y la posible similitud entre ambos pudiera considerarse como consecuencia de un temperamento similar, de un gusto común y de unas circunstancias históricas semejantes [25].

La moral senequista, que en los escritos de Quevedo se halla entreverada de reminiscencias de los Santos Padres, es más austera todavía en Gracián porque se nutre de una idea religiosa entrañable. Los *Exercitia spiritualia* de San Ignacio habían conformado el alma y el intelecto del jesuíta. No recordará Gracián a los místicos, extasiados en exceso, que se esfuerzan por expresar lo inefable de su emoción divina, pero sí las rígidas, severas fórmulas de conducta

[22]   *Criticón*, II, 4.
[23]   Prólogo a los *Tratados* de Gracián, ed. Calleja, pág. 11.
[24]   *Op. cit.*, pág. 128.
[25]   Vid. M. ROMERA-NAVARRO, *Góngora, Quevedo y algunos literatos más*, en *RFE*, 1934, XXI, pág. 248 y ss.

espiritual que Ignacio da a sus hermanos. El fundador de Loyola, "aguafiestas del Renacimiento", como se ha dicho, está plantado frente a la realidad, sin enajenarse, sin desconocerla, cuando dice: "Hanse de procurar los medios humanos como si no hubiese divinos, y los divinos como si no hubiese humanos" [26]. Luego de reproducirla, añadirá Gracián a tal sentencia: "Regla de gran maestro; no hay que añadir comento" [27]. Esta es asimismo la concepción del mundo que tiene Gracián, actitud que fluctúa entre lo temporal y lo eterno, en una extraña y profunda alternativa.

No aparece citado San Ignacio en la obra gracianesca más que escasas veces —tres en *Agudeza* y una en *El Comulgatorio,* para ser más precisos—, y, sin embargo, es quizá la figura que, con el ejemplo de su vida y la enseñanza de sus *Ejercicios,* mayor influencia ejerza en el escritor, en cuanto a lo moral. Stinglhamber [28] ha podido anotar curiosas y evidentes analogías entre los aforismos del *Oráculo* y frases del fundador de la Compañía, no sólo de sus *Ejercicios,* sino en los *Dictados* recogidos por el P. Rivadeneyra, en el *Memorial* del P. Cámara, y en las *Reglas de la Modestia* ignacianas e incluso en algunas cartas de San Francisco Javier.

Por lo que se refiere al estilo, a la forma expositiva de su ética, es, sin duda, al refranero español a quien sea acreedor en mayor grado, más que a ningún escritor ni estilo. Que lo conocía muy bien nos lo muestran a las claras todas y cada una de sus obras, quizá de modo especial *El Criticón* (la crisis VI de su Tercera Parte, por ejemplo, constituye una verdadera antología del género), donde recuerda numerosos dichos paremiológicos, ya sea en su auténtica

---

[26] *Oráculo.*

[27] Sobre este aforismo ignaciano recogido por Gracián, véase el trabajo del Prof. MALDONADO, *Lo fictivo y lo antifictivo en el pensamiento de San Ignacio,* Madrid, 1940. L. STINGLHAMBER, en su estudio citado, supone que se trata del pasaje que se halla en la *Ratio quam in gubernando tenebat Ignatius,* redactado por el P. Pedro Rivadeneira: "En las cosas del Servicio de Nuestro Señor, usaba de todos los medios humanos como si de ellos dependiera el buen suceso; y de tal manera confiaba en Dios, como si todos los medios humanos no fueran de algún efecto". (*Monumenta Ignatiana, Serie quarta: Scripta de Sancto Ignatio.* Tomus primus. Matriti, 1904, página 466 y s.).

[28] *Op. cit.,* pág. 202 y ss.

versión popular, ya sea deformándolos ingeniosa e intencionadamente.

Otras influencias que pudieron pesar sobre Gracián, de modo especial por lo que se refiere a sus primeros libros, son aquéllas de los tratadistas y biógrafos políticos españoles, anteriores a él o coetáneos, que Ferrari ha estudiado, aunque desmesurando acaso el grado de intensidad de tales posibles influjos. Gracián conocía muy bien a Tácito, a Plinio el Joven, a Séneca, entre los latinos, y a Bodin, Boccalini, Conestaggio, Malvezzi, entre los italianos, y quizá más que directamente, en su propia lengua, a través de las versiones españolas, por ejemplo, el *Tácito Español. Ilustrado con Aforismos,* de don Baltasar Alamos de Barrientos (Madrid, 1614), o *El mejor Príncipe Trajano Augusto: su filosofía política, moral y económica deducida y traducida del Panegírico de Plinio, ilustrada con márgenes y discursos,* del Licenciado don Francisco de Barreda (Madrid, 1622), o *El Rómulo* del marqués de Malvezzi, traducido por don Francisco de Quevedo (Pamplona, 1632), pero de esto a suponer que sus primeros libros vengan a ser una especie de poliantea de ideas y noticias de tales escritores políticos, y además de las obras de Juan de Pineda, Juan Enríquez de Zúñiga, Juan Pablo Mártir Rizo, Fernando de Biedma, Antonio Pérez Navarrete, Gil González Dávila, Alonso de Castillo Solórzano, Vicente Mut y Luis de Mur, tal vez resulte excesivo y escasamente comprobable.

Entre estos autores, es sin duda Barreda, con su versión del *Panegírico* de Plinio, el que deja una mayor huella en el jesuíta. "Esta traducción, sus discursos, sus juicios y hasta sus frases —dice Ferrari [29]— influyeron de manera decisiva en las más políticas y más tempranas obras de Gracián". De los comentarios que añade Barreda al texto clásico, parece tomar Gracián las veinte excelencias que atribuye al Héroe, pero creer que el mismo título de *primor* que da a estas características pueda derivar del siguiente pasaje de Barreda: "Lo mismo hace Plinio en este gran teatro de Trajano, que, para que se eche de ver con cuánta razón le admira y cuán digno es de advertida atención, nos pone luego en el umbral de sus

---

[29]   *Op. cit.,* pág. 24 y ss.

maravillas, el primor de ellas, la modestia, gran madre de todas" [30] —si tenemos en cuenta que el vocablo aparece ya en Covarrubias definido como "la excelencia en el arte" y registrado por Franciosini como "eccellenza, eminenza"—, podría considerarse indicio demasiado sutil y problemático.

Podríamos concluir, resumiendo esta sumaria enumeración de sus fuentes, que en Gracián se observa, en cuanto a lo meramente externo y anecdótico, una preferencia, un gusto persistente por la que podríamos llamar "literatura menor". Basta ver la complacencia con que cita reiteradamente a los epigramistas como Marcial, Baltasar del Alcázar, Quevedo, Juan Rufo, que hacen de *Agudeza* un curioso mosaico del género; los creadores de emblemas, jeroglíficos y empresas, en especial Andrea Alciato; las colecciones de adagios y refranes, como las de Lorenzo Palmireno, tituladas *El estudioso de aldea* y *El estudioso cortesano,* y acaso Gonzalo Correas, así como también los escritores que se expresan por sentencias, en concentrada elocución, como Séneca, como Antonio Pérez —al que hace alusión o nombra varias veces— y a su *Norte de príncipes* y sus *Aforismos,* que según Jacobs [31] pudieron haber influído en su literatura gnómica; los autores de apólogos, como don Juan Manuel, Mateo Alemán o Boccalini; de biografías, dichos y anécdotas de grandes personajes, como las *Vidas paralelas* de Plutarco, el *Panegírico de Trajano,* de Plinio el Joven, los *Hechos y dichos memorables,* de Valerio Máximo, los *Detti memorabili di personnaggi illustri,* de Botero, ya citados; el *Rómulo,* de Malvezzi, la *Floresta española de apotegmas y sentencias,* de Melchor de Santa Cruz, y su continuación, la *Floresta de Agudezas,* de Francisco Asensio, que sin aparecer citados nominalmente diluyen su verdad y su alegría a lo largo de las obras del jesuíta; las misceláneas, como la *Silva de varia lección,* de Pero Mexía, y otras muchas populares en su época, aunque no pudo conocer la *Miscelánea,* de don Luis Zapata, con la que coincide en ocasiones —acaso por haber utilizado una fuente común—, ya que fué publicada con posterioridad a su muerte; las cartas, como las de Antonio Pérez o las *Epístolas familiares* de Gue-

---

[30] Ed. cit., pág. 154.
[31] *Op. cit.,* pág. XLIII.

vara; las *memorias,* como las de Philippe de Commines, traducidas por Juan Vitrián, tan utilizadas por Gracián.

De los extraños sumandos de esta literatura menor, a los que hay que añadir los más decisivos que aportan a su obra, la Biblia, con su solemne sabiduría; Luciano de Samosata, con sus cáusticas deformaciones; Tácito, con la brevedad de su estilo; Séneca, con su escueta filosofía moral; los tratadistas políticos italianos, con sus sugerencias, que le hacen actuar en pro y en contra de sus teorías; Quevedo, con su estilo y su donaire, y, sobre todo, San Ignacio, con su severa moral, y el refranero español, con su honda concisión, obtendríamos la suma total, que es Gracián.

Todos estos diversísimos materiales utilizados por el escritor nos hacen pensar en las diversas piezas, labradas independientemente por cada obrero —unas veces un simple sillar, otras una moldura o chapitel, un medallón o una escultura—, que el arquitecto de uno de esos grandiosos templos ha ido yuxtaponiendo, ensamblando, hasta lograr la maravilla de armonía y coordinación que es el conjunto. Cada una de estas piedras labradas, cada uno de estos ·elementos, que por sí mismos apenas nada significarían, se transforman por virtud mágica del arte, al acumularlos con sentido, orden y simetría, en obra maestra. El artificio ha superado a la Naturaleza. Del mismo modo, poco significa en sí el cuentecillo o la máxima, estos o los otros elementos dispares y dispersos que Gracián aprovecha. Lo que trasciende en su arquitectura genial, es ese atrevido arco, esa fina nervadura o el solemne hastial, geométrico y complicado, que transforma el caos en orbe y armonía.

Poseía Gracián la rara habilidad de asimilarlo todo y de poder eliminar después de este conglomerado de lecturas y recuerdos, como un crisol al rojo vivo, toda la ganga, todo lo aleatorio, hasta dejarlo reducido a metal purísimo. Lo que otros expresan al desgaire y con flojedad, él lo dirá con un estilo sabroso y enérgico. ·Profusas teorías de otros las condensa en una máxima concisa, con lo que ganan en fuerza y profundidad. A lo insípido, le dará ironía. A lo vago y abstracto, le comunicará aliento e intención. Hasta tal punto ha variado la forma y ha tergiversado las ideas, que aun el más fino observador, después de una minuciosa comparación, dudará en muchos casos si no se trata de una simple coincidencia más que de un deliberado aprovechamiento. En esta transmutación mágica radica justamente su poder de creador genial.

Pero en Gracián, hay que advertirlo, no lo eran todo los libros, sino que también cuenta su observación propia, su fuerte personalidad frente a la vida. Así podrá decirnos que el mejor libro del mundo es el mundo mismo, que él se aplicó a conocer página a página, meditándolas y saboreándolas.

Que hay en su obra mucho de su propia cosecha, que le preocupaba hondamente la originalidad, si bien templada por la prudencia, parecen declararlo sus propias palabras: "Sutileza fué de prodigioso inventar rumbo nuevo para las eminencias, con tal que asegure primero la cordura los empeños. Con la novedad de los asuntos se hicieron lugar los sabios en la matrícula de los heroicos. Quieren algunos más ser primeros en segunda categoría, que ser segundos en la primera" [32].

---

[32] *Oráculo.*

FORTUNA Y ALCANCE DE SUS OBRAS

Tenía Gracián ideas muy firmes por lo que se refería a la fama en relación con el tiempo y el espacio. Malos son los tiempos presentes para el escritor profundo, que debe aspirar a trascender a épocas posteriores: "Fueron algunos dignos de mejor siglo, que no todo lo bueno triunfa siempre... Lleva una ventaja lo sabio, que es eterno, y si éste no es su siglo, muchos otros lo serán". Si Stendhal, en el primer tercio del xix, ambiciona el ser comprendido hacia 1900, y a lo sumo prolonga su esperanza medio siglo más ("Juego un billete de lotería, cuyo premio consiste en ser leído en el año 1945"), Gracián lo fía para muy largo, sin limitaciones. El debido reconocimiento del valor de un hombre es tardío, y, en muchos casos, se inicia a sus postrimerías: "no hay cosa más inmediata a la Muerte que la Inmortalidad: de la una se declina a la otra. Y así veréis que ningún hombre, por eminente que sea, es estimado en la vida... Ninguno parece hasta que desaparece. No son aplaudidos hasta que idos" [1].

Tampoco la patria justiprecia la calidad y categoría de sus propios hijos, y enajena su admiración a lo forastero: "Son las patrias madrastras de las mismas eminencias. Todo lo extraño es estimado, ya porque vino de lejos, ya porque se logra hecho y en su perfección" [2]. Y también: "¡Oh, alabanza, que siempre vienes de los extraños! ¡Oh desprecio, que siempre llegas de los propios!" [3]. Por fortuna, quien es olvidado en su país, suele tener la compensación

---

[1] *Criticón,* III, 12.
[2] *Oráculo.*
[3] *Discreto,* XIII.

de ser comprendido en otros, y aun más tarde en el suyo: "Sujetos vimos que ya fueron el desprecio de su rincón y hoy son la honra del mundo, siendo estimados de los propios y extraños" [4]. Incluso, esta acogida favorable puede ser mayor o menor, no ya por lo que se refiere a las naciones, sino también a las ciudades: "fué alguno más acepto en una nación que en otra, y más bien visto en esta ciudad que en aquéllas" [5].

Tales declaraciones parecen ocultar una tímida y dolorosa confesión de su propio caso. Valuando en lo justo la trascendencia de sus doctrinas, quizá creyese que el escaso éxito de sus obras, limitado a círculos reducidos de gentes selectas, que apenas puede percibir en los últimos años de su vida, no correspondía exactamente a su merecimiento. Amaestrado en los grandes modelos, escribe con la noble aspiración de lanzar su mensaje a la eternidad, al universo mundo y al porvenir, y su tiempo y su patria apenas saben comprenderle.

Como tampoco le hace debida justicia el siglo siguiente. Bien es verdad que Gracián representa una época literaria que caduca con él, el barroco, que ha de ser sustituída en el gusto de las gentes por una nueva tendencia, reacción de la anterior, y que, al menos temporalmente, ha de perecer con ella. Es preciso que llegue el siglo XIX para que sus ideas y sus obras ejerzan decisiva influencia y se difundan por Europa, y que llegue el nuestro para que comience a ser conocido y fielmente interpretado en su propio país.

SU HUELLA EN ESPAÑA

Son abundantes las obras españolas de su tiempo o de la época inmediatamente posterior que puedan considerarse influídas por Gracián, pero quienes más le deben procuran disimularlo. Algunos de sus autores entran a saco en los libros del jesuíta, sin preocupación alguna, como si se tratase de bienes mostrencos, procurando no citar siquiera su nombre para que no resulte fácilmente identificable el origen de sus expolios.

---

[4] *Oráculo.*
[5] *Ibíd.*

Como posibles derivaciones de *Agudeza y Arte de Ingenio* pueden recordarse dos libros curiosos del siglo XVIII: El *Epítome de la elocuencia española, Arte de discurrir y hablar con agudeza y elegancia en todo género de assumptos* (Pamplona, 1726), de Francisco José de Artiga, y *Arte de Agudeza. Deleyte de la discreción y fácil escuela de la agudeza en ramillete texido de ingeniosas promptitudes y moralidades provechosas, con muchos avisos de cristiano y político desengaño* (Madrid, 1764), de Fernando de Velasco y Pimentel.

De *El Criticón* pudieran ser consecuencia, entre otras, las siguientes: El *Año espiritual. Dividido en meses y semanas, que comprende: en el invierno, el temor de las postrimerías. En la primavera, la hermosura de las virtudes. En el estío, el fervor de los afectos. En el otoño, la madurez de los frutos. Cosecha ofrecida al mayor aprovechamiento de los fieles* (Madrid, Juan Valdés, 1662), de don Juan de Palafox y Mendoza.

Desengaño del hombre en el Tribunal de la Fortuna y Casa de Descontentos (Madrid, 1663), de Juan Martínez de Cuéllar [1].

El Mostrador de la Vida Humana por el curso de las edades. Dividido en tres libros. I. De la Infancia y Adolescencia, Horas de la Mañana. II. De la edad viril, Horas de el Mediodía. III. De la senectud, Horas de el ocaso de la vida (Madrid, Juan García Infanzón, 1679), del P. José de Tamayo.

En estas obras, de carácter ascético o filosófico, cabe pensar que sus autores se valieron, más que de las *Soledades* de Góngora, de la simbología y arquitectura de la novela alegórica de Gracián.

Posibles influencias de *El Político* cree hallar Ferrari en la *Vida de Numa Pompilio, Segundo Rey de los Romanos. Escrita por texto de Plutarco y ponderada con discursos* (Barcelona, 1693), de Antonio Costa, "biógrafo español del bajo barroco, que en muchas de sus frases copió al jesuíta bilbilitano" [2]; en la *Segunda parte de los Anales Históricos de los Reyes de Aragón* (Salamanca, 1684),

---

[1] VALBUENA PRAT al reseñar la edición de esta obra (*RFE*, 1930, XVII, pág. 188) en la colección *Los Clásicos Olvidados* (Madrid, 1928) dirá que "la índole de novela filosófica, del reino abstracto del *Desengaño*, debe hacernos pensar más en *El Criticón* que en *Los Sueños*".

[2] *Op. cit.*, pág. 197.

dei jesuíta Jaques Pedro Abarca; en el *Theatro Monarchico de España, que contiene las más puras como catholicas máximas de Estado, por las quales assi los Príncipes como las Repúblicas aumentan y mantienen sus Dominios, y las causas que motivan su ruyna* (Madrid, 1700), del Patriarca de las Indias y Arzobispo de Tiro, don Pedro de Portocarrero y Guzmán, y en el *Indice de la Philosophía Moral Christiano-política, dirigido a los nobles de nacimiento y espíritu* (Gerona, 1753), del jesuíta Antonio Codorniú [3], influencias que habría que comprobar.

Derivación clarísima de *El Héroe* es *El Privado Christiano* (Madrid, 1641), de Fray José Laínez, que sin escrúpulo alguno traslada a la suya páginas enteras de la obra del jesuíta, plagio que ya acusa Lastanosa cinco años después, en el preámbulo que escribe en *El Discreto,* cuando dice de *El Héroe* que le han "honrado tanto algunos escritores, que injirieron capítulos enteros en sus eruditas obras, como lo es *El Privado Cristiano*". En efecto, los capítulos XVI, XX, XXII y XXXIV de esta obra son copia casi íntegra, sin mayores variaciones, de trozos de la obra de Gracián.

Otros dos escritores, un poco posteriores a él, el P. Garau y Francisco Santos vienen a ser una pálida sombra suya, un eco de su obra.

El P. Francisco Garau, también de la Compañía de Jesús, Profesor de Prima de Teología en el Colegio de Belén de Barcelona, que pudo ser quizá discípulo suyo, tal vez en Graus, publica *El sabio instruído de la naturaleza, en cuarenta máximas políticas y morales, ilustradas con todo género de erudición sacra y profana* (Barcelona, Antonio y Baltasar Ferrer, 1675). A esta primera edición pronto siguen una segunda parte: *El Olimpo del sabio, instruído de la naturaleza y segunda parte de las máximas políticas y morales...* (Barcelona, 1681) y otras ediciones de Barcelona, 1691 y 1711, ésta ya en tres volúmenes. Divide el libro en cuarenta máximas explicadas y comentadas con superabundante erudición. Es curioso observar que en el prólogo cite a numerosos autores de la patrística, de la antigüedad clásica —Sócrates, Cicerón, entre muchos—, a Justo Lipsio, a Saavedra Fajardo y a mil más, sin que

---

[3] *Ibíd.,* pág. 503 y ss.

ni una sola vez aparezca citado el nombre de Gracián. ¿Trataba el
P. Garau de disimular el saqueo que lleva a cabo en la obra de
Gracián, su hermano en religión? Desde las primeras páginas se
percibe la huella profunda que en ellas han dejado sus libros. Todas
tienen el aire y la expresión del más puro estilo gracianesco, aunque sin el nervio y su profundidad característicos. La concisa brevedad de Gracián se diluye en las quinientas páginas de *El sabio instruído*. Las coincidencias de expresión son evidentes. La máxima IV de Garau, por ejemplo, que se titula: "Ninguno es eminente
en todo", es una réplica del Primor VI de *El Héroe*: "Eminencia
en lo mejor". En todo momento, en cada frase del P. Garau salta
el recuerdo insistente de Gracián, de sus apotegmas, de sus sentencias, esparcidas en esta o aquella obra suya: "Antes de empeñarte
mira cómo has de salir". "Gran arte, para vencer, el dividir". "El
que todo lo tiene, no suele tener quien le diga la verdad". No
puede decirse que se trate de un plagio descarado, pero el P. Garau,
con singular desenfado, no hace apenas otra cosa que deformar le-
vemente, adulcorándolo, el pensamiento trascendental y profundo
de Gracián y amplificarlo con vana e hinchada erudición. *El sabio
instruído* logra, si no el elogio de los mejores, extensa difusión, con
beneplácito de la Compañía, que había autorizado su publicación,
y que acaso viese en este libro una versión "castigada", vulgar,
más comprensible para muchos, de la obra de Gracián, que seguía
teniendo en entredicho.

Francisco Santos, curioso y divertido costumbrista del último
tercio del siglo XVII [4], más conocido por *El día y noche de Madrid:
discursos de lo más notable que en él pasa* (Madrid, 1663), que se
consideraba hasta ahora como una consecuencia de Quevedo y Zabaleta, es otro caso de descaro por lo que se refiere, no sólo a la
imitación continua, en numerosas frases y expresiones, sino incluso
al plagio de abundantísimos pasajes de Gracián. Pero, al menos, le
cita una vez en *El sastre del Campillo* (Madrid, 1685), aunque al
paso y con indiferencia. Santos es autor, entre otras muchas, hasta
quince, de las obras citadas y de *Los gigantones en Madrid por de-*

---

[4] Vid. nuestros *Costumbristas españoles* (Madrid, 1950 y 1951), pág. 12
y *passim*.

fuera (Madrid, 1666), *Periquillo el de las gallineras* (Madrid, 1668), *El Rey Gallo y discursos de la hormiga: viaje discursivo del mundo* (Madrid, 1671), *La verdad en el potro y el Cid resucitado* (Madrid, 1671). Pues bien, según un trabajo fundamental de Hayes Hammond [5], en las obras últimamente mencionadas, y repetidas veces, Santos copia con ligerísimas variantes, a fin de adaptarlos a sus fines, párrafos enteros —que el escrupuloso investigador nos ofrece a dos columnas— tomados de *El Criticón*, de *El Discreto* o del *Oráculo*. Del mismo modo, los préstamos de la más diversa índole son abundantísimos, ya se trate de símbolos, nombres, situaciones, frases breves, lo que obliga a poner en tela de juicio la originalidad del costumbrista y su poder de creación personal en el resto de su labor.

A través de estos imitadores vergonzantes, vemos que Gracián tiene mala suerte entre los hombres de letras de su tiempo o un poco posteriores a él, como si se tratase de un escritor nefando, del que tan sólo cabía aprovecharse lindamente.

Asimismo, la crítica española de su siglo y del siguiente le es, en general, adversa. La inician con toda malevolencia el P. Rajas o Lorenzo Matheu y Sanz —cual fuese— con su *Crítica de reflección y censura de censuras,* publicada en Valencia el año 1658, el mismo de su muerte. Ya nos hemos referido por extenso a esta invectiva, fruto de un resentimiento localista, sin valor objetivo, que no disminuye la gloria del escritor.

En contraste, Nicolás Antonio, en su *Bibliotheca Hispana Nova* (1672), elogiará la elegancia de su estilo.

En el XVIII, aunque bastante leído, como se comprueba por las numerosas ediciones de sus obras —Barcelona, 1700; Amberes, 1702; Madrid, 1720; Amberes, 1725; Sevilla, 1732; Barcelona, 1734, 1748 y 1757; Madrid, 1773, y Barcelona, 1784—, la crítica le es, en general, desfavorable.

Sólo hay una excepción, en los primeros años del siglo, anotada por Ferrari: la del gran tratadista político de los Borbones, don Fernando Calderón de la Barca, el cual en su libro *Del sano con-*

---

[5] JOHN HAYES HAMMOND, *Francisco Santos indebtedness to Gracián,* Austin, University of Texas Hispanic Studies, 1950.

*sejo y eficaz auxilio con que todo vasallo, para ser leal, debe servir
a su Rey y Señor* (Madrid, 1715), hace un entusiasta elogio del jesuíta: "Lorenzo Gracián, moral en sus *Crisis*, metafórico insigne
en sus ideas, suave en sus cláusulas y, con su *Arte de Ingenio*,
prudente en todos sus escritos, ya se sabe que aun entre los extrangeros se ha hecho tanto lugar, que acredita nuestro castellano
idioma en lo coordinado de las frases que enlaza, el gran fondo de
las voces que maneja y altos conceptos que moraliza; con que scientífico y eruditamente allegórico de varios modos y por tan extraordinarios rumbos, nada vulgares, sobre discreto, se manifiesta
sabio" [6].

Romera-Navarro [7] nos ofrece un penoso resumen de los juicios
a que Gracián da lugar en este siglo. Ignacio de Luzán sólo cita desdeñosamente *Agudeza y Arte de Ingenio*. El P. Javier Lampillas,
jesuíta, no le recuerda siquiera en su *Ensayo histórico apologético
de la literatura española* (1782-86). Otro jesuíta, el P. Juan Andrés,
en su obra *Del origen, progreso y estado actual de toda la literatura* (1782-98), le juzga con elogio y censura: "Gracián logró una
fama universal, y ciertamente estuvo dotado de mucha agudeza de
ingenio y de una viva imaginación; pero cayó también en todos los
defectos de su tiempo, y siguió los juegos de vocablos, los pensamientos falsos y los conceptos sobrado sutiles y fríos". Aunque brevemente, Félix de Latassa, en su *Biblioteca de escritores aragoneses* (1796-1802), le elogia. Antonio de Capmany, que debió conocer
la mayor parte de sus obras, las enjuicia desigualmente. De *El Héroe*
dirá que sólo tiene "metáforas violentas, sutilezas tenebrosas, claveteadas de antítesis, capaces de volver, no héroes, sino mártires, a los
lectores" [8]. De *El Discreto*, que está "lleno de sentencias triviales,
de doctrinas comunes, realzadas con mucha erudición de clase y bastante pedantería, sostenidas en estilo culto, cortado y costoso por lo
mismo" [9]. Del *Oráculo*, que es "más oscuro que el mismo Oráculo

---

    [6] *Op. cit.*, pág. 244.
    [7] Romera-Navarro, *Evolución de la crítica sobre "El Criticón"*, en *HR*,
1937, V, pág. 140 y ss., inserto más tarde en la ed. cit., I, *Introducción*.
    [8] *Teatro histórico-crítico de la elocuencia española*, V (Madrid, 1794),
pág. 207.
    [9] *Ibíd.*

de Delfos"[10]. Sólo exceptúa *El Criticón,* al que colma de elogios:
"todo está lleno, todo tiene vida y movimiento. Los símiles, las alusiones, los retratos, las ironías, los diálogos se suceden o se interpo-
lan con sabrosa y siempre encantadora simetría, sazonado todo de
finísimos gracejos, refranes y equívocos de la lengua catellana. Todo
el artificio de esta composición satírico-moral consiste en sorprender,
y casi siempre lo logra, con nuevos casos, con nuevos personajes, o
alegóricos o verdaderos, con nuevas ficciones, nuevos cuentos, en que
da a entender más de lo que dice"[11]. Pone sus reservas a ciertos
excesos de estilo, pero, a pesar de ello, "¿cuál es el escritor de su
tiempo de tantas dotes y caudal nativo para ser el más fecundo y
elegante, sabiendo, como lo manifestó, en dónde estaban las delica-
dezas y los donaires, esto es, lo amargo, lo dulce, lo picante, lo sala-
do de la lengua castellana? ¡Qué rara fecundidad en su natural inven-
tiva! ¡Qué imaginación tan varia, florida y extendida! ¡Qué prontitud
y facilidad en proponer y desempeñar los reparos! ¡Qué soltura,
naturalidad y variedad para manejar el idioma del diálogo!"[12]. Lo
extraño es que un agudo crítico como Campany, que al referirse a
El Criticón lo hace con tal admiración y entusiasmo, haya juzgado
tan desigual y negativamente las demás obras de Gracián. Con todo,
aunque repudie el artificio estilístico de las demás obras de Gracián,
es el primer comentarista que acierta a interpretar con justeza su
gran novela alegórica.

Quintana[13], que representa todavía el espíritu ochocentista, le
reprochará el gusto barroco de su tratado del estilo.

Cuando ya por el mundo se interpretaba al moralista con toda su
hondura, los autores de manuales de literatura española siguen des-
deñando la obra de Gracián. Gil de Zárate[14], que le juzga a través
de Campmany, apuntará tímidamente los elogios contrarrestados con
los supuestos defectos. Del mismo modo, Alcántara García[15]. Sán-

---

[10] *Ibíd.,* pág. 206 y s.
[11] *Ibíd.,* pág. 210.
[12] *Ibíd.,* pág. 214.
[13] *Poesías selectas castellanas,* 1808, I, pág. LXIX.
[14] *Manual de literatura,* 1844.
[15] *Historia de la Literatura española,* Madrid, 1898.

chez de Castro [16] y Mudarra y Párraga [17], repetirán con ligereza, como quien no ha leído lo que juzga, los mismos juicios adversos de los anteriores. La extensa difusión que adquieren tales libros escolares y el examen frívolo, sin consistencia, que hacen de cada autor, en general sin valor crítico alguno, ha dado lugar, posiblemente, a la leyenda que hace de Gracián un escritor inaccesible, oscuro, hermético, mucho más tenebrosa que la que rodeaba la obra de Góngora, que, al fin y al cabo, contaba con apasionados defensores.

Tiene que llegar el último tercio del xix para que se inicien los buenos propósitos de una investigación seria, para que la reacción favorable a Gracián se produzca. Es primero don Adolfo de Castro, en su estudio preliminar a las *Obras escogidas de filósofos* [18], quien comienza a justipreciar las cualidades del moralista, y entre ellas, "un atildamiento que tenía en sí un inexplicable atractivo, y que, aunque algo participaba del general culteranismo de la literatura española de aquel siglo, encerraba cierto buen gusto deslumbrador y lisonjero para el lector que se preciaba de penetrar con la fuerza de su ingenio aquellos profundísimos conceptos".

Pero es sobre todo Menéndez Pelayo el que, con serena comprensión y directo conocimiento, restablece a Gracián —como a tantos otros escritores olvidados— en su verdadero puesto, al lugar que le corresponde en su época y en la literatura española. Se refiere de modo especial a *Agudeza,* cuyas teorías ataca, y a *El Criticón.* Si bien censura aquellos excesos en que Gracián se extralimita, reconoce con justicia sus valores.

Merece la pena de reproducir sus palabras elogiosas: "La única poética que podía convenir a hombres que de tal manera habían perdido el tino mental y el sentido de lo bello, era la *Agudeza y Arte de Ingenio,* del ingeniosísimo Baltasar Gracián, talento de estilista de primer orden, maleado por la decadencia literaria, pero, así y todo, el segundo de aquel siglo en originalidad de invenciones fantástico-alegóricas, en estro satírico, en alcance moral, en bizarría de expresiones nuevas y pintorescas, en humorismo profundo y de ley, en

[16] *Lecciones de literatura española y general,* 1887.
[17] *Lecciones de literatura española,* 1903.
[18] *BAE,* LXV, pág. CIV.

vida y movimientos y efervescencia continua; de imaginación tan
varia, tan amena, tan prolífica, sobre todo en su *Criticón,* que verdaderamente maravilla y deslumbra, atando de pies y manos el juicio,
sorprendido por las raras ocurrencias y excentricidades del autor, que
pudo no tener gusto, pero que derrochó un caudal de ingenio como
para ciento. El que quiera hacerse dueño de las inagotables riquezas
de nuestra lengua tiene todavía mucho que aprender en *El Criticón,*
aun después de haber leído a Quevedo" [19]. "Como yo gusto más de
los libros que contienen errores originales e ingeniosos que de los
que repiten pesadamente máximas de una verdad trivial, suelo hojear
con cierto deleite la *Agudeza* del P. Gracián, amenizada por las propias agudezas del autor (hombre, al fin, de grandísimo entendimiento) y por una copiosa selva de ejemplos buenos y malos, pero curiosos todos para el amante de la arqueología literaria. Y sin querer
imponer a nadie esta afición mía, lo que me importa dejar firme y
asentado es que no debe ser tenido por preceptista culterano el hombre que de tantas maneras inculcó el desprecio a ese "estilo culto,
bastardo y aparente, que pone la mira en sólo la colocación de las
palabras, en la pulideza material de ellas, sin alma de agudeza...
enfadosa, vana, inútil, afectación indigna de ser escuchada". Al hombre que esto escribe se le puede llamar *conceptista* (y eso es), pero
de ningún modo culterano. ¡Cuántos errores y falsos juicios andan
acreditados en nuestra historia literaria, y cuán grande es la necesidad de rehacerla! "¿Qué cultura hay (decía Gracián) que iguale a la
elocuencia natural? En las cosas hermosas de sí, la verdadera arte
ha de ser huir del arte y afectación". ¿Quién esperaría encontrar
tan sabios preceptos en el que tradicionalmente llamamos sin leerle
código del mal gusto? ¿Quién esta otra verdad tan profunda, que
ella sola puede servir de base a un sistema estético: "Están en los
objetos mismos las agudezas objetivas... Hay conceptos de un día,
como flores, y hay otros de todo el año y de toda la vida y aun de
toda la eternidad?" ¿Qué mayor recomendación para seguir la verdad
realísima en las obras de arte? Ya me asombraba a mí que el Padre

---

[19] *Ideas Estét.,* ed. cit., pág. 354.

Gracián no hubiese dicho algo de primer orden, aun en este libro de la *Agudeza,* el peor de los suyos" [20].

Los juicios de Menéndez Pelayo suponen una aguda lectura de las obras del jesuíta y una atenta meditación sobre cada una. Aunque no puede libertarse del prejuicio de su tiempo, que consideraba el arte barroco como un nefasto vicio literario, ello no es obstáculo para que reconozca sus cualidades de genial creador, lo que representa un avance extraordinario en cuanto a su exacto enjuiciamiento.

No obstante, hasta comienzos del siglo actual no tiene lugar su definitiva valuación. Como sucede con el Greco y otros pintores y escultores, con escritores olvidados, se "descubre" entonces a Gracián. Venían de fuera los testimonios admirativos de Schopenhauer, de Borinski, de Farinelli, que exaltaban a Gracián como un pensador profundo, que se referían a su influencia decisiva en el pensamiento europeo, y los españoles atentos se aprestaron a revalorizar y divulgar la obra del escritor aragonés. Rodríguez Serra edita en 1900 sus tratados políticos, precedidos dos de ellos de un estudio de Arturo Farinelli. En 1902, Liñán y Heredia da a conocer interesantes datos para su biografía, y *Azorín,* sutil rebuscador de todo lo raro y exquisito de nuestra literatura, inicia entonces su afición al jesuíta, que irá expresando a lo largo de su vida, en breves ensayos de fina y justa interpretación.

Escasas son, desde esta época, las aportaciones españolas a la bibliografía de Gracián, entre las que hemos de recordar las ya citadas de Bonilla y San Martín, Ricardo del Arco, López Landa, Eguía Ruiz, Montesinos, Ferrari, Blecua, P. Batllori y, sobre todo, los trabajos publicados por Miguel Romera-Navarro, a partir de 1934, en el *Bulletin Hispanique, Revista de Filología Española* e *Hispanic Review,* insertos en su fundamental edición crítica y comentada de *El Criticón,* tantas veces citada, en la que su interpretación de la vida y de la obra del pensador jesuíta alcanza la máxima altura, completados por sus *Estudios sobre Gracián,* publicados en 1950.

No obstante, es a los extranjeros a quienes España debe el pleno reconocimiento de su categoría y la justa estimación de sus valores.

---

[20] *Ibíd.,* pág. 357 y s.

Gracián penetra en Europa a través de Francia. Ya en 1645, impresa en París, aparece la traducción de *El Héroe,* hecha por Nicolás Gervaise, médico de la guarnición de Perpignan, para distraer sus largos ocios. Gervaise poco debía saber de la vida de Gracián, puesto que le llama "gentilhombre aragonés" y le considera como fallecido, cuando dice: "I'ay esté contrainct de m'adresser aux morts pour y trouuer quelque diuertissement...". La versión es ruda, aunque se excuse gentilmente de ello, y visibles las dificultades con que el traductor tropieza, pero, a pesar de todo, su autor rinde un excelente servicio al iniciar, aun en vida del autor, su difusión europea. Tal traducción vuelve a editarse en Amsterdam en 1695.

También en 1645 se publica en París *Le Heros François ov l'Idée du grand capitaine,* por el Señor de Ceriziers, "Aumosnier de Monseigneur le duc d'Orléans". Tal libro no es una traducción, ni mucho menos, sino un descarado plagio del tratado de Gracián, del que copia pasajes íntegros, palabra por palabra, si bien dándole una intención muy diferente. Donde Gracián trae a la memoria nombres de héroes españoles, Ceriziers los sustituirá invariablemente por el de Henri de Lorraine, conde de Harcourt, que en la época que el libro se publica representa al gobierno francés de Luis XIII como Gobernador de Cataluña, entonces independizada de España, bajo la protección de Francia. Que perseguía una marcada intención política nos lo muestra el hecho de que fuese traducido con el título de *L'héroe francés* (Barcelona, 1646) por el agustino catalán Gaspar Sala, abad de San Cugat de Vallés, y repartido en las provincias catalanas, con el fin de darles a conocer el nuevo gobernador. Ceriziers no se contenta con el descarado aprovechamiento de *El Héroe,* sino que ataca a su autor: "Gratian croit faire le Heros, à peine fait-il son phantosme"; a España: "toute sa Nation ne fourniroit pas la matière de ce grand ouvrage; l'Espagne a trop de Sages, peu de Vaillans". A pesar de ello, y de que Ceriziers firme como propia la traducción de una obra ajena, de que con el mayor desenfado la adapta a fines políticos, esta réplica en francés de su primera obra contribuye a despertar el interés por Gracián.

En 1655 se publica un curioso libro de viajes por nuestro país, ya citado, del viajero flamenco Aarsens de Sommerdyck, que firma con el seudónimo de Antoine de Brunel, titulado *Voyage d'Espagne cvrievx, historique et politique,* que contiene un pasaje del mayor interés, por referirse a la fama de que ya entonces gozaba Gracián en su patria, y que al mismo tiempo nos ofrece un juicio severo y elogioso de sus obras.

"Le lendemain nous allâmes disner à Texa, qui n'a rien de remarquable et coucher à *Catalaud* qui est une des principales villes de tout le Royaume; aussi est-elle située au bout d'une vallée fort fertile; je n'y ay rien veu de considerable, si on ne compte pour quelque chose que j'y ay appris, que c'etoit le lieu de la naissance et de la demeure de *Lorenzo Gracián Infanzón;* c'est un escrivain de ce temps, fort renommé parmy les Espagnols. Il a mis au iour divers petits Traitez de Politique et de Morale, et entre ses Ouvrages il y a un qu'il intitule le *Criticón,* dont il n'y a que deux parties imprimées, où suivant les âges des hommes, il fait une espèce de Satyre de tout le monde assez ingenieuse, à l'imitation de Barclay en son *Euphormion.* En cette pièce son style est bien different de celuy de ses petits Traitez, où il est si concis, si rompu et si estrangement coupé, qu'il semble qu'il ait pris l'obscurité à tasche: aussi le lecteur a besoin d'en deviner le sens, et souvent quand il l'a compris, il trouve qu'il s'est estudié à faire une Enigme d'une chose fort commune. Seneque et Tacite n'ont rien entendu en cette façon d'ecrire au prix de luy, et si l'on dit du premier que son style est du sable sans chaux, et que celuy du second est si mysterieux, qu'il contient plus qu'il n'exprime, on peut assurer que celui de *Gracian* a si peu de liaison en ses periodes, et tant de restriction en ses paroles, que sa pensée y est comme un diamant mal taillé et mal enchassé dont le feu et le brillant ne paroist qu'à demy, et fait tort de plus de la moitié du prix à un si bel Ouvrage" [21].

El renombre de Gracián en Francia sigue en aumento después de su muerte, y, lo que es mejor todavía, su obra da lugar a juicios contradictorios. Lancelot, en su *Nouvelle méthode pour apprendre la langue espagnole* (1680), recuerda la estimación de que goza, aun-

---

[21]   Vid. Ed. Charles Claverie, en *RHi.,* 1914, XXX, pág. 321.

que le reproche el ser "vn peu enflé dans ses metaphores & forcé
dans ses figures". El jesuíta P. Dominique Bouhours, en sus *En-
tretiens d'Ariste et d'Eugène* (1671), que utilizará la obra de Gracián sin escrúpulo alguno, interpolando frases suyas, en español, tan
pronto le elogiará como le combatirá desigualmente por su estilo
oscuro: "Gracián est parmi les Espagnols modernes vn de ces génies
incompréhensibles; il a beaucoup d'élevation, de subtilité, de force,
et mesmè de bon sens; mais on ne sçait pas le plus souvent ce qu'il
veut dire, et il ne le sçait pas peut-être luy mesme; quelques-vns
de ses ouvrages ne semblent estre faits que pour n'estre point en-
tendus". El nombre y el recuerdo de Gracián aparecen reiteradamente en tal obra, aunque en muchos casos aluda a él con perífrasis como "un Politique Espagnol", "un bel esprit Espagnol" y
otras semejantes. El jesuíta francés, que conocía a fondo los libros
del español, y que si no tradujo *Agudeza,* como se proponía, fué
debido quizá a las dificultades que hubiese hallado al intentar trasladar a su lengua propia la peculiar lengua del moralista, a vuelta de
alabanzas y reparos, le concede el honor de poner su pensamiento
al alcance del lector francés, haciéndoselo asimilable, glosando o ter-
giversando sus conceptos.

Pero quien definitivamente difunde sus obras en Francia es Amelot de la Houssaie. De la importancia que concedía a los tratados de
Gracián pudiera ser un claro indicio el hecho de que en 1683 tra-
duzca al francés *El Príncipe* de Maquiavelo, y un año más tarde
en 1684, salga a luz en París su traducción del *Oráculo Manual,*
con el título *L'Homme de cour.* Se ha pensado si el traductor se
valió de una versión italiana, o si la hizo directamente de nuestra
lengua. Cabe decidirse por lo último, porque coordina las máximas
de Gracián, no solamente con otras de autores clásicos y modernos,
sino también con las contenidas en *El Héroe* y *El Discreto,* que, asimismo, traduce en parte. Amelot de la Houssaie logra desentrañar en
muchos casos las expresiones gracianescas, a pesar de las dificultades
de su genio barroco, y, lo que es mejor, comprender su sentido sibi-
lino. Es, entre sus primeros comentaristas, el que mejor acierta a in-
terpretarle, y de ahí que pueda rebatir en el Prefacio de su traducción

aquellos juicios del P. Bouhours que se referían a la oscuridad del
escritor.

L'Homme de cour obtiene un inmediato éxito. La crítica acoge
con alabanza la versión, y las reediciones se suceden. Al mismo
tiempo que en París, se edita en 1684, en La Haya. Coster [22], al que
ha de seguirse necesariamente al hablar de la influencia del gran
moralista en Francia, dice que de 1685 a 1716 se publican catorce
ediciones, y otras cuatro más de 1732 a 1808, que en nuestra bibliografía de Gracián pasan a ser doce y cinco, más otras ocho en
La Haya, Amberes y Rotterdam. Vuelve a editarlo Rouveyre en
Cahiers verts, París, 1924. Tal difusión es la definitiva consagración
de Gracián en Europa, ya que, como veremos luego, varios escritores se valen del texto francés para trasladarlo a otras lenguas.

El P. Bouhours, en su *Manière de bien penser* (1687), saldrá al
paso de las palabras que le había dedicado Amelot de la Houssaie.
"J'entends moins la traduction françoise que l'original espagnol",
dirá, pero este ataque injusto a quien con tal probidad y cuidado
había intentado interpretar la enigmática frase y sentido del moralista, no hace, en todo caso, más que aumentar el interés de los lectores franceses por las obras que eran motivo de la polémica. Bouhours
conocía bien, desde luego, los libros de Gracián, y debía admirarlos
mucho, si tenemos en cuenta la importancia que les da, y si en esta
nueva obra los censura de oscuros y sutiles, acaso lo haga, tanto
como por propio convencimiento, por resentimiento con su antagonista.

En la reseña cronológica de sus traducciones francesas, sigue
inmediatamente la de *El Comulgatorio,* hecha por Claude de la Gran-
ge, canónigo regular de Saint-Victor, con el título *Modèle d'une
sainte et parfaite communion,* y publicada en París, en 1693.

En 1696 se publica, también en París, la traducción de la Primera Parte de *El Criticón,* con el título de *L'Homme détrompé,* que
lleva a cabo un tal Manoury, que, dándose cuenta de lo difícil de su
propósito, deja en español algunas de las expresiones para él ininte-
ligibles.

_____

[22]   *Op. cit.,* pág. 673.

Pocos años después aparece ya la versión completa de las tres partes, editada por Van Ellinckhuysen, librero de La Haya, que vuelve a publicarse en dicha ciudad en 1709, 1723 y 1734, y en Ginebra en 1725. Coster [23], a quien seguimos en esta recensión, atribuirá el escaso éxito de la gran novela alegórica a la imposibilidad de trasladar al francés los juegos de palabras en que su autor se complace.

Un nuevo apasionado de Gracián aparece en escena ya entrado el siglo XVIII. Se trata del jesuíta P. Joseph de Courbeville, que en 1723 publica en París su traducción de *El Discreto,* con el título de *L'Homme Universel.* El mismo reseñará por anticipado su aparición en las *Mémoires de Trevoux* (agosto, 1721), justificando el título adoptado, arremetiendo al mismo tiempo contra Amelot de la Houssaie y Bouhours. Una nota crítica del *Journal des Savants* (1724) da lugar a breve polémica, que, unida a las reimpresiones de la traducción en 1724 y 1729, contribuye a que aumente la nombradía y difusión de Gracián. Aunque Courbeville se permite toda clase de licencias con el texto, en el que elimina o añade o cambia lo que cree conveniente, quizá con el propósito de hacerlo comprensible, a su traducción se debe que *El Discreto,* confirmado con el título de *L'Homme Universel,* trascienda a los demás países europeos.

A la buena fe del P. Courbeville y a su viva admiración por Gracián se debe, asimismo, la traducción de *El Héroe (Le Héros,* París, 1725), nuevamente impresa varias veces en Amsterdam y Rotterdam, y asimismo la del *Oráculo (Maximes de Baltasar Gracien,* París, 1730). A la aparición de *Le Héros,* el *Journal des Savants* vuelve al ataque, reprochando al traductor la amplificación del original, que, en efecto, es desmesurada. A tan grave acusación, responderá Courbeville en el preámbulo de las *Maximes.*

En el mismo año de 1730 aparece también una traducción de *El Político,* con el título *Réflexions politiques de Baltasar Gracián sur les plus grands princes, et particulièrement sur Ferdinand le Catholique,* que se reimprime el mismo año y al año siguiente en Amsterdam. Aunque aparece firmada con las iniciales *M. D. S.,* es obra de Etienne de Silhouette, joven de veintidós años, discípulo del famoso jesuíta P. Tournemine. Nos lo da a conocer una referencia

---

[23] *Op. cit.,* pág. 677.

de las *Nouvelles ecclésiastiques* (1731), en la que también se dice:
"On sait l'empressement qu'ont eu les Jésuites de traduire en françois tous les Ouvrages de ce bel esprit Espagnol leur Confrère, tout
occupé à traiter de la Politique dans le goût d'une moral profane..."

En efecto, podemos observar que son miembros de la Compañía
los que se consagran a difundir con actividad y celo las doctrinas de
Gracián en Francia. Primero, el P. Bouhours, que, aunque reba-
tiéndole y parafraseándole, le rinde un excelente servicio; más tarde,
el P. Courbeville, con sus diversas traducciones y su abnegada dedi-
cación, y luego, la versión de Etienne de Silhouette, quizá inducido
por su maestro, el P. Tournemine.

Courbeville vuelve de nuevo a la brecha con la traducción de *El
Político,* que titula, con exactitud literal, *Le Politique Dom Ferdinand le Catholique* (París, 1732), que también se imprime en Rotterdam en el mismo año. Su publicación da lugar a nueva polémica,
en la que ya se acusan tendencias ideológicas. El abate Guyot-Des-
fontaines, enemigo de los jesuítas y amigo de Voltaire, al que había
remitido la traducción que Courbeville hiciera de *El Héroe,* combate
desde el *Journal des Savants,* como antes lo había hecho con *Le
Héros,* la nueva obra, a cuyo ataque responderán las *Mémoires de
Trevoux* (1732), defendiendo a Courbeville y Gracián.

Vemos, pues, que, salvo *Agudeza y Arte de Ingenio,* la más difícil de trasladar a idioma extraño, todas las demás obras de Gracián
fueron vertidas al francés en menos de un siglo y que, asimismo, son
numerosas las reediciones que de ellas ven la luz, lo que prueba el
gran número de aficionados que en este país debía tener el moralista
español.

Esta amplia difusión necesariamente habría de dar lugar a un
evidente influjo sobre los grandes escritores franceses del XVIII, tan
caracterizados por su tendencia docente, y en especial sobre aquellos
que cultivaban el género moralista, como La Rochefoucauld y La
Bruyère.

Por lo que se refiere a las *Maximes* de La Rochefoucauld, que
se publican en 1665, dieciocho años después del *Oráculo,* la influencia de Gracián es muy visible, y, si no directamente del texto español,
fué asimilada a través de Madame de Sablé, que conocía a perfección

nuestra lengua, como lo prueban sus *Maximes,* publicadas a su muerte por el Abate d'Ailly, de las cuales dieciséis están tomadas directamente de Gracián [24], y a la cual puede considerarse como consejera y aun colaboradora del moralista, como nos lo muestra, entre otras de sus cartas, ésta que le dirige a Madame: "Je vous supplie très humblement de me renvoyer les quatre maximes que nous fîmes dernièrement..." (Carta 65.) Bouillier [25], al cotejar las ideas de La Rochefoucauld con otras del *Oráculo Manual,* ha podido comprobar la identidad de doctrina, e incluso de expresión, entre quince de las *Maximes* del francés con otras tantas del jesuíta. Es verdad que el oro que, en preciosa filigrana retórica, abunda en los pensamientos del español, lo acuña el francés en aforismos redondos como monedas, pero ello no impide identificar el origen de la noble materia prima. Por otra parte, aunque la semejanza de las *Maximes* con el *Oráculo* no se reduzca a las quince señaladas como idénticas y se extienda a otras más y al tono general de muchas de ellas, en rigor no puede afirmarse, como hace Borinski [26], que "una comparación de las *Máximas* de La Rochefoucauld con Gracián no les deja gran cosa de original", opinión que rechaza Farinelli [27] como atrevida y falsa, suponiendo, en cambio, más que una dependencia directa, un origen común en fuentes clásicas, en especial Séneca. Pero si la concordancia existe, también se percibe la divergencia entre ambos moralistas. Un francés, André Rouveyre [28], al referirse a las máximas de La Rochefoucauld, dirá: "Au point de vue de l'écriture, elles sont une incomparable réussite. Au point de vue des introspections, ce sont de perçantes observations, de boutades nourries et amères, mais elles ne découvrent pas un scrutateur aussi acharné que s'est montré Gracián". La literatura francesa, en esta y otras ocasiones en que toma a préstamo conceptos o temas y asuntos de la nuestra, elabora, refina, desfigura el poderoso instinto creador hispánico, encauzando su to-

---

[24] GRAYDON HOUGH, *Gracian's "Oraculo Manual" and the "Maximes" of Mme. de Sablé,* en *HR.,* 1936, IV, pág. 68 y ss.
[25] *Op. cit.*
[26] KARL BORINSKI, *Baltasar Gracián und die Hofliteratur in Deutschland,* Halle, 1894.
[27] *Op. cit.,* pág. 141.
[28] *Op. cit.,* pág. 32.

rrente con normas académicas, domesticando su fuerza con espíritu de finura, acaso más grato a la vista y al oído, aunque se desvirtúe su pureza e intención.

Con todo, se percibe su primitiva originalidad a poco que se investigue con sutileza. Es el caso de La Bruyère, que publica sus *Caractères* en 1688, cuatro años después de haber publicado Amelot *L'Homme de cour*. Bouillier [29] examina las analogías de ambos libros, para sacar en consecuencia que las alusiones a Gracián son varias y bastante numerosos los pasajes en que el escritor francés imita, aunque de manera libre y original, el *Oráculo*. El erudito hispanista examina, asimismo, la influencia del jesuíta en los *Conseils au Comte de Saint-Alban* —atribuídos a Saint-Evremond, atribución hoy desechada—, en los que se copian con descaro algunas máximas del *Oráculo;* en las *Maximes, sentences et réflexions morales* del Caballero de Méré, donde se encuentran cuatro máximas tomadas textualmente del mismo libro, aparte de otras reminiscencias muy claras; en Chamfort, donde halla y transcribe pensamientos genuinamente gracianescos.

Coster [30], por su parte, se referirá a la posible influencia del moralista español sobre Fenelon, cuyas *Aventures de Télémaque* (1699) pudieran ser una consecuencia de *L'Homme Détrompé* (1696); sobre el *Maître de Claville,* autor de un famoso libro, plenamente saturado de las ideas del jesuíta, que, a su vez, pudo influir en Rousseau; sobre Vauvenargues y aun sobre Voltaire, que le recuerda con elogio unas veces y otras con desdén, como en el *Dictionnaire philosophique* (art. *Figure),* donde llama al de Gracián "style d'Arlequin". Con todo, se ha pensado que no son simples coincidencias ciertas semejanzas que pudieran hallarse entre *Candide* y *El Criticón* [31].

Rouveyre [32] eslabona la influencia de Gracián sobre La Rochefoucauld, que influye sobre Voltaire y Chamfort, y este último sobre Stendhal y Schopenhauer, lo que la enlaza a su vez con la más interesante corriente filosófica alemana, que estudiamos aparte.

---

[29] *Op. cit.*
[30] *Op. cit.*, pág. 683 y ss.
[31] Vid. DOROTHY M. MC. GHEE, *Voltaire's "Candide" and Gracian's "El Criticón",* en *PMLA,* 1937, LII, pág. 778 y ss.
[32] *Op. cit.,* pág. 47 y s.

Incluso se interroga Coster [33] si Corneille no habrá conocido *El Héroe,* a la vista de indicios hallados en obras del gran dramaturgo, acreedor en tantas sugerencias y asuntos a otros autores españoles.

La difusión de las obras e ideas de Gracián en Francia fué profunda hasta muy avanzado el siglo XVIII, y si bien le olvida durante el largo paréntesis del siglo XIX, en el nuestro renace su admiración con mayor fuerza, por obra y gracia de grandes hispanistas como Coster, Morel-Fatio, Bouillier, Rouveyre y tantos más, que estudian con minuciosa detención y admiración apasionada la obra de nuestro pensador [34].

SU ECO EN ITALIA

El éxito de Gracián es menor en Italia, a lo cual pudieron contribuir diversas causas: la primera, sin duda, la más limitada difusión de lo español en dicho país, y quizá también la superabundancia de tratadistas italianos que escriben sobre temas morales, estéticos o políticos, en muchos de los cuales se basaban los valores externos de Gracián, que, a primera vista, de no desentrañar su esencia genuina, podían hacerle parecer un vulgar imitador. Ya hemos visto, al referirnos a las influencias que sobre él pesan, cómo los préstamos que de ellos toma no pasan de lo epidérmico y accesorio.

No obstante, gentes perspicaces, que reconocen sus cualidades eternas y originales, trasladan a su lengua las obras representativas del jesuíta, ya sea directamente del español, o a través del francés.

Se comienza por una traducción anónima del *Oráculo (Oracolo manuale e Arte di Prudenza,* Venecia, 1669), que se reimprime en nueve ediciones hasta el año 1790.

El abate Francesco Tosques, que llama a Gracián "uno de' più profondi Soggetti del Secol nostro", traducirá el mismo libro, pero a través de la versión de Amelot de la Houssaie, como lo indica

---

[33] A. Coster, *Corneille a-t-il connu "El Héroe" de Baltasar Gracián?,* en *RHi.,* 1919, XLVI, pág. 567 y ss.

[34] Sobre varias traducciones francesas de Gracián, vid. Lanson, *Etudes sur les rapports de la littér. française et de la littér. espagnole au XVIIe siècle,* I, en *Rev. d'Hist. de la Littér. de la France,* 1896, III. Jean Sarrailh, *Note sur Gracián en France,* en *BHi.,* 1937, XXXIX, pág. 246 y ss.

explícitamente al frente de la obra *(L'Uomo di Corte,* Roma, 1698), editada varias veces más, en 1702, 1703, 1708, 1718, 1725, 1726, 1730, 1731, 1734, 1740 y 1761.

Difusión semejante logra la traducción de *El Criticón,* que lleva a cabo Pietro Cattaneo (Venecia, 1679), que se reimprime en 1685, 1709, 1720, 1730 y 1745.

Se traduce asimismo *El Discreto,* del francés *(L'uomo universale,* Venecia, 1725), y *El Comulgatorio,* por autor anónimo, en 1675.

También en Italia se le olvida a Gracián durante el siglo xix, en cuyos años finales para en él su atención el gran conocedor de la literatura española Arturo Farinelli, que con su magistral trabajo, tantas veces citado, publicado en 1896, al comentar el libro de Borinski que estudia su influencia en Alemania, añade una importante aportación crítica, al que siguen pronto otros hispanistas como Benedetto Croce, que intenta establecer el enlace del escritor aragonés con los tratadistas italianos del conceptismo; Eugenio Mele, con su estudio titulado *Opere del Gracián e d'altri Spagnuoli fra le mani del P. Casalicchio,* en el *Giornale storico della letteratura italiana,* 1923, LXXXII, págs. 71 y ss., y su traducción comentada del *Oracolo manuale* (Bari, 1927), a la que sigue la versión de Gherardo Marone (Lanciano, 1930), que anteriormente había publicado su ensayo *Morale e politica di Baltasar Gracián.—Schopenhauer e Gracián.—La attualità di Gracián.—Il problema morale.—La virtù eroica.—Gracián e Machiavelli.—Il Politico.—L'estetica di Gracián,* editado en Nápoles, 1925, y recientemente la edición española del *Oráculo Manual* (Milán-Bareso, 1954), cuidada por el Profesor Bertini, a la que precede un valioso estudio sobre Gracián.

SU RESONANCIA EN INGLATERRA

La boga de Gracián en Inglaterra es también menor que la de Francia, y, en gran parte, consecuencia de ella.

Ya en vida del escritor, se publica en Londres, el año 1652, *The Heroe,* traducido por Sir J. Skeffington, con un prólogo de Izaak Walton, y luego, en 1726, a base de la de Courbeville, traducida por "un caballero de Oxford" con el título de *The Hero,* que fué reimpresa en Dublín el mismo año.

En 1681 aparece en Londres una traducción de *El Criticón* con el título *The Critick,* hecha por Paul Rycaut, que había estudiado en la Universidad de Alcalá de Henares. La fecha de esta versión ha hecho pensar en la posible influencia del escritor español sobre Daniel de Foe y su *Robinsón Crusoe,* aparecida treinta y ocho años después, en 1719, que pudo haber conocido la novela alegórica de Gracián, así como también el *Philosophus autodidactus,* de Aben-Tofail, que se imprimió en Oxford, en 1671. Desde luego, las primeras crisis de *El Criticón,* en las que se produce el encuentro de Critilo y Andrenio y mientras tanto permanecen en la isla de Santa Elena, tienen una semejanza evidente con algunos pasajes del libro inglés, del mismo modo que Robinsón y Viernes pudieran considerarse contrafiguras de los dos personajes gracianescos, en lo que éstos tienen de puramente anecdóticos [35]. Pero tan interesante como las huellas identificables que pudieran observarse en la novela de De Foe, pudiera considerarse la influencia difusa que éste, a su vez, pudiera haber ejercido en autores del Romanticismo, como Juan Jacobo o Saint-Pierre, que, huyendo de la civilización, se refugian en el paisaje natural exaltado por Gracián.

El *Oráculo* se difunde en Inglaterra a través de varias versiones: La primera, con el título *The Courtier's Oracle,* a base de la de Amelot, por autor anónimo, editada en Londres, 1694; la segunda, titulada *The Art of Prudence,* traducida por M. Savage, impresa en Londres, 1702, y luego en 1705 y 1714; la tercera, traducida por Joseph Jacobs e impresa en Londres en 1892 y luego en 1904, con el título de *The Art Of Worldly Wisdom* [36]*;* la cuarta, por Martin Henry Fischer, con el título *A Truthtelling Manual and the Art of Worldly Wisdom,* editada en Springfield en 1934 y en años sucesivos; la quinta por Otto Eisenschiml, con el título *The Art of Worldly Wisdom* (Nueva York, 1947), y por último, la reciente traducción de L. B. Walton, titulada *A Manual of the Art of Discretion* (Londres, Dent and Sons Ltd., 1953), a la que precede una valiosa introducción y excelentes notas.

---

[35] Vid. Antonio Rodríguez Pastor, *The Idea of Robinson Crusoe,* Londres, 1930, pág. 71 y ss.
[36] Vid. J. Deghuée, *Joseph Jacob's translation of Balthasar Gracián's Oráculo Manual,* en *MLN,* VIII, pág. 252 y s.

El Discreto también pasa al inglés por obra de T. Saldkeld, con el título *The complet gentleman,* editándose tres veces durante el siglo XVIII, una de ellas en Londres, 1730, y otra en Dublín, 1760.

Incluso *El Comulgatorio* se traduce ya muy tardíamente, a finales del XIX, y al cual su traductor, Mariana Monteiro, titulará *Sanctuary Meditations.* El libro se imprime en Londres, 1875, y de nuevo en 1876 y 1900.

El lector inglés tiene, pues, la fortuna de conocer en su idioma todas las obras de Gracián, si se hace excepción de *El Político* y de *Agudeza,* precisamente las de interés más limitado.

Aparte de las breves referencias que de Gracián nos dan los historiadores ingleses de nuestra literatura, tales como Ticknor y Fitzmaurice-Kelly, y de algunos estudios y ensayos sobre aspectos particulares de la obra del jesuíta, que citamos oportunamente a lo largo de este estudio o en las notas del texto, Inglaterra concurre a la biografía que a él se refiere con la excelente monografía, ya citada, de Aubrey F. G. Bell, publicada en Oxford el año 1921.

GRACIÁN EN OTROS PAÍSES EUROPEOS

Además de influir en los países de que venimos haciendo referencia y en Alemania, donde estudiaremos su difusión seguidamente, Gracián trasciende a otras naciones y lenguas.

Al holandés se traduce *L'Homme de cour* en 1696, y se reimprime en 1700, 1701 y 1707, y *El Discreto,* en 1724 [37].

L'Homme de cour también se traslada al ruso, en 1742, y al polaco, en 1802 y 1949. Al húngaro se tradujo en 1750, y con nuevas versiones en 1770-71, 1772, 1790 y 1837, lo que supone una gran popularidad de esta obra en lengua magiar [38].

Al sueco [39] se traduce también el *Oráculo,* en una traducción

---

[37] Vid. J. A. VAN PRAAG, *Traducciones Neerlandesas de las obras de Baltasar Gracián,* en *HR,* 1939, VII, págs. 237-241.

[38] OLIVIER BRACHFEELD, *Note sur la fortune de Gracián en Hongrie,* en *BHi.,* 1931, XXXIII, págs. 331-335, y SANDOR BAUMGARTEM, *Baltasar Gracián en Hongrie,* en *Rev. de Littér. Comp.,* 1936, Janvier-mars, pág. 40 y ss.

[39] Vid. CARLOS CLAVERÍA, *Nota sobre Gracián en Suecia,* en *HR,* 1951, XIX, págs. 341-343, reproducida en *Estudios hispano-suecos,* Granada, *Colección Filológica, Universidad de Granada,* 1954.

latina debida al humanista Andreas Wibjorson (1658-1737), con el título *Andrae Wiberni... versione latina Operis Graciani, Hispanica Lingua scripti, de Homine Aulico,* cuyo manuscrito, fechado en 1692, se halla en la Biblioteca de Linköping, Suecia, B. 134: 1, Wilberniana Msc. autogr., y al sueco, *El Político,* con el título *DStaatz-Klohka Ferdinandus Catholicus,* obra de Sparvengeld, también en el siglo XVII.

En Portugal —al cual tantas veces alude Gracián con singular interés, en especial a muchos de sus hombres— apenas halla resonancias el nombre del jesuíta, a pesar de que debió ser leído directamente en español, como lo demuestran las ediciones impresas en Lisboa, en la "Officina de Henrique Valente de Oliueira", del *Oráculo* en 1657, y de las tres partes de *El Criticón* en 1656, 1657 y 1661, respectivamente. No conocemos aportación crítica alguna en la que se interprete su visión de Portugal y de sus gentes. Tan sólo una breve nota de Carolina Michaëlis de Vasconcellos sobre Gracián y Sá de Miranda y en tiempos muy recientes, un trabajo de Castro Osorio sobre las posibles influencias de Gracián en un escritor portugués, Tomás Antonio Gonzaga, y en su libro *Cartas chilenas.*

SU IMPRONTA EN ALEMANIA

La penetración de Gracián en Alemania es fecunda y extensa. Se difunden sus obras en alemán y latín en múltiples ediciones, dando lugar a que numerosos escritores y pensadores asimilen lo esencial de su enseñanza.

Hecha excepción de *El Héroe, Agudeza* y *El Discreto,* son traducidos todos sus demás libros a partir de finales del siglo XVII, como puede verse por la siguiente relación:

El Político fué trasladado al alemán por Daniel Caspar von Lohenstein en 1672.

Del *Oráculo* se hicieron numerosas versiones, a través de la traducción de Amelot, de la italiana de Tosques e incluso directamente del español, y entre ellas:

a) la de Adam Gottfried Kromayer *(L'Homme de cour,* Leipzig, 1686).

b) la de Joh. Leonhard Sauter *(L'Homme de cour,* Leipzig, 1687).

c) la de C. Weisbach (con el seudónimo *von Selintes) (Homme de cour,* Augsburgo, 1711).

d) la de August Friedrich Muller, que la traduce del español añadiéndole extensos comentarios *(Orakel,* Leipzig, 1715-1717, reimpresa en 1733 y 1738).

e) la de Freisleben, que se sirve de la versión italiana de Tosques *(Uomo di corte,* Altenburg, 1723).

f) la de Jacques Brucker *(Kluger Welt- und Staatsmann,* Augsburgo, 1729).

g) la latina de Franc. Glarianus Meldenus Constantiensis, a través de la de Amelot de la Houssaie *(Aulicus,* Francfort, 1731), reimpresa en 1750, con prólogo de Heinecke *(Heinecio).*

h) la latina de P. A. Ulrich, que asimismo utiliza la de Amelot *(Hominis Aulici,* 1734).

i) una versión anónima [K. H. Heydenreich] en alemán *(Die Kunst zu leben,* Leipzig, 1786).

j) la de K. H. Heydenreich *(Der Mann von Welt,* Leipzig, 1803, reimpresa en 1804 y 1820).

k) otra de autor anónimo *(Das schwarze Buch, oder Lehren der Lebensweisheit,* Leipzig, 1820, y reeditada en 1826).

l) la de Fr. Kölle *(Männerschule,* Stuttgart, 1838).

m) la de Schopenhauer *(Orakel,* traducida de 1831 a 1832, pero que se publicó en Leipzig, 1861, y luego se reimprimió en 1862, 1871, 1877, 1889, 1890, 1895, 1923, 1931, 1946 y últimamente en 1953).

De *El Criticón* hay una versión de Gaspar Gottschling, que vió la luz en 1708 y se vuelve a imprimir en 1710 y 1721, y una reciente (Hamburgo, 1957) de Hanns Studniczka, completada con un valioso estudio y bibliografía de Hugo Friedrich. Otras versiones más se malograron, como la que proyectaba Andreas Gryphius, buen conocedor de la literatura española, y la que se proponía llevar a cabo Schopenhauer, cuando escribía a su amigo Keil: *"El Criticón* es uno de los libros que más amo en este mundo: de buena gana lo traduciría si se encontrase un editor" [40].

De *El Comulgatorio* hay dos traducciones: una alemana, de Marco Antonio Engmann *(Communionbuch,* Francfort, 1734, reimpresa en 1738, 1751 y 1847), y otra latina *(Praxis communicandi,* Monasterio de Westfalia, 1750).

Son traducciones de desigual valor, en general muy bajo, amplificadas con exceso, muy adulteradas, en las que se duplican los defectos de las versiones intermedias o que captan torpemente el sentido del original. De entre todas ellas, habría que exceptuar la de Schopenhauer, de la que puede afirmarse con Vossler [41], que "la réplica alemana del *Oráculo manual,* por Schopenhauer, es la más fiel, la más congenial y alocutiva. Con razón en el manuscrito de su traducción estampó Schopenhauer el honroso seudónimo de Félix Treumund ("Félix Bocafiel"), asegurando en una nota destinada al editor que había puesto en su trabajo "especial cariño y desvelo", y que "no sólo ofrece una réplica del sentido del original", sino que reproduce también el espíritu y el "estilo conciso y sentencioso, parco en palabras —que se aproxima, más que a nada, al de la carta de aprendizaje de Wilhelm Meister— en cuanto ello es de algún modo posible sin dificultar la comprensión, dada la estelar distancia que separa —tan distintas son realmente— la lengua alemana de la española". Algunos descuidos e inexactitudes, atribuíbles, en parte, al texto deficiente de la edición manejada por Schopenhauer, impresa en Amsterdam (en 1659, por Juan Blaeu), apenas merecen ser tomados en consideración. En cambio, según Vossler, hay que agradecerle al filósofo que "haya suavizado la didáctica rigidez y la exactitud de ciertos términos, ... aminorado la acritud y la uniformidad de las antítesis, ... atenuado la oscuridad y la ambigüedad deliberadas y allanado la audacia paradójica del tono conceptista, sentencioso y oracular, con lo que el conjunto aparece más vitalizado, más moderno y más flúido", y esto hasta el punto de que en efecto, aun perdiendo ciertos matices lingüísticos, "tendrá hoy el texto alemán

[40] *Schopenhauer-Briefe,* ed. Schemann, Leipzig, 1893, pág. 171.
[41] *Op. cit.,* pág. 345.

para los lectores alemanes una suelta fluidez que para los lectores españoles no tuvo el texto español nunca" [42].

Si bien el conocimiento de Gracián en Alemania se reduce casi exclusivamente al *Oráculo* y *El Criticón*, sus obras esenciales, la huella que deja en la literatura y el pensamiento germánicos es profunda, en especial sobre la literatura áulica de los siglos XVII y XVIII y, más tarde, sobre la filosofía del XIX.

Por lo que se refiere a la primera, ha sido estudiada minuciosamente por Borinski [43] y Farinelli [44], que ha hecho de la obra de Borinski una magnífica recensión crítica, con rectificaciones de interés y valiosas aportaciones. Para Borinski es evidente el influjo del moralista español sobre Christian Thomasius, que "fué el trasplantador de Gracián a la cátedra", según el investigador alemán. "El curso en lengua alemana de Thomasius sobre Gracián: *Grund-Regeln vernünfftig, klug und artig zu leben* —sintetizará Farinelli [45]— ha quedado típico de su tiempo. Hay en él imitación de Gracián, a quien Thomasius se parecía tal vez en la vivacidad del temperamento, en la prontitud y efervescencia de las ideas, en varias de sus obras filosóficas y jurídicas. En la *Introductio ad Philosophiam Aulicam (Kurtzer Entwurff der politischen Klugheit)*, insertó unas observaciones sagaces y oportunas tomadas del *Criticón* y del *Oráculo*... Faltaba a Thomasius la cualidad esencial de Gracián, de expresar un sinnúmero de ideas en forma lacónica y precisa. El alemán escribe con humor, pero ahogando en un diluvio de palabras lo que el español había expresado en una breve sentencia, en forma aforística. Gracián da como la síntesis del pensamiento; Thomasius, su análisis."

Influye también Gracián sobre Christian Félix Weise (1726-1804), cuyas novelas políticas son una consecuencia de *El Criticón*, de tal modo que las parejas de personajes que en ellas se desenvuelven —Democritus y Spizwiz, Gelanor y Florindo— proceden de los pro-

---

[42] *Op. cit.,* pág. 346.

[43] *Op. cit.*

[44] ARTURO FARINELLI, *Gracián y la literatura de corte en Alemania* (1896), en *Ensayos y discursos de crítica literaria hispano-europea,* Roma, 1925, vol. II, pág. 443 y ss., y más tarde en nueva edición, *Gracián y la literatura áulica en Alemania,* en *Divagaciones Hispánicas,* Barcelona, 1936, vol. II, pág. 97 y ss., por la que citamos.

[45] *Op. cit.,* pág. 153.

tagonistas de la novela alegórica del jesuíta. Asimismo se observa su huella en sus libros de carácter político y moral. "Pero la sabiduría que C. F. Weise arrastra pesadamente —dirá Farinelli [46]— apoyándose en parte en Moscherosch, en parte en Quevedo, imitando el estilo irónico y satírico de Gracián, abusando de la alegoría, en sus cuadros de la vida humana, repetidos en demasía, la personificación no siempre oportuna de sus figuras imaginarias, la rusticidad de la sátira y del chiste, le hacen muy inferior a los autores que imita, inferior sin comparación a Gracián, que en unas pocas pinceladas satíricas decía tanto como el alemán en un libro."

Según Ferrari [47], Gracián (transmitido en la versión de Amelot) pudo influir, con las máximas de Antonio Pérez, en *L'Anti-Machiavel ou Examen du Prince de Machiavel avec des Notes Historiques et Politiques* (Ginebra, 1759), de Federico de Prusia. Después de estudiar los posibles reflejos de sugerencias suyas en el político prusiano, nos dirá: "A más de otros pensamientos de idéntico matiz, muchas imágenes, ideas y expresiones que proceden de Gracián, de Antonio Pérez o de la reelaboración de éste por el primero, se encuentran destacadas como propias en esta obra política del más grande gobernante de la Ilustración" [48]. De menor grado parece la huella que *El Político* deja en el estudio de Ruperto Becker *Geschichte der Regierung Ferdinand des Katholischen, Königs von Spanien* (Praga y Leipzig, 1790), si se tienen en cuenta los puntos tangenciales que anota Ferrari [49] entre el tratado del jesuíta y el historiador alemán.

Las menudas reminiscencias que del aragonés podrían hallarse en otros escritores del XVIII son numerosas, como también son abundantes los elogios que unos y otros le tributan. El primero entre todos que reconoce el valor de Gracián es Christian Enrique Postel, nacido el mismo año en que el jesuíta muere, el cual, en su epístola *De Linguæ Hispanicæ difficultate, elegantia et utilitate,* llama a Gracián escritor *unicus, summus,* diciendo también: "*Huius viri sunt libri, quibus in eo genere orbis terrarum nil majus vidit... In stylo enim illo nemo tersior, in phrasibus nemo uberior, in metaphoris nemo*

---

[46] *Op. cit.*, pág. 156 y s.
[47] *Op. cit.*, pág. 680 y ss.
[48] *Ibíd.*, pág. 683.
[49] *Ibíd.*, pág. 683 y ss.

*pudiciosor, in majestate nemo sublimior, in allusionibus nemo fe-
licior".*

También Federico Bouterwek, en su *Geschichte der Poesie und
Beredsamkeit seit dem Ende des dreizehnten Jahrhunderts* (1805-
1819), reconoce su calidad, aunque oponga su reserva al estilo, al
decir que Gracián "hubiera sido un escritor excelente, de no haberlo
querido ser extraordinario".

Más trascendental, sin embargo, es la influencia del moralista
español sobre la filosofía alemana del xix, en especial sobre Schopenhauer y Nietzsche.

Farinelli [50] insinúa la posibilidad de que Schopenhauer fuese animado al estudio de Gracián por Goethe, que conocía el *Oráculo,*
como él mismo lo indica en sus *Tagebücher,* donde consta que el 18
de junio de 1810 ha leído *L'Homme de Cour,* acaso en una de las
versiones alemanas de Sauter o Weisbach, que habían adoptado
el título francés dado por Amelot. Es significativo el momento en
que traduce la obra del moralista español, que coincide con una grave
crisis espiritual por que el filósofo pasaba [51], de la que sin duda le
salvó.

Debió servirle de gran consuelo la paciente y escrupulosa labor
que la traducción exigía, aunque quizá, al mismo tiempo que seguía
el original español, tuviese a mano, abierta en su mesa de trabajo,
alguna versión alemana anterior, de expresión diluída y adulterada [52].
Del placer con que la hizo, de la evasión que para él debió significar,
nos da testimonio el logrado texto en lengua alemana de aquel apretado haz de reflexiones, que desde años atrás venía utilizando como
apoyatura y pretexto para sus meditaciones. "Mi escritor preferido
es este filósofo Gracián —confesará en carta a su amigo Keil, el 16
de abril de 1832, cuando ya estaba a punto la versión del *Oráculo*—.
He leído todas sus obras [53]. Su *Criticón* es para mí uno de los mejores libros del mundo." Que el fervor era antiguo y consecuente, nos

---

[50]   *Op. cit.,* pág. 104, *n.*
[51]   Vid. Vossler, *op. cit.,* pág. 344.
[52]   Sobre la probidad de su labor, vid. A. Morel-Fatio, *Gracián interprété
par Schopenhauer,* en *BHi.,* 1910, XII, pág. 377 y ss.
[53]   Que también conocía *El Discreto* lo comprobamos en su *Parerga y
Paralipómena* (CII, 20), donde dedica varias páginas al apólogo titulado "Hombre de ostentación", que es el realce XIII del libro.

lo muestra el que catorce años antes, en 1818, al escribir *El Mundo como Voluntad y Representación,* dijese de *El Criticón* que era "quizá la más grande y la más bella alegoría que había sido escrita jamás" y que afirmase: "Conozco tres obras alegóricas de largo aliento: la primera declara y expone sus intenciones; es el incomparable *Criticón* de Baltasar Gracián; compónese de un amplio y rico tejido de alegorías entrelazadas entre sí, plenas de sentido; es como un ropaje transparente que encubre verdades morales y que les comunica la más sorprendente evidencia intuitiva, al mismo tiempo que el autor nos sorprende por su fecundidad de invención. Las otras dos obras están más embozadas: son *Don Quijote* y *Gulliver en Liliput.*" No llega a traducir *El Criticón,* lo que hubiese hecho de buena gana, y sólo traslada al alemán un fragmento, el que se refiere al Charlatán (III, 4), que intercala en el prólogo de su obra *Dos problemas fundamentales de la moral,* aunque lo haga con el torpe fin de satirizar a Hegel, su gran rival.

A la vista de esta viva admiración podría pensarse en una influencia directa del moralista español sobre Schopenhauer. ¿Qué elementos, qué reminiscencias del pensamiento de Gracián pasan a la doctrina del filósofo? [54]. El pesimismo de ambos, que pudiera representarse en *El Criticón* y en *El Mundo,* parece darles una cierta semejanza, pero difieren totalmente, los separa un abismo moral, en cuanto a la tendencia que cada uno persigue. "El pesimismo de Gracián —dirá Pfandl [55]—, si bien tiene el defecto de la subjetividad y de la generalización, no es guiado, como el de Schopenhauer, por ideas abstractas, sino absolutamente concretas. El mundo no es para él un producto intelectual de la voluntad y de la representación, sino la suma tangible de la caducidad terrena y de la tontería y de la maldad humana. Para Schopenhauer, en la vida sólo existe un refugio de la felicidad y el contento, a saber, la contemplación de las ideas, pero la total liberación del mundo conduce al suicidio. En Gracián la felicidad terrena, si es que puede hablarse de ella, con-

[54] Además de las obras y trabajos citados, vid. ADALBERT HAMEL, *Arturo Schopenhauer y la literatura española* (la segunda conferencia, consagrada especialmente a Gracián), en *Universidad de Madrid, Conferencias y trabajos... durante el curso 1924-25.* Madrid, 1926.

[55] *Op. cit.,* pág. 613 y s.

siste en el perfeccionamiento de la personalidad y en el trato con un pequeño círculo de escogidos, apartándose del vulgo; la segura perfección del más allá constituye el contrapeso de la insuficiencia terrena. Este considerar las cosas *sub specie aeternitatis* y la perspectiva de ver desatadas en la otra vida todas las ligaduras de ésta, ahorran a la filosofía de Gracián el conflicto con la ética, que tan fatal había de ser para los sistemas de Schopenhauer y Hartmann".

La obra del filósofo alemán está, pues, plenamente saturada de la doctrina gracianesca, sin que por ello se perciba al por menor y en detalle, y sí, en cambio, en la concepción integral del hombre y del mundo, aunque sea antagónica la finalidad de cada uno.

Andrés Rouveyre, al cual, aparte de ciertas atrevidas e insostenibles deducciones en su interpretación de la doctrina de Gracián, se debe la más fervorosa divagación sobre el posible enlace del moralista con la triada filosófica Kant-Schopenhauer-Nietzsche, finaliza su paralelo entre ambos, sacando la consecuencia, que consideramos equivocada, de que la moral de Gracián "c'est, juste, la contre-partie de la morale religieuse, de la morale de Kant et de la morale altruiste de Schopenhauer" [56].

Según el citado comentarista, el pesimismo del jesuíta se entronca mucho más con el de Nietzsche. Es otra cuestión por ver, que exigiría un detenido estudio del conocimiento más o menos directo que el autor de *Zarathustra* tuvo de las obras del aragonés, de las huellas visibles, en cuanto a las ideas y al estilo, que en sus libros pueden identificarse y, sobre todo, de los postulados que cada uno plantea y la solución que les dan. Nietzsche conoció, sin duda, el *Oráculo* a través de la única traducción que había hecho Schopenhauer, por quien en un principio sintió vivísima admiración, que más tarde se tornó en repulsa, aunque entretanto hubiese asimilado la doctrina de su maestro. "¿Podía no haber sido herida la atención de Nietzsche —se pregunta Bouillier [57]— por los numerosos pasajes en que Schopenhauer, en el curso de sus obras, habla de su "amado Gracián", citándole a veces ampliamente? ¿Podía descuidar la lectura de su traducción del *Oráculo* quien dijo: "Soy de esos lectores

---

[56] *Op. cit.*, pág. 64.
[57] Victor Bouillier, *Gracián et Nietzsche*, en *Rev. de Littér. Comp.*, 1926, VI, pág. 381 y ss.

de Schopenhauer que, una vez leída la primera página, saben con seguridad que leerán todas las demás y que escucharán absolutamente todas las palabras que haya podido decir?" Que Nietzsche conocía, al menos, esta obra de Gracián, nos lo demuestra el hecho de que en su biblioteca figurase, según el catálogo de Berthold, la primera edición del *Orakel*. No cita Nietzsche al pensador español en sus obras, pero sí, hasta seis veces, en sus escritos póstumos y en sus cartas. En una ocasión dirá: "Gracián demuestra en experiencia de la vida una sabiduría y una perspicacia con las cuales no hay nada comparable hoy". En otras, barajará su nombre con los de los filósofos y moralistas más representativos de la antigüedad o de su tiempo. En una carta a Peter Gast, dirá explícitamente, asociándole a su propia obra: "Sobre Baltasar Gracián tengo el mismo sentimiento que usted: Europa no ha producido nada más fino ni más complicado en materia de sutileza moral. Sin embargo, después de mi *Zarathustra* da una impresión de *rococó* y de sublime filigrana".

Debió conocer asimismo *El Criticón* —ya que *El Discreto,* en cuyo capítulo final hállase en embrión la novela alegórica, no fué traducido, que sepamos, al alemán, y el filósofo no conocía el español—, como nos da a entender cierto pasaje que se halla en *El Viajero y su sombra: "Las edades de la vida.* La comparación entre las cuatro estaciones del año y las cuatro edades de la vida, es una venerable necedad. Ni los veinte primeros ni los veinte últimos años de la vida corresponden a una estación del año...". Si bien tal asimilación viene a ser un lugar tópico entre los clásicos, la disconformidad de opinión parece apuntar a Gracián, que en el XVII habíale dado el máximo desarrollo.

Es *Azorín* quien inicia, intuitivamente, la identificación de Nietzsche con el español [58], y es más tarde Eckertz [59], quien supone acreedor a Nietzsche de ciertas sugerencias en orden al estilo y a la observación psicológica de las obras del jesuíta. Coster, Rouveyre y, sobre todo, Bouillier, han apoyado esta suposición con mayores fundamentos.

[58] AZORÍN, *Un Nietzsche español,* en *El Globo,* Madrid, 1902.
[59] ERICH ECKERTZ, *Nietzsche als Künstler,* Munich, 1910.

¿Qué elementos ha aprovechado Nietzsche de Gracián? Son apenas perceptibles y se reducen a poca cosa. Bouillier destaca la costumbre nietzscheana de poner títulos breves y significativos al comienzo de cada aforismo, a la manera de los que aparecen en el *Oráculo,* con los cuales tienen una vaga semejanza. En ciertas máximas la analogía en las palabras mismas es escasa, pero, en cambio, pueden identificarse en el pensamiento con otras de Gracián. Por el contrario, Bouillier opone su criterio al de Coster por lo que se refiere al posible influjo de la escena del *Charlatán,* que había traducido Schopenhauer, sobre el comienzo de *Zarathustra,* para la cual parece ser que el filósofo se inspiró en una escena de circo que le había impresionado en su infancia. Tampoco puede pensarse en la relación posible entre el *Übermensch* o Superhombre, en el que Nietzsche personifica su ideal, y el Héroe de Gracián, si se tiene en cuenta que *El Héroe* no fué traducido al alemán, y Nietzsche no conocía el español y sólo muy tardíamente conoció el francés. Las coincidencias entre ambos parecen ser mayores por la complacencia con que uno y otro usan del estilo aforístico y sentencioso, que los dos elogian, y en una especie de estilo *conceptista* de que hace uso Nietzsche, en especial en las obras de su período intermedio de creación, que le asimila al jesuíta español, y que permite afirmar a Rouveyre [60], en cuanto a Nietzsche, que "le *conceptisme* peut le réclamer comme son héritier moderne le plus illustre".

Respecto a su posible semejanza, cree Bouillier que habría de atribuirse al parentesco de los genios más que a una influencia directa. De modo general, puede afirmarse que uno proyecta su pensamiento a los grandes problemas de la filosofía, en tanto el otro se limita a discernir los temas de la psicología y de la moral humanas. Nietzsche puso en práctica con más intensidad la introspección que la observación externa. Gran parte de su vida vivió en la mayor soledad, mientras Gracián se complacía en vivir en contacto con el mundo, su enemigo. Sus ideas divergen totalmente, ya que Gracián basa su doctrina en una profunda moral cristiana, mientras Nietzsche

[60] *Op. cit.,* pág. 67.

proclamará que ésta es una "moral de esclavos". Entre Gracián y el célebre *inmoralista* —resumirá Bouillier— sólo se encuentran accidentales coincidencias originadas por el hecho de que tanto el uno como el otro tienen una naturaleza aristocrática, altiva, con instintos (o quizá simples sueños) de energía y de dominación.

No se trata, pues, sino de una vaga influencia, apenas discernible en el estilo y en la manera, en la identidad de ciertos conceptos, en una cierta altivez de carácter, en la predicación de una moral enérgica, diferenciándolos radicalmente, en cambio, la finalidad de su pensamiento [61].

Lo que importa, en cuanto al moralista español, es que pueda afirmarse, como lo hace Rouveyre, que "le rapport entre ces deux écrivains m'apparaît comme le point culminant de l'effort du sens moral à travers trois siècles, Gracián à leur début, Nietzsche à leur fin..." [62], o bien —ampliando su influjo a toda la filosofía alemana del XIX—, que "Gracián a devancé les conclusions de l'impérissable trilogie Kant-Schopenhauer-Nietzsche. Trilogie à laquelle tout homme intelligent moderne doit sa qualité et sa trempe" [63], juicio que parece recoger los anteriores de Borinski, al decir que Gracián es el "padre de dos elementos esenciales de la educación moderna: el reconocimiento del gusto y aquella práctica de la prudencia del mundo que en el siglo XVII llamábase política" [64], o las conclusiones de Farinelli, que sostiene: "Por su fuerza de observación psicológica, por la libertad y valentía del juicio, Baltasar Gracián es precursor de la ciencia moderna" [65].

Aquella dolorida reflexión de Gracián: "Fueron algunos dignos de mejor siglo, que no todo lo bueno triunfa siempre... Lleva una ventaja lo sabio, que es eterno, y si éste no es su siglo, muchos otros lo serán", tiene cabal cumplimiento por lo que se refiere a la trascendencia y alcance de sus obras a través del tiempo y del espacio. Por muy ambiciosas que fuesen sus aspiraciones, puede concluirse

---

[61] Vid. E. MELE, *Baltasar Gracián ed il Nietzsche*, en *Nuova Cultura*, 1928, VII.
[62] *Op. cit.*, pág. 75.
[63] *Ibíd.*, pág. 45.
[64] *Op. cit.*, pág. 1.
[65] *Op. cit.*, pág. 132.

con Farinelli [66], que Gracián no "hubiera nunca soñado llegar a tal punto en sus doctrinas, y fecundar, a la distancia de los siglos, la ciencia y la experiencia de otros geniales pensadores" [67].

[66]   *Ibíd.*, pág. 159.

[67]   Además de la bibliografía alemana citada, pueden consultarse: A. KNEER, *Ein spanischer Jesuit und die deutsche Rechtsanwaltschaft*, en *Literarische Blätter der Kölnischen Volkszeitung*, 1926, XXXIV; R. FINGER, *Diplomatisches Reden: ein Buch der Lebenskunst im Sinne des Spaniers Gracián*, Berlín, 1927.

BIBLIOGRAFIA

Dividimos nuestra *Bibliografía* en dos grupos.

En el de *Obras* ofrecemos primero sus varias ediciones de *Obras completas* y seguidamente, por orden cronológico, las de sus libros impresos por separado o reunidos con otros, así como las de sus escritos menores o atribuídos, con sus traducciones correspondientes.

Hemos creído conveniente anotar al pie de las ediciones príncipes las diversas reimpresiones que de cada una de ellas se hicieron, y cuando se trata de ejemplares raros, la biblioteca en que se hallan e inclusive, en ocasiones, su signatura.

Nos ha parecido necesario, asimismo, consignar al pie de cada edición las recensiones que les fueron dedicadas —aunque algunas de ellas, suficientemente amplias o importantes, pudieran figurar entre los estudios—, lo que sin duda facilitará la labor del investigador.

En cuanto al grupo de *Estudios y ensayos* nos hemos decidido a darlo por orden cronológico —y dentro de cada año por orden alfabético—, sistema, sin duda, más racional y evidente, que permite observar la influencia ejercida por los trabajos fundamentales sobre Gracián y su obra, la evolución de la crítica e incluso la mayor afluencia de ésta en determinadas épocas.

Consignamos también al pie de cada estudio las reseñas que mereció, y, en algún caso, observaciones breves sobre su contenido.

Los inconvenientes que pudiese presentar tal ordenación, quedan resueltos por el *Indice onomástico* que figura al final de esta obra.

PRINCIPALES SIGLAS USADAS

ACer	*Anales cervantinos*. Madrid.
AFA	*Archivo de Filología Aragonesa*. Institución "Fernando el Católico". Zaragoza.
AHSI	*Archivum Historicum Societatis Iesu*. Roma.
Arb.	*Arbor*. Madrid.
BAE	*Biblioteca de Autores Españoles* de Rivadeneyra. Madrid.
BAH	*Boletín de la Real Academia de la Historia*. Madrid.
BBMP	*Boletín de la Biblioteca de Menéndez Pelayo*. Santander.
BGCm	*Baltasar Gracián. Curso monográfico...* Zaragoza, 1926.
BHi	*Bulletin Hispanique*. Burdeos.
BHS	*Bulletin of Hispanic Studies*. Liverpool.
BRAE	*Boletín de la Real Academia Española*. Madrid.
BUSC	*Boletín de la Universidad de Santiago de Compostela*.
CdL	*Cuadernos de Literatura*. Madrid.
Clav.	*Clavileño*. Madrid.
ComL	*Comparative Literature*. Eugene. Oregón.
EMPi	*Estudios dedicados a Menéndez Pidal*. Madrid.
Fil.	*Filología*. Buenos Aires.
HaG	*Homenaje a Gracián*. Institución "Fernando el Católico". Zaragoza, 1958.
HR	*Hispanic Review*. Filadelfia.
LR	*Les Lettres Romanes*. Lovaina.
MLN	*Modern Language Notes*. Baltimore.
NRFH	*Nueva Revista de Filología Hispánica*. México.
PMLA	*Publications of the Modern Language Association of America*. Baltimore.
QIA	*Quaderni Ibero-Americani*. Turín.
RABM	*Revista de Archivos, Bibliotecas y Museos*. Madrid.

RF	*Romanische Forschungen.* Erlangen.
RFE	*Revista de Filología Española.* Madrid.
RFH	*Revista de Filología Hispánica.* Buenos Aires.
RHi	*Revue Hispanique.* New York-Paris.
RIE	*Revista de Ideas Estéticas.* Madrid.
RLit.	*Revista de Literatura.* Madrid.
ROcc.	*Revista de Occidente.* Madrid.
RoPh.	*Romance Philology.* Berkeley y Los Angeles.
RUM	*Revista de la Universidad de Madrid.*
RyF	*Razón y Fe.* Madrid.
ZRPh	*Zeitschrift für Romanische Philologie.* Halle.

I.—OBRAS

EDICIONES DE OBRAS COMPLETAS

Obras de Lorenzo Gracián.

Madrid, Imp. Real [1663]; 2 tms. en 4.º

Bibl. de Cataluña, Barcelona.
Sobre el segundo tomo, vid. LUCAS DE TORRE, en *RHi*, 1933, LXXXI, 85-86.

Obras de Lorenzo Gracián.

Madrid, Pablo de Val, 1664; 2 tms. en 4.º: I, 4 hs., 536 págs., 8 hs. y 16 hs.; II, 4 hs., 442 págs. y 2 hs., 89 págs., 2 hs. y 18 hs.

British Museum.
Bibl. Nac., Madrid.
Bibl. Nat., París.

Obras de Lorenzo Gracián.

Barcelona, Antonio Lacavallería, 1669; 2 tms. en 4.º

2.º tm. en Bibl. Nat., París.
Bibl. Univ., Valladolid.

Obras de Lorenzo Gracián.

Amberes, Verdussen, 1669; 2 tms. en 4.º: I, 3 hs., 126 págs., 4 hs.; 4 hs., 131 págs., 6 hs.; 4 hs., 159 págs.; 4 hs., 1 h., 70 págs., 5 hs.; 1 h., 35 págs. y 7 hs., 27 págs.; 7 hs.; II, 4 hs., 367 págs., 4 hs.; 1 h., 69 págs., 4 hs. y 1 h., 97 págs., 6 hs.

British Museum.
Bibl. de Cataluña, Barcelona.
Bibl. Nat., París.

Obras de Lorenzo Gracián.

Madrid, Imp. Real de la Santa Cruzada, 1674; 2 tms. en 4.º, 6 hs., 536 págs., 8 hs., y 2 hs., 462 págs., 2 hs., 89 págs. y 8 hs.

Bibl. Univers. Barcelona.
Contiene esta edición, creemos que por primera vez, *Las Selvas del Año,* atribuídas a Gracián.

Obras de Lorenzo Gracián.

Barcelona, Antonio Lacavallería, 1683; 2 tms. en 4.º, 2 hs., 3 hs., 138 págs.; 1 h., 149 págs., 12 hs.; 3 hs., 162 págs. y 9 hs., 64 págs.; 23 págs.; 12 págs. y 2 hs., 341 págs.; 64 págs.; 35 págs.; 88 págs. y 2 hs.

British Museum.
En la portada, se especifica que figuran en esta edición *Las Selvas del Año, añadidas en esta impressión,* que ocupan las páginas 89-101 del primer volumen.

Obras de Lorenzo Gracián.

Barcelona, 2 tms. en 4.º; I, Juan Jolis, 1700; 4 hs., 537 págs. y 7 hs., y II, Jaime Suriá, s. a. [1700]; 2 hs., 524 págs. y 16 hs.

Library Congress, Washington.
Incluye al final del segundo volumen el poema *Las Selvas del Año,* que no vuelve a figurar en ediciones sucesivas.

Obras de Lorenzo Gracián.

Amberes, Verdussen, 1702; en 4.º, 3 hs.; 116 págs.; 4 hs., 122 págs.; 4 hs., 147 págs.; 2 hs., 58 págs., 1 h.; 1 h., 31 págs.; 2 hs., 21 págs., y 4 hs., 240 págs.; 1 h., 53 págs.; 1 h., 73 págs., y 2 hs.

Bibl. Nac., Madrid.

Obras de Lorenzo Gracián.

Madrid, González de Reyes, 1720; 2 tms. en 4.º, 3 hs., 519 págs., 6 hs., y 3 hs., 539 págs., y 2 hs.

British Museum.
Bibl. Nac., Madrid.

Obras de Lorenzo Gracián.

Amberes, Verdussen, 1725; 2 tms. en 4.º, 3 hs., 116 págs.; 4 hs., 122 págs.; 4 hs., 147 págs.; 2 hs., 58 págs.; 1 h., 31 págs.; 2 hs., 21 págs., y 4 hs., 240 págs.; 2 hs., 51 págs. y 1 h., 73 págs., y 2 hs.

British Museum.
Bibl. Nac., Madrid.

Obras de Lorenzo Gracián.

Sevilla, *A costa de D. Juan Leonardo,* 1732; 2 tms. en 4.°, 3 hs., 519 págs., 6 hs., y 3 hs., 538 págs. y 3 hs.

Hispanic Society, Nueva York.

Obras de Baltasar Gracián.

Barcelona, Giralt, 1734; 2 tms. en 4.°, 3 hs., 519 págs., 6 hs., y 3 hs., 539 págs., 2 hs.

Bibl. Nac., Madrid.
Bibl. Nat., París.

Obras de Lorenzo Gracián.

Barcelona, Pedro Escuder y Pablo Nadal, 1748; 2 tms. en 4.°, 4 hs., 519 págs., 7 hs., y 4 hs., 539 págs., 3 hs.

Bibl. Filos. y Letr., Madrid.
British Museum.
Hispanic Society, Nueva York.

Obras de Lorenzo Gracián.

Barcelona, María Angela Martí y Galí, 1757; 2 tms. en 4.°, 3 hs., 531 págs., 6 hs., y 3 hs., 575 págs., 4 hs.

British Museum.
Bibl. Nac., Madrid.

Obras de Lorenzo Gracián.

Madrid, Marín, 1773; 2 tms. en 4.°, 2 hs., 678 págs., 1 h., y 1 h., 624 págs., 5 hs.

Obras de Lorenzo Gracián.

Barcelona, 1784; 2 tms.

Vid. Palau.
Romera-Navarro, M.
Ediciones de "Obras Completas", en *El Criticón,* Edición crítica y comentada. Londres, Oxford University Press, 1938, I, 67-88.

Baltasar Gracián.

Obras completas.

Introducción, recopilación y notas de E. Correa Calderón.
Madrid, 1944; en 4.°, CLVI-990 págs.

Baltasar Gracián.

Obras completas.

Estudio preliminar, edición, bibliografía y notas de Arturo del Hoyo.
Madrid, 1960; en 4.°, CCLXXII-1320 págs.

EL HEROE

El Héroe, o primores que debe tener un héroe político; escrito dedicado al Rey [Felipe IV].
En Bibl. Nac., Sec. Mss., S, 206.

El Héroe.

Huesca, Juan Nogués, 1637.

> Edición desconocida. Su dedicatoria a D. Vincencio de Lastanosa aparece reproducida por el doctor DIEGO VINCENCIO DE VIDANIA en su prólogo al *Tratado de la moneda jaquesa* (Zaragoza, 1681), de LASTANOSA.

El Héroe de Lorenzo Gracián Infanzón. En esta Segunda Impressión nuevamente corregida. Con licencia, En Madrid, por Diego Díaz, Año MDCXXXIX.

Bibl. Nac.: R. 13655.

El Héroe.

Madrid, 1640; en 12.º
Vid. PALAU.

El Héroe.

Lisboa, Manuel da Silva, 1646.

Bibl. Nac., Lisboa: L. 6431. P.

El Héroe de Lorenzo Gracián Infanzón. En esta Impressión nuevamente corregido.
Amsterdam. En casa de Iuan Blaeu, MDCLIX; en 12.º, 76 págs.

El Héroe.

Coimbra, Thomé de Carvalho, 1660.
Vid. PALAU.

[*El Discreto, Oráculo manual* y] *El Héroe.*
Edición de ADOLFO DE CASTRO.
Madrid, *Biblioteca de Autores Españoles,* LXV, 1873, págs. 539 y ss.

El Héroe. [*El Discreto*]. Con un estudio de ARTURO FARINELLI.
Madrid, Biblioteca de Filosofía y Sociología, 1900.

El Héroe. Reimpresión de la edición de 1639. Publicada con las variantes del códice inédito de Madrid y el retrato del autor por ADOLPHE COSTER.
Chartres, Librairie Lester, 1911.

El Héroe, [*El Discreto, Oráculo*].
Edición de ALFONSO REYES, Madrid, Calleja, 1918.

El Héroe. Obra maestra de la Literatura española. Publicada por LUIS ESTESO.
Madrid, Editorial América, 1918.

[*El Oráculo manual,* seguido de] *El Héroe* [y *El Discreto*].
Edición de EDUARDO OVEJERO Y MAURY.
Madrid, Biblioteca de Filósofos Españoles, 1930.

El Héroe [y *El Discreto*].
Madrid, Razón y Fe, 1932.

El Héroe. [*El Discreto. Oráculo manual*].
Buenos Aires, 1939.

El Héroe [y *El Discreto*].
Madrid, Austral, 1938.
                    Nuevas ediciones a partir de ésta.

Tratados políticos. El Héroe. [*El Discreto. El Político. Oráculo manual*].
Ed. de GABRIEL JULIÁ ANDREU.
Barcelona, Miracle, 1941.

[*Oráculo manual*]. *El Héroe.*
Buenos Aires, 1943.

TRADUCCIONES

Le Heros François ou l'Idée du grand capitaine. Par le SIEUR DE CERIZIERS, Aumosnier de Monseigneur le duc d'Orleans. A Paris, Chez la Veuve Iean Camusat, et Pierre le Petit, rue Saint Iacques, A la Toyson d'Or. M. DC. XLV.

Se trata de un plagio de *El Héroe.*

Traducción del Héroe Francés, o la Idea del Gran Capitán. Dedicada al Conde de Armagnac, Primogénito del Serenissimo Conde de Harcourt, virrey y Capitán General del Principado de Cataluña y sus Condados de Rossillon y Cerdeña. Por el Abad de San Cugat, Predicador y Coronista de su Magestad. Compúsola en francés el Señor de Ceriziers, Limosnero de su Alteza Real el Serenissimo Duque de Orléans. Y la dedicó a los Tres Estamentos de Cataluña.
Barcelona, 1646.

L'Heros de Lavrens Gracian, gentilhomme aragonois. Traduit nouvellement en François. Par le sieur Geruaise, Medecin Ordinaire du Roy, estably dans la ville & chasteau de Perpignan.
A Paris, Chez la veufue Pierre Cheuslier, rue S. Iacques, à l'Image S. Pierre. M.DC.XLV. En 8.º, 8-128 págs.

Otras ediciones:
Amsterdam, 1695; en 8.º

The Heroe of Lorenzo Gracián, or the way to eminence and perfection. A piece of serious Spanish Wit, originally in that language written, and in English translated by Sir J. SKEFFINGTON.
Londres, 1652; en 18.º

Lleva un prólogo de IZAAK WALTON.

L'Héroe. Transportato dalla Lingua Castellana nella Toscana. CARL'AMATOR TORNESI, Italiano. Nuova impressione.
Gena, Giovanni Goliner, 1695.

L'Eroe. Portato dalla lingua spagnuola all'italiana da F. I. CIVATIER.
Venecia, Alvise Pavin, 1706.

Le Heros, traduit de l'Espagnol de Baltazar Gracian. Avec des Remarques. Dédié à Monseigneur le Duc de Bourbon. [Trad. de Joseph de Courbeville].

A Paris, Chez Noel Pissot, MDCCXXV.

Otras ediciones:

Amsterdam, 1729.

Rotterdam, 1729.

> Reseñas:
> GUYOT-DESFONTAINES, en *Journal des Savants,* 1725, 591-597.

The Hero from the Spanish of Balthazar Gracián with remarks moral, political and historical of learned Father J. de Courbeville, translated by a gentleman of Oxford.

Londres, 1726.

Otras ediciones:

Dublin, 1726.

L'Eroe, ovvero la scuola per giungere all'eroismo, opera di Lorenzo Graziani, tradotta dalla lingua castigliana, da AGOSTINO PARADISI.

Modena, Per Antonio Capponi, 1729.

BOUILLIER, V.

Le Héros de Baltasar Gracián (Traduction).

En *BHi,* 1933, XXXV, 392-427.

El Héroe.

Trad. al francés por E. Milner.

París, 1938.

EL POLITICO

EDICIONES EN ESPAÑOL

El Político D. Fernando el Catholico. De Lorenzo Gracián. Que publica D. Vincencio Iuan de Lastanosa. Con licencia en Huesca: Por Juan Nogues. Año 1646. Véndese en casa de Francisco Lamberto, en la Carrera de San Gerónimo.

El Político.

Edición facsímil de la publicada en Huesca, 1646. Prólogo de Francisco Ynduráin.

Zaragoza, Institución "Fernando el Católico", 1953.

El Político D. Fernando El Catholico, de Lorenzo Gracián, que publica Don Vincencio Ivan de Lastanosa. Con licencia en Huesca, por Ivan Nogués, Año 1646. A Amsterdam, En casa de Juan Blaev, MDCLIX.

[*Oráculo manual*]. *El Político.*

Madrid, Biblioteca de Filosofía y Sociología, 1900.
Otras ediciones:
Madrid, 1909.

El Político D. Fernando [seguido de las *Meditaciones varias para antes y después de la Sagrada Comunión* y de las *Selvas del Año*].

Madrid, Biblioteca de Filósofos Españoles, 1934.

De interés, por contener dos estudios de Eduardo Ovejero y Maury. Como prólogo: *Baltasar Gracián y su influencia europea,* y como epílogo: *Resumen de su vida y juicio de su obra.*

El Político Don Fernando. [*Meditaciones para antes y después de la Sagrada Comunión* y las *Selvas del Año*].

Edic. de M. Romera-Navarro. Filadelfia, 1938-1940.

Tratados Políticos. [*El Héroe. El Discreto*]. *El Político.* [*Oráculo manual*].

Edición de Gabriel Juliá Andreu.

Barcelona, Miracle, 1941.

El Político.

Introducción de E. Tierno Galván. Edición y notas de E. Correa Calderón.

Salamanca, Biblioteca Anaya, 1961.

TRADUCCIONES

Réflexions politiques de Balthasar Gracian sur les plus grands princes, et particulièrement sur Ferdinand le Catholique. Ouvrage traduit de l'espagnol

avec des Notes historiques et critiques par M. D. S. [ETIENNE DE SIL-
HOUETTE].

Paris, Chez Barthélemy Alix, 1730; en 4.°, 120 págs.

Otras ediciones:

París, 1730 [2.ª ed.]; en 12.°

Amsterdam, 1731.

Le Politique Dom Ferdinand le Catholique. [Trad. de Joseph de Courbeville].
Paris, chez Rollin fils, MDCCXXXII; en 12.°

Otras ediciones:

Rotterdam, 1732.

> Reseñas:
> GUYOT-DESFONTAINES, en *Journal des Savants,* 1732.
> En *Mémoires de Trévoux,* 1732.

El Político.

Trad. al alemán por DANIEL CASPER VON LOHENSTEIN. 1672.

Il Politico Don Fernando il Catolico di Lorenzo Graziano tradotto dallo
spagnuolo nell'italiano idioma dal conte GIOVANNI PIETRO MARCHI, nobile
di Spalato.

Venezia, Alvise Pavin, 1703.

D Staatz-Klohka Ferdinandus Catholicus aff Spanien &c. aff Lorenço Gracians
Spanska text verterat.

Trad. al sueco de SPARVENFELD. [Siglo XVII].

> Vid. CLAVERÍA, CARLOS, *Nota sobre Gracián en Suecia,* en
> *HR,* 1951, XIX, págs. 341 y ss.

AGUDEZA Y ARTE DE INGENIO

EDICIONES EN ESPAÑOL

*Arte de ingenio, tratado de la Agudeza. En que se explican todos los modos,
y diferencias de Conceptos.* Por Lorenço Gracián. Dedicala Al Príncipe
Nuestro Señor. Con privilegio en Madrid, Por Iuan Sanchez. Año 1642.
A costa de Roberto Lorenço, Mercader de Libros. En 8.°, 152 págs.

> Bibl. Nac.: R. 15000.

Arte de ingenio, tratato de la agudeza.

Lisboa, Officina Craesbeeckiana, 1659.

Arte de ingenio, tratado de la agudeza.

Amberes, Jerónimo y Juan Bautista Verdussen, 1669.

Vid. PALAU.

Agvdeza y Arte de Ingenio, en qve se explican todos los modos, y diferencias de Conceptos, con exemplares escogidos de todo lo mas bien dicho, assi sacro, como humano. Por Lorenço Gracián. Avmentala El mesmo Autor en esta segunda impression con vn tratado de los Estilos, su propiedad, ideas del bien hablar: con el Arte de Erudicion, y modo de aplicarla; Crisis de los Autores, y noticias de libros. Ilvstrala el Doctor don Manvel de Salinas, y Lizana Canonigo de la Cathedral de Huesca, con saçonadas traducciones de los Epigramas de Marcial. Publicala Don Vincencio Ivan de Lastanosa Cavallero, y Ciudadano de Huesca, en el Reyno de Aragón. Coronala con su nobilisima protección, el Excelentisimo Señor Don Antonio Ximenez de Vrrea, Conde de Aranda, &c. Grande de España.

Con licencia. Impresso en Huesca, por Ivan Nogves, al Coso. Año M. DC. XLVIII.

Bibl. Nac.: R. 15230.

Agudeza y Arte de Ingenio.

Huesca, Juan Nogués, 1649; en 4.º, 376 págs.

COSTER, B. G., en *RHi, 622*, anota: "En 1649 parut une édition identique [a la primera] avec le titre seul réimprimé et les mots *tercera impressión* au lieu de *segunda impressión*".

Agudeza y arte de ingenio. [*Oráculo manual*].

Amberes, Verdussen, 1702.

Agudeza y arte de ingenio.

Madrid, 1720.

Vid. PALAU.

Agudeza y arte de ingenio.

Edición de EDUARDO OVEJERO Y MAURY.

Madrid, Biblioteca de Filósofos Españoles, 1929.

Agudeza y Arte de Ingenio.

   Madrid, Austral, 1942.

Agudeza y arte de ingenio.

   Nota preliminar de F. S. R. Revisión y notas de E. CORREA CALDERÓN.
   Madrid, Aguilar, 1944; en 12.º, 720 págs.

EL DISCRETO

EDICIONES EN ESPAÑOL

El Discreto de Lorenzo Gracián.

   Huesca, 1646; en 16.º, 15 hs.-480 págs.

>   ROMERA-NAVARRO (ed. de *El Discreto*, Buenos Aires, 1959,
>   pág. XXVII) la diferencia de la considerada hasta ahora
>   como edición princeps, en que ésta, también en 16.º, consta
>   sólo de 314 págs.

El Discreto.

   Huesca, Juan Nogués, 1646 [1647]; en 16.º, 314 págs.

>   Bibl. Nac.: R. 13660.

>   Se añade en la portada: "Véndese en casa de Francisco
>   Lamberto en la carrera de S. Gerónimo", dato que no apa-
>   rece en la primera edición.

El Discreto.

   Barcelona, Pedro Juan Dexen, 1647.

>   Bibl. Nac.: R. 13647.

El Discreto.

   Coimbra, 1647.

El Discreto.

   Coimbra, Thomé Carvalho, 1656.

>   Bibl. Ajuda: 67, I, 8.

El Discreto.

   Huesca, 1656.

El Discreto de Lorenzo Gracián. Que publica Don Vincencio Juan de Lastanosa.
En Amsterdam, en casa de Pedro le Grand, MDCLXV; en 12.º, 184 págs.

El Discreto, [Oráculo manual y El Héroe]. Edición de ADOLFO DE CASTRO.
Madrid, *BAE,* LXV, 1873, págs. 539 y ss.

El Héroe. [El Discreto]. Con un estudio de ARTURO FARINELLI.
Madrid, Biblioteca de Filosofía y Sociología. 1900.

El Discreto.
Madrid, Biblioteca Universal, s. f. [1911].

[El Héroe]. El Discreto. [Oráculo].
Edición de ALFONSO REYES.
Madrid, Calleja, 1918.

El Discreto, [El Héroe y Oráculo Manual].
Madrid, Biblioteca de Filósofos Españoles, 1930.

El Discreto. [Oráculo manual].
Valencia, Prometeo, s. a.

El Discreto. [Oráculo manual].
Buenos Aires, 1938.

[El Héroe]. El Discreto. [Oráculo manual].
Buenos Aires, 1939.

Tratados políticos. [El Héroe]. El Discreto. [El Político. Oráculo manual].
Edición de GABRIEL JULIÁ ANDREU.
Barcelona, Miracle, 1941.

[El Héroe]. El Discreto. [Oráculo manual].
Buenos Aires, 1943.

TRADUCCIONES

L'Homme Universel, traduit de l'Espagnol de Baltasar Gracián.

A Paris, chez Noel Pissot, 1723; en 12.º [Trad. de Joseph de Courbeville].
Otras ediciones:
La Haya, 1724.
Rotterdam, 1729.

> Reseñas:
> COURBEVILLE, P. J. DE, en *Mémoires de Trévoux,* 1721.
> En *Journal des Savants,* 1724.

L'Uomo universale o sia il carattere dell'uomo perfetto di Baldassare Grazia-
no, tradotto dalla Lingua Espagnuola nella Francese, e dalla Francese
nell'Italiana. [Trad. de autor anónimo].
Venecia, 1679.
Otras ediciones:
Venecia, Angelo Geremia, 1725.

Il savio politico corteggiano... dal P. F. DOMENICO DE LA CRUX dell'Ordine
de Predicatori.
Vienna d'Austria, Heyinger, 1704.

Il savio politico di Baldassar Gratiano.
Nápoles, Persile, 1729.

De Volmaakte Wysheit*, of de man in alles Bedreven, en het Voorbeeld eener
Algemeene Wetenschap. [Trad. al holandés por J. GENTIL].
Graavenhaage [La Haya], Alberts, 1724.

> Koninklijke Biblioteck, La Haya:
> 943 F 87.

The Complett Gentleman, or a description of the several qualifications, both
natural and adquired, that are necessary to form a great man. Written
originally in spanish and now translated into English. by T. SALDKELD.
Londres, 1726.
Otras ediciones:
Londres, 1730.
Dublin, 1760.
Dublin, 1776.

---

* "La sabiduría completa".

Der Vollkomene Mensch.

Trad. de JACQUES BRUCKER.
Augsburgo, 1729.

Czlowiek Uniwersalny.

Trad. anónima al polaco.
Wilno, 1762.

BOUILLIER, V.

Traduction de six chapitres du "Discreto".
En *BHi*, 1926, XXVIII, 359-374.

BOUILLIER, VÍCTOR.

Traduction des six premiers chapitres du "Discreto".
En *BHi*, 1928, XXX, 27-46.

BOUILLIER, VÍCTOR.

Traduction de neuf chapitres du "Discreto".
En *BHi*, 1929, XXXI, 102-130.

BOUILLIER, VÍCTOR.

Traduction des chapitres IX, XIII, XIX et XXV du "Discreto".
En *BHi*, 1931, XXXIII, 5-21.

ORACULO MANUAL

EDICIONES EN ESPAÑOL

Oráculo Manual y Arte de Prudencia. Sacada de los Aforismos que se discurren en las obras de Lorenço Gracián. Publícala D. Vincencio Ivan
de Lastanosa. Y la dedica Al Excelentissimo Señor D. Luis Méndez de
Haro, Conde-Duque.
Huesca, Juan Nogués, 1647.

Edición de la que se tenía noticias a través de Latassa.

Del único ejemplar conocido, descubierto recientemente, hizo su propietario D. Jorge M. Furt, de La Plata, Argentina, una primorosa reproducción en facsímil (Buenos Aires, Imprenta Coni, 1958), en edición de trescientos ejemplares.

Oráculo manual y Arte de prudencia.

Edición crítica y comentada por Miguel Romera-Navarro. Basada en la edición de 1647.

Madrid, *Revista de Filología Española,* Anejo LXII, 1954; en 4.º, XXXIX-656 págs.

> Reseñas:
> Arco, Ricardo del, en *Argensola,* 1954, XVIII, 193-194.
> Batllori, P. Miguel, en *AHSI,* 1955, XXIV, 230 y ss.
> May, T. E., en *BHS,* 1955, XXXII, 214-223.
> Weinrich, H., en *ASNS,* 1955, CXCII, 242-243.
> Ashcom, B. B., en *HR,* 1956, XXIV, 161-166.

Oráculo manual, y arte de prudencia. Sacada de los Aforismos que se discurren en las obras de Lorenzo Gracián. Publícala D. Vincencio Juan de Lastanosa. Y la dedica al excelentísimo Señor D. Luis Méndez de Haro.
Madrid, María de Quiñones, 1653.

Oráculo manval y Arte de Prudencia. Sacada de los aforismos que se discvrren en las obras de Lorenço Gracian. Publícala D. Vincencio Jvan de Lastanosa.
Lisboa, Officina de Henrique Valente de Oliueira, 1657.

Oráculo Manual, y arte de prudencia. Sacada de los Aforismos que se discurren en las obras de Lorenzo Gracián. Publícala D. Vincencio Juan de Lastanosa.
Amsterdam, "en casa de Juan Blaeu", 1659; en 12.º, 200 págs.

Oráculo manual y arte de prudencia.
Bruselas, 1697; en 12.º

Oráculo manual y arte de prudencia.
Amberes, 1725.

Oráculo manual. Edic. de A. Keller.
Stuttgart, 1839.

[*El Discreto*], *Oráculo manual* [*y El Héroe*].
Edición de Adolfo de Castro.
Madrid, Biblioteca de Autores Españoles, LXV, 1873, págs. 539 y ss.

Oráculo Manual, [*El Político*].
Madrid, Biblioteca de filosofía y sociología, 1900.
Otras ediciones:
Madrid, 1909.

[*El Héroe, El Discreto*], *Oráculo manual.*
Edición de Alfonso Reyes.
Madrid, Calleja, 1918.

[*El Discreto*]. *Oráculo manual.*
Valencia, Prometeo, s. a.

Oráculo manual.
Madrid, Bibliotecas Populares Cervantes, 1928.

[*El Héroe. El Discreto*]. *Oráculo manual.*
Madrid, Biblioteca de Filósofos Españoles, 1930.

[*El Discreto*]. *Oráculo manual.*
Buenos Aires, 1938.

[*El Héroe. El Discreto*]. *Oráculo manual.*
Buenos Aires, 1939.

Oráculo manual y arte de prudencia.
Santiago de Chile, 1940.

Tratados políticos. [*El Héroe. El Discreto. El Político*]. *Oráculo manual.*
Edición de Gabriel Juliá Andreu.
Barcelona, Miracle, 1941.

Oráculo manual. [*El Héroe*].
Buenos Aires, 1943.

22

Oráculo manual. Ed. de Gabriel Juliá Andreu.
  Heidelberg, 1946.

Oráculo manual. Ed. de Arturo del Hoyo.
  Madrid, Clásicos Castilla, 1948.

El oráculo manual. Introduzione, bibliografia e tabella semantica a cura di
  G. M. Bertini.
Milano-Barese, Istituto editoriale cisalpino, 1954.
                    Reseñas:
                    Batllori, P. Miguel, en *AHSI,* 1955, XXIV, 230 y ss.

TRADUCCIONES FRANCESAS

L'Homme de Cour. Traduit de l'Espagnol de Baltasar Gracian. Par le sieur
  Amelot de la Houssaie. Avec des Notes. A Paris, chez la Veuve Martin
  & Jean Baudot, rue de Saint Jacques, au Soleil d'or. MDCLXXXIV.
  Otras ediciones:
  La Haya, Troyel, 1684; en 12.º
  Paris, Veuve Martin et Jacques Baudot, 1685; en 12.º, 373 págs.
  La Haya, Troyel, 1685; en 12.º
  Paris, Veuve Martin, 1686.
  Paris, Veuve Martin, 1687.
  Paris, Veuve Martin, 1688.
  Lyon, Barbier, 1690.
  Paris, 1691.
  La Haya, Troyel, 1692; en 12.º, 438 págs.
  Lyon, Barbier, 1693; en 12.º, 337 págs.
  Paris, Couterot, 1693.
  Paris, Veuve Martin, 1696.
  Lyon, Barbier, 1696; en 12.º, 337 págs.
  La Haya, Troyel, 1696; en 12.º, 372 págs.
  La Haya, 1701.
  Paris, Beugnié, 1702; en 12.º, 393 págs.
  Paris, Beugnié, 1711.
  Paris, Veuve Martin, 1715.
  Amberes, 1715.
  Rotterdam, Hofhout, 1716; en 12.º
  Rotterdam, Hofhout, 1728.
  Paris, 1732; en 12.º

Paris, 1738; en 8.º

Paris, Paulus du Menil, 1748; en 12.º, XLVI-377 págs.

Paris, 1765.

Paris, Collin, 1808; en 8.º

Paris, Grasset, 1924. Introduction par ANDRÉ ROUVEYRE.

Paris, Pichon, 1924. Préface par HENRI FOCILLON.

> Reseñas:
> BAYLE, en *Nouvelles de la Republique des Lettres,* 1684.
> En *Journal des Savants,* 21 agosto 1684.
> En *Acta eruditorum,* febrero 1785, 89-91.
> BOUILLIER, VÍCTOR: *Notes critiques sur la traduction de l'Oráculo Manual par Amelot de la Houssaie,* en *BHi,* 1933, XXXV, 126-140.

Maximes de Baltazar Gracien, traduites de l'Espagnol, avec les reponses aux Critiques de l'*Homme universel* et du *Heros,* traduits du même Auteur. [Trad. de Joseph de Courbeville].

A Paris, chez Rollin fils, quai des Augustins, à S. Athanase. MDCCXXX.

L'Oracle portatif.

En *Pages caractéristiques* [de Gracián], trad. de VICTOR BOUILLIER, Paris, 1925.

TRADUCCIONES ALEMANAS

L'Homme de cour, oder Balthasar Gracians Vollkommener Staats- und Weltweise. [Trad. de Adam Gottfried Kromayer].

Leipzig, 1686; en 12.º, 690 págs.

L'Homme de cour. Oder der heutige politische Welt- und Staats-Weise, fürgestellt von Balthasar Gracian, Hispaniern, und wegen seiner hohen Würde in unsere hochteutsche Sprache überstztet, anitzo aus dem Original, vermehret und zum Andernmahl herausgegeben, von JOH. LEONHARD SAUTER.

Francfort-Leipzig, 1687; en 12.º, 775 págs.

Homme de Cour, oder Kluger Hof- und Welt-Mann nach Mr. AMELOT DE LA HOUSSAIE seiner französischen Version, in's Deutsche übersetztet von Selintes [C. WEISBACH]. Nebst HERRN C. THOMASII judicio vom Gracian.

Augsburgo, 1711; en 8.º

Otras ediciones:
Augsburgo, 1715.
Augsburgo, 1791.

Orakel, oder Kunstregeln der Klugheit mit Anmerkungen.
Trad. de AUGUST FRIEDRICH MÜLLER.
Leipzig, 1715-1717, 2 volms.
Otras ediciones:
Leipzig, 1733.
Leipzig, Sommer, 1738; 2 volms. en 8.º

Uomo di corte, oder Kluger Hof- und Weltmann. Nach FR. TOSQUES seiner
italienischen Version.
Trad. de CHRISTOPH HEINRICH FREIESLEBEN.
Altenburg, 1723; en 8.º, 588 págs., con el texto italiano.

Balthasar Gracians Kluger Welt- und Staatsmann.
Trad. de JACQUES BRUCKER.
Augsburgo, 1729; en 8.º

Die Kunst zu leben. Vortreffliche Regeln eines alten Weltmannes fürs n ensch-
liche Leben.
Traducción de [K. H. HEYDENREICH].
Leipzig, Weygand, 1786.

Der Mann von Welt.
Trad. por K. H. HEYDENREICH.
Leipzig, 1803; en 8.º, 286 págs.
Otras ediciones:
Leipzig, 1804.
Leipzig, 1820.

Das schwarze Buch, oder Lehren der Lebensweisheit Gracians.
Trad. de autor anónimo.
Leipzig, 1820.
Otras ediciones:
Leipzig, 1826.

Männerschule von B. Gracian.
> Trad. de FR. KÖLLE.
> Stuttgart, Metzler, 1838; en 12.º

Hand-Orakel und Kunst der Weltklugheit.
> Trad. de ARTHUR SCHOPENHAUER.
> Leipzig, Brockhaus, 1861.
> Otras ediciones:
> Leipzig, Brockhaus, 1862; en 8.º, XII-204 págs.
> Leipzig, 1871; en 8.º
> Leipzig, 1877; en 8.º, 203 págs.
> Leipzig, 1889.
> Leipzig, 1890.
> Leipzig, 1895.
> Berlin, 1923.
> Leipzig, 1931.
> Wiesbaden, 1946.
> Wien-Berlin, Paul Neff, s. a. [1953].

Gracians Handorakel.
> Einleitung von KARL VOSSLER.
> Leipzig, 1935.
> Otras ediciones:
> Stuttgart, 1948.

> > Reseñas:
> > FRIEDRICH, HUGO, en *RF*, 1937, LI.

TRADUCCIONES ITALIANAS

Oracolo manuale e Arte di Prudenza, cavata dagl'Aforismi, che si discorrono nell'opere di Lorenzo Gratiano.
> Trad. de autor anónimo: ¿FRANCESCO RICCIARDO?
> Venecia, 1669.
> Otras ediciones:
> Parma, Mario Vigna, 1670.
> Venecia, Giacomo Herz, 1679; en 12.º
> Milán, Ramellati, 1685.
> Parma, Rossetti, 1695.
> Venecia, 1708.
> Venecia, 1718.

Nápoles, 1740.
Nápoles, 1761.
Venecia, 1790.
Esta misma edición con el título de _Il Libro del Corteggiano_. Venecia, 1771.

L'Uomo di Corte o sia l'Arte di Prudenza di Baldassar Graziano, tradotto dallo Spagnuolo nel Francese Idioma e comentato dal Signor A. DE LA H. Nuovamente tradotto dal Francesse nell'Italiano e comentato dall'Abate FRANCESCO TOSQUES.
Roma, Luca Antonio Chiacos, 1698.
Otras ediciones:
Venecia, 1702.
Venecia, 1703.
Venecia, 1708.
Venecia, 1718.
Venecia, 1725.
Venecia, 1726.
Venecia, 1730, Giovan-Gabriel Hertz, 1730; en 8.º, 2 volms., 303 y 262 págs.
Venecia, 1731.
Venecia, Hertz, 1734; en 8.º, 2 volms., 392 y 319 págs.
Venecia, 1740.
Nápoles, Ricciardo, 1740; en 8.º, 2 volms., 274 y 240 págs.
Nápoles, Flauto, 1761; en 12.º, 2 volms., 384 y 232 págs.

Oracolo manuale.

Traduzione e commento de E. MELE.
Bari, Laterz, 1927.

Reseñas:
BOUILLIER, V., en _BHi_, 1927, XXIX, 324-326.

Oracolo manuale.

Versione di GHERARDO MARONE.
Lanciano, Carabba, 1930.

TRADUCCIONES INGLESAS

The Courtier's Oracle, or the Art of Prudence.

Trad. de autor anónimo.
Londres, Swalle, 1685.
Otras ediciones:
Londres, 1694.

The Art of Prudence; or a Companion for a Man of Sense. Made English...
and illustrated with the Sieur AMELOT DE LA HOUSSAIE's notes, by Mr. [JOHN
J.] SAVAGE.

Londres, 1702.
Otras ediciones:
Londres, 1705.
Londres, 1714.

The Art of Worldly Wisdom. Translated from the spanish by JOSEPH JACOBS.

Londres-Nueva York, 1892.
Otras ediciones:
Londres, 1904.
Londres, 1913.
Londres, 1930.
Nueva York, 1943, 1944, 1945, 1946 y 1950.

> DEGHUÉE, J.: *Joseph Jacobs's translation of Balthasar Gra-
> cián's Oráculo Manual,* en *MLN,* VIII, págs. 252 y ss.

A Truthtelling Manual and the Art of Worldly Wisdom. [Trad. de MARTIN
HENRY FISCHER].

Springfield, Thomas, 1934.
Otras ediciones:
Baltimore, 1942, 1945, 1946 y 1957.

The Art of Worldly Wisdom. [Trad. por OTTO EISENSCHIML].

Nueva York, 1947.

The Oracle. A Manual of the Art of Discretion.

The Spanish text and a new English translation, with critical introduction
and notes by L. B. WALTON.

Londres, Dent and Sons, Ltd., 1953; en 8.º, X-307 págs.

> Reseñas:
> BATLLORI, P. MIGUEL, en *AHSI,* Roma, 1953, XXII, 591
> y ss.
> KOLKHORST, G. A., en *BHS,* 1953, XXX, 233-234.

TRADUCCIONES HOLANDESAS

De Konst der Wijsheit Getrocken uyt de Spaensche schriften van Gracian.
Trad. de MATTHEUS SMALLEGANGE.
Gravenhage [La Haya], Pieter van Thol, 1696.
Otras ediciones:
Gravenhage, van Thol, 1700.
La Haya, J. van Ellinkhuysen, 1701.
La Haya, 1707.

De volmaake wysheit of man in alles bedreven. Uit het Spaansch d. J. GENTIL.
Amsterdam, Lakeman, 1724.

Handorakel en kunst om wijs te leven. Uit Gracians werken getrokken, door
Vicenzo Juan de Lastanosa. Uit het Spaansch in het Nederlansch overge-
bracht door A. A. FOKKER.
Amsterdam, 1907; en 8.º
> GEERS: *Traducciones neerlandesas de obras de Gracián,* en
> *RFE,* 1920, 84-188.
> PRAAG, I. VAN: *Traducciones neerlandesas de Gracián,* en
> *HR,* 1939, VII, 237-241.

TRADUCCIONES AL HÚNGARO

Gracián Baldizsár, *Bölts és figyelmetes udvari ember.* Spanyolból ford FALUDI
FERENTZ.
Posony, 1770-1771; 2 volms., 176 y 160 págs.

Gracián Baldizsár, *Bölts és figyelmetes undvari ember.* Irta spanyol nyelven.
Ford. németbül F. F. ELSÖ, második, harmadik század.
Nagy-Szombat, 1772; 2 volms. en 8.º, 210 y 182 págs.

FALUDI FERENTZ: *Bölts ember vagyis az erkölts és böltseségre vezérlö rövid
oktatások.*
Posony, 1787; en 8.º, 122 págs.

Udvari Káté. Trad. de P. FALUDI FERENTZ, en verso.
Györött, 1790.

Gracián Baldizsár: *Udvari ember.* Fordi totta FALUDI FERENTZ. Ujra kiadta
Ponori-Thewrewk József.

Posony, 1837; 236 págs.

BRACHFELD, OLIVER: *Note sur la fortune de Gracián en Hongrie,* en *BHi,* 1931, XXXII, 331-335.

TRADUCCIONES AL POLACO

Gracyan doskonalacy dworskiego Czlowjeka przez 300 maxym.

Trad. del CONDE SIERAKOWSKI.

Cracovia, 1802; en 8.º, 58 y 446 págs.

Brewiarz Dyplomatyczny.

Trad. de BOHDAN GAJEWIEZ.
París, 1949.

VERSIONES LATINAS

ANDRAE WIBERNI... versione Latina Operis Graciani, Hispanica Lingua scripti, de *Homine Aulico.*

Trad. por ANDREAS WIBJÖRNSON. [Ms. en la Bibl. de Linköping, Suecia,
B 134:1, Wilberniana Msc. autogr.]. 1692.

CLAVERÍA, CARLOS: *Nota sobre Gracián en Suecia,* en *HR,* 1951, XIX, 341-346.

Aulicus, sive de prudentia civili et maxime aulica liber singularis olim hispanice conscriptus, postea et Gallice, Italice, Germanice editus, nunc ex AMELOTI versione Latine redditus. FRANC. GLARIANUS MELDENUS, Constantiensis, recensuit latine vertit, et notis illustravit. Accesit Joh. Gottl. Heineccii J. C. praefatio.
Francfort, 1731, en 8.º
Otras ediciones:
Viena, Gerold, 1750; en 8.º
Francfort, 1750.

Hominis Aulici notum Graciani *Oraculum prudentiae,* depromptum in sententiarum politicarum centurias III, Latinorum lingua loquens per interpretem P. A. ULRICH.
Francfort, 1734.

Balthasaris Graciani Hispani Aulicus sive de Prudentia civili et maxime aulica.
Liber singularis Auditoribus Distributus, Dum in Alma ac Archi-Episcopali

Academia Budensi. Positiones Philosophicas. Publicè tueretur, Praenobilis, ac Eruditus Dominus Emericus Zbisko de Kis-Kolacsin, Praeside R. P. Josepho Pinter; e soc. Jesu, AA. LL. & Philosophiae Doctore, ejusdemque Professore emerito.

Cassoviae, Typis Academ. Soc. Jesu, Anno MDCCLII, en 12.°, X-351-13 páginas.

Otras ediciones:

Claudiopoli [Kolozsvár, Hungría], Typis Academicis Soc. Jesu, Anno 1752. Tyrnaviae, 1769.

ROMERA-NAVARRO, MIGUEL: *Ediciones, traducciones y estudios del "Oráculo"*, en *Oráculo manual y Arte de Prudencia*. Edición crítica y comentada. Madrid, *RFE*, Anejo LXII, 1954, XXVIII-XXXI.

EL CRITICON

EDICIONES EN ESPAÑOL

El Criticón. Primera parte. En la Primavera de la Niñez, y en el Estío de la Juventud.
Zaragoza, Juan Nogués, 1651; en 8.°, 4 hs., 288 págs.

British Museum.
Bibl. Nac.: 5/5213.

El Criticón. Segunda parte. Juiciosa cortesana filosofía, en el Otoño de la Varonil Edad.
Huesca, Juan Nogués, 1653; en 8.°, 8 hs., 288 págs.

British Museum.
Bibl. Nac., Madrid.
Bibl. Nat., París.

El Criticón, Primera parte. En la Primavera de la Niñez, y en el Estío de la Juventud.
Lisboa, Oliveira, 1656; en 8.°, 4 hs., 280 págs.

Bibl. Nac., Lisboa.

El Criticón, Segunda parte. Juiciosa cortesana filosofía, en el Otoño de la Varonil Edad.
Lisboa, Oliveira, 1657; en 8.°, 8 hs., 299 págs.

Bibl. Nac., Lisboa.

El Criticón. Tercera parte. En el Invierno de la Vejez.
Madrid, Pablo del Val, 1657; en 8.°, 8 hs., 350 págs.

British Museum.
Bibl. Nac., 5/5276.
Bibl. Nat., París.

El Criticón, Primera parte. En la Primavera de la Niñez, y en el Estío de la Juventud.
Madrid, Pablo del Val, 1658; en 8.°, 4 hs., 288 págs.

Bibl. Nat., París.

El Criticón, Tercera parte. En el Invierno de la Vejez.
Lisboa, Oliveira, 1661; en 8.°, 4 hs., 349 págs.

Bibl. Nac., Lisboa.

Tres partes de El Criticón. Primera parte, en la Primavera de la Niñez, y en el Estío de la Juventud. Segunda parte, Juiciosa cortesana filosofía, en el Otoño de la Varonil Edad. Tercera parte, en el Invierno de la Vejez.
Barcelona, Lacavallería, 1664; en 4.°, 3 hs., 1-138 págs., 1 h., 149 págs., 12 hs., y 3 hs., 162 págs. y 9 hs.

Bibl. Nac., Madrid

Tres partes de El Criticón. Primera parte, en la Primavera de la Niñez, y en el Estío de la Juventud. Segunda parte. Juiciosa Cortesana filosofía, en el Otoño de la Varonil Edad. Tercera parte. En el Invierno de la Vejez.
Barcelona, Lacavallería, 1682; en 4.°, 3 hs., 138 págs., 8 hs.; 1 h., 149 págs., 12 hs., y 3 hs., 162 págs., 9 hs.

British Museum
Hisp. Society, Nueva York.

El Criticón.
Edición de Julio Cejador.
Madrid, Biblioteca Renacimiento, 1913-1914; 2 volms. en 8.°, XXIV-308 y XI-360 págs.

El Criticón.
Prólogo de RAFAEL SECO.
Madrid, C. I. A. P., s. a. [1929]; 3 tms. en 8.°, IX-217, 240 y 289 págs.

El Criticón. Edición transcrita, revisada y anotada por FÉLIX F. CORSO.
Buenos Aires, Biblioteca Clásica Universal, 1938; 2 volms. en 8.°

El Criticón. Edición crítica y comentada por M. ROMERA-NAVARRO.

Filadelfia-Londres, Oxford University Press; 3 volms. en 4.°, I, 1938;
II, 1939, y III, 1940.

> Reseñas:
> PEERS, E. A., en *BSpST*, 1939, XVI, 51.
> MORLEY, S. G., en *MLN*, 1939, LIV, 374-376.
> PRAAG, J. V. VAN, en *Neophilologus*, 1939, XXIV, 147.
> GONZÁLEZ PALENCIA, A., en *RFE*, 1941, XXV, 274-276.
> GILLET, JOSEPH L., en *HR*, 1941, IX, 314-324.
> CIROT, G., en *BHi*, 1942, XLIV, 70-75.
> ALONSO, A., en *RFH*, 1943, V.

TRADUCCIONES

The Critick. Written originally in Spanish; by Lorenzo Gracian. One of the
Best Wits of Spain, and translated into English by PAUL RYCAUT esq.

Londres, 1681; en 8.°

El Criticón overo Regole della vita Politica Morale di Don Lorenzo Gracián.
Tradotto dallo Spagnuolo in Italiano da Gio. PIETRO CATTANEO. Divisa in
tre Parti: la Prima, la Primavera della Fancivllezza. La Seconda L'Estate
della Gioventù. La terza l'Inverno della Vecchiezza.

Venecia, 1679.
Otras ediciones:
Venecia, Nicoló Pezzana, 1685; en 4.°, 312 págs.
Venecia, 1709; en 4.°
Venecia, Pezzana, 1720.
Venecia, Pezzana, 1730.
Venecia, 1745; en 8.°, 508 págs.

L'Homme détrompé, ou le Criticón de Baltazar Gracián. Traduit de l'Espagnol
en François. [Trad. de la Primera Parte por MANOURY].

A Paris. Chez Jacques Collombat, rue S. Jacques, près la Fontaine saint
Severin au Pelican. MDCXCVI.

Otras ediciones:
Bruselas, 1697; en 12.°

*De Mensch Buyten Bedroch, of den Nauwkeurigen Oordeelder, van Balthazar
Gracián.* [Trad. de M. SMALLEGANGUE].

Gravenhage [La Haya], Jacobus A. van Ellinkhuysen, 1701.

Bibl. Univers. Amsterdam, 1064,
D 3.

Continuada la traducción de Manoury y editada por Van Ellinkhuysen en:
La Haya, 1709; 3 volms. en 12.°, 320, 360 y 438 págs.

La Haya, 1723.

Ginebra, 1725.

La Haya, 1734.

Der Entdeckte Selbstbetrug oder Balthasar Gracians Criticon über die Allge-
meinen Laster des Menschens, welche dem selben in der Jugend, in dem
männlichen und hohen Alter ankleben; welche aus der Frantzösischen
Sprache, in die Teutsche übersetzt worden ist, und nunmehr zum andermahl
herausgegeben wird. Von M. Caspar Gottschling.

Francfort, 1708; en 8.°

Otras ediciones:

Leipzig, 1710; en 8.°

Leipzig, 1721; 3 volms. en 8.°, 296, 351 y 416 págs.

Gracián, Baltasar. Criticón oder über die Allgemeinen Laster der Menschen.
Erstmals, ins Deutsche übertragen von Hanns Studniozka. Mit einem
Essay Zum Verständnis des Werkes und einer Bibliographie von Hugo
Friedrich.

Hamburgo, Rowohlts, 1957; en 8.°, 230 págs.

> Reseñas:
> Sobejano, G., en *RF,* 1957, LXIX, 201-204.
> Romera-Navarro, M., *Ediciones del "Criticón",* en *El Cri-*
> *ticón.* Edición crítica y comentada. Londres, Oxford Uni-
> versity Press, 1938, I, 60-66.

SELECCIONES Y FRAGMENTOS DE "EL CRITICÓN"

Vando que el Coronado Saber ha mandado publicar en todos sus dominios,
con la crítica reforma de los vulgares Refranes: y Sueño primero de
D. Angel Iañez.

Madrid, Vda. Muñoz, 1753; en 4.°, 12 hs.

> Sbarbi, en su *Monografía,* pág. 381, cree que en rigor se
> trata de una ampliación del pasaje de Gracián en *El Cri-*
> *ticón,* "desempeñado con tal maestría y tan exquisito tacto,
> que no parece sino hechura de un mismo ingenio".

Isla de Santa Elena.

En *Semanario Pintoresco Español,* Madrid, 1836, pág. 159.

SBARBI, J. M.

Crítica reforma de los comunes refranes.

En *Refranero general,* vol. IX, Madrid, 1878, págs. 93 y ss.

Algo del Criticón. Critilo y Andrenio.

Barcelona, Biblioteca ilustrada, 1893; en 8.°, 129 págs. Dibujos de Seriñá.

Con igual título:

Barcelona, Maucci, s. a.

Barcelona, Bauzá, s. a.

El Criticón. Pasajes selectos.

Madrid, B. del Amo, 1927.

El Criticón.

Selección, estudio y notas por JOSÉ MANUEL BLECUA.

Zaragoza, Clásicos Ebro, 1958; en 8.°, 143 págs.

Se trata de una selección de textos.

El Criticón.

Barcelona, Editorial Fama, 1950.

EL COMULGATORIO

EDICIONES EN ESPAÑOL

El comulgador, varias meditaciones para que los que frequentan la sagrada comunión, puedan prepararse, comulgar, y dar gracias.

Zaragoza, Juan de Ybar, 1655; en 16.°

Bibl. Nac.: R. 22037.

El comulgador, varias meditaciones para que los que frequentan la sagrada comunión, puedan prepararse, comulgar, y dar gracias.

Madrid, 1655; en 12.°

Meditaciones... para antes y después de la Sagrada Comunión. Con el Testamento espiritual hecho en salud por San Carlos Borromeo. Tercera impressión.

Valencia, Joseph García, 1739.

Meditaciones para la sagrada Comunión aplicada a las principales Festividades del año. Obra del célebre P. Baltasar Gracián, de la Compañía de Jesús, con las décimas respectivas con que las adornó D. José Ibáñez. Nueva edición hecha a devoción de un individuo de la Congregación de N. Sra. de Guadalupe.

Madrid, Pérez de Soto, 1757; en 8.º

Meditaciones para antes, y después de la Comunión. Por el P. Baltasar Gracián de la Compañía de Jesús.

Madrid, Andrés de Sotos, 1788; en 16.º, 395 págs.

Comulgador Augustiniano, donde se incluyen oraciones, sacadas de las obras de la luz de la Iglesia mi gran padre S. Agustin, para antes y después de la Comunión. Y las meditaciones del P. Baltazar Gracián de la Compañía de Jesús. Dedicadas a los dos Volcanes del Divino amor, e inexpugnables Muros de nuestra Santa Iglesia, los gloriosos Patriarcas S. Agustin, y S. Ignacio...

México, Jáuregui, 1772; en 12.º, 159 págs.

Otras ediciones:

Puebla de los Angeles, Pedro de la Rosa, y México, Zúñiga y Ontiveros, 1789; en 12.º, 261 págs.

Comulgador Agostiniano...

Paris, Rosa, 1840; en 24.º

Otras ediciones:

Paris, Rosa, 1851; en 18.º

Paris, Rosa et Bouret, 1854; en 18.º

Paris, Rosa et Bouret, 1857; en 18.º, 264 págs.

Paris, Rosa et Bouret, 1860; en 18.º

Comulgador...

México, Fernández de Jáuregui, 1805; en 12.º, 261 págs.

Meditaciones para la Sagrada Comunión.
Madrid, Aguado, 1826; en 8.°, 200 págs.

Meditaciones para la Sagrada Comunión.
Madrid, 1865.

[El Político D. Fernando], las Meditaciones para antes y después de la Sagrada Comunión [y las Selvas del Año].
Madrid, Biblioteca de Filósofos Españoles, 1934.

Manual eucarístico o meditaciones varias para antes y después de la Sagrada Comunión.
Madrid, Apostolado de la Prensa, 1928.

[El Político Don Fernando]. Meditaciones para antes y después de la Sagrada Comunión [y las Selvas del Año].
Edición de M. ROMERA-NAVARRO.
Filadelfia, 1938-1940.

El Comulgatorio.
Madrid, 1958.

TRADUCCIONES

Priesters der Gesellschaft Jesu, und Lehrers der heiligen Schrift, Communionbuch, enthaltend verschiedene Betrachtungen, für diejenige, welche die heilige Communion begehen wollen, zur Vorbereitung und Danksagung; gezogen aus dem alten und neuen Testament, eingetheilet auf alle Sonn- und Feyertäg des ganzen Jahrs. Verteutschet aus dem Spanischen durch den Versetzer des Welt-Eckels. Mit Genehmhaltung deren Obern. Würtzburg. Gedrückt bey MARCO ANTONIO ENGMANN, Universitäts-Buchdrucker. Francfort, 1734; en 8.°, 3 fols., 222 págs.

Otras ediciones:
Würtzburg, 1751; en 8.°, 253 págs.

Geistlicher Leit-Stern zu der H. Communion oder unterschiedliche Betrachtungen aus dem Spanischen.
Wien und Lintz, 1738; en 8.°

50 Betrachtungen über die heilige Kommunion. Bearbeitet und mit einem An-
hange von den gewöhnlichen Andachtsübungen vermehrt von W. REITH-
MEIER.

Straubing, 1847; en 8.°, 126 págs.

*Sanctuary Meditations for Priests and Frequent Communicants. Serving as a
preparation for, at the time of, and thanksgiving after receiving Holy
Communion.* Translated from the Original Spanish of Father Baltasar Gracian, S. J. (1669). By MARIANA MONTEIRO.

Londres, Washbourne, 1875; en 8.°
Otras ediciones:
Londres, 1876.
Londres, 1900.

*Modele d'une Sainte et Parfaite Communion, en 50 Meditations tirées de
l'ancien et du nouveau Testament, pour tous les Dimanches et Festes de
l'année,* Et traduites de l'Espagnol de Baltasar Gracian. (Que chacun
s'examine soi-même, et qu'ainsi il mange de ce pain, *I. Cor.,* II, 28).
[Trad. de CLAUDE DE LA GRANGE].

A Paris, Chez Jean Boudot, rue S. Jacques; au Soleil d'or. MDCXCIII;
en 12.°, 402 págs.

El Comulgatorio. Trad. al ital. por autor anónimo. 1675.

Meditazioni sopra la SS. Communione... Tradotte nell'idioma italiano da
FRANCESCO DE CASTRO della medesima Compagnia.

Bolonia, 1713.
Otras ediciones:
Venecia, Pezzana, 1714.
Venecia, Pezzana, 1750.

*Praxis communicandi, continens varias meditationes ex vetere et novo Testa-
mento depromptas, queis sacerdotes, aliique omnes qui frequentant Sacram
Communionem, possint se in primo Puncto praeparare, in secundo commu-
nicare, in tertio decerpare congruos sacros fructus, et in quarto debitas
grates agere.* Concinnata, et Hispanice in lucem edita, a Reverendo Patre
Balthasare Graciano, e Societate Jesu, et S. Scripturae explanatore, latine

23

reddita a quodam ejusdem Societatis Sacerdote D. D. Sodalibus Ariani⁀ in strenam oblata.

Monasterii Westphaliae, 1750 y 1753.

CARTAS DE GRACIAN

Cartas al cronista Andrés de Uztarroz y al canónigo Salinas.

Bibl. Nac., Sec. Mss., V, 171.

Cartas de Baltasar Gracian y de Salinas.

Edición de M. COMPANY.

En *Revista Crítica de Historia y Literatura,* 1896, I, págs. 81-88.

BONILLA Y SAN MARTÍN, ADOLFO.

Un manuscrito inédito del siglo XVII con dos cartas autógrafas de Gracián.

En *Revista crítica hispanoamericana,* Madrid, 1916, II, 120-135.

Relación del Socorro de Lérida, por Baltasar Gracián. Texto anotado y comentado por SAMUEL GILI GAYA.

En *Ilerda,* Lérida, 1950, XIV, 7-30.

> Nueva versión de la carta en que Gracián describe la batalla de Lérida, a base de la publicada por el *Memorial histórico español* (Madrid, 1864), reproducida por COSTER, con las variantes de las dos copias que se hallan en la Bibl. Nac., Sec. Mss., 2377 (fols. 200-203 y 173-176), que "deben ser consideradas como las más próximas a la redacción primitiva" (pág. 10).

El texto más genuino de la relación graciana sobre el Socorro de Lérida.

Texto hallado por el P. BATLLORI en el Ms. 959 (K. 3. 20), fols. 325r-328v, de Trinity College Library, de Dublin.

En *Gracián y el Barroco,* Roma, 1958, págs. 163-168.

> Se trata de una nueva copia de la carta de Gracián, ya conocida, que apenas añade algunas variantes a los textos publicados por Gili Gaya, y una posdata de estilo típicamente gracianista.

SELECCIONES DE SUS OBRAS

Páginas escogidas. Selección y notas de Luis Santamarina.
Barcelona, Miracle, 1932; en 8.º, 295 págs.
Baltasar Gracián. Estudio preliminar y selección de textos de J. García López.
Barcelona, Clásicos Labor, 1947; en 8.º, 274 págs.

Pensamientos de Baltasar Gracián. Selección y notas de Antonio G. Gavaldá.
Barcelona, Sintes, 1957; en 8.º, 114 págs.

Pages caractéristiques précédées d'une étude critique par André Rouveyre...
Traduction... par Victor Bouillier. Paris, 1925.

> Reseñas:
> Cirot, G., en *BHi,* 1926, XXVIII, 105-108.

SELVAS DEL AÑO

[*El Político D. Fernando, las Meditaciones para antes y después de la Sagrada Comunión y las*] *Selvas del Año.*
Madrid, Biblioteca de Filósofos Españoles, 1934.

[*El Político Don Fernando. Meditaciones para antes y después de la Sagrada Comunión y las*] *Selvas del Año.*
Edición de M. Romera-Navarro.
Filadelfia, 1938-1940.

POESIAS VARIAS DE GRANDES INGENIOS

Poesías varias de grandes ingenios españoles. Recogidas por Josef Alfay i dedicadas a Don Francisco de la Torre, cavallero del Abito de Calatrava. Zaragoza, Juan de Ibar, 1654. "A costa de Josef Alfay, mercader de libros".

> Edición moderna, con notas de J. M. B.[lecua], Zaragoza, 1946; en 4.º, XV, 225 págs.

II.—ESTUDIOS Y ENSAYOS

UZTARROZ, FRANCISCO ANDRÉS DE. [*El Solitario*].

Descripción de las antigüedades y jardines de don Vincencio Juan de Lasta-nosa... 1647.

En *RABM,* Madrid, 1876, VI, págs. 123 y ss.

BRUNEL, ANTOINE DE [Aarsens de Sommerdyck].

Voyage d'Espagne curieux, historique et politique. Fait en l'année 1655...
Paris, chez Charles de Sercy, 1665.

> Edición moderna de CHARLES CLAVERIE en *RHi,* 1914, XXX, 119-375. Para Gracián, págs. 321 y ss.

THOMASIUS, CHRISTIAN.

Von Nachahmung der Franzosen; Ein Collegium über des Gracians Grund-Regeln vernünftig, klug und artig zu leben.
Leipzig, 1687.

> En KINDERMANN, *Deutsche Literatur, I,* L, 1928. [*Aus der Frühzeit der deutschen Aufklärung, Christian Thomasius und Christian Weise,* selección de F. BRUGGEMANN.]

ADDISON, JOSEPH.

[Sobre "gusto" y Gracián], en *The Spectator,* 1712, n.° 409.

COURBEVILLE, JOSEPH DE.

Préface a la trad. de *L'Homme Universel* [*El Discreto*].
Paris, 1723.

CASTRO, ADOLFO DE.

Discurso preliminar a *"Obras escogidas de filósofos"*, en *BAE*, LXV.
 Madrid, 1873.

DUFF, MONSTUART GRANT.

Baltasar Gracián.

En *Fortnightly Review*, Londres, 1877, XXI, págs. 338 y ss.

MENÉNDEZ PELAYO, MARCELINO.

Historia de las Ideas Estéticas en España.
 Madrid, C. S. I. C., 1940, II.

> Primera edición: 1883-84, II, II.
> De especial interés, el capítulo: *Poética conceptista. Baltasar Gracián.*

DONCIEUX, G.

Un jésuite homme de lettres au XVIIIe siècle. Le Père Bonhours.
 Paris, Hachette, 1886.

MOREL-FATIO, A.

Etudes sur l'Espagne. Deuxième série.
 Paris, Bouillon, 1890.

> Se refiere a la traducción al francés de *El Criticón*, preparada por el Duque de Villahermosa, pág. 139.

JACOBS, JOSEPH.

Prólogo a su traducción de *"The art of Worldly Wisdom"* by Balthasar Gracián.
 Londres, 1892.

BORINSKI, K.

Gracián und die Hofliteratur in Deutschland.
 Halle, 1894.

> Reseñas:
> FARINELLI, A., en *Revista crítica de historia y literatura españolas, portuguesas e hispanoamericanas*, Madrid, 1896, 33-55.

Lanson, Gustave.

Etudes sur les rapports de la littérature française et la littérature espagnole au XVIIª siècle. I.

En *Revue d'Histoire de la Littérature de la France*, 1896, III.

        De especial interés por las referencias a las traducciones francesas de Gracián.

Michaelis de Vasconcellos, Carolina.

Gracián e Sá de Miranda.

En *Revista crítica de historia y literatura españolas, portuguesas e hispanoamericanas*, Madrid, 1897, 212-213.

Croce, Benedetto.

I trattatisti italiani del "concettismo" e Baltasar Gracián.

En *Atti dell'Accademia Pontaniana*, XXIX, 1899.

En volumen, Nápoles, 1899, y en *Problemi di Estetica e Contributi alla storia dell'Estetica italiana; Saggi Filosofici*, I. Bari, Laterza, 1910.

        Traducción española en *La Lectura*, Madrid, 1912, II.

Liñán y Heredia, Narciso J. de.

Baltasar Gracián. 1601-1658.

Madrid, 1902; en 8.º, 106 págs.

Rahola y Trémols, F.

Baltasar Gracián, escriptor satírich, moral i polítich del segle XVII.

Barcelona, 1902; en 4.º may., 32 págs.

Valle Inclán, Ramón del.

Modernismo.

En *Ilustr. Españ. y Amer.*, 1902, 22 febrero, pág. 114.

        Cita a Gracián como autor de *Las Selvas*, reproduciendo un juicio de Juan Valera sobre dicho poema.

Azorín.

Un Nietzsche español.

En *El Globo*, Madrid, mayo 1902.

Nicolay, C. L.

Balthasar Gracian and the Chains of Hercules.

En *MLN*, 1905, XX, 15-16.

Azorín.

Sobre Gracián.

En *A B C*, Madrid, 25 agosto 1906.

Incluído en *Oasis de los clásicos,* en *Obras completas,* IX, Madrid, 1954.

Azorín.

El Político. (Arte de conducirse en la vida).

Madrid, 1908.

Se refiere a Gracián en los capítulos XV-XVIII.

Pareja y Navarro, M.

Las ideas políticas de Gracián.

Granada, 1908.

Rahola, Federico.

Estudio crítico sobre Baltasar Gracián y su "Criticón".

Barcelona, 1908.

Azorín.

La Vulpeja.

En *A B C*, 13 junio 1909.

Incluído en *Oasis de los clásicos,* en *Obras completas,* IX, Madrid, 1954.

Morel-Fatio, Alfred.

Agrégation d'espagnol. Notes bibliographiques sur Gracian.

En *BHi*, 1909, XI,, págs. 450 y ss.

Arco, Ricardo del.

Dos grandes coleccionistas aragoneses de antaño: Lastanosa y Carderera.

Madrid, 1910.

COSTER, ADOLPHE.

Sur une contrefaçon de l'édition de "El Héroe" de 1639.
   En *RHi,* 1910, XXIII, págs. 594 y ss.

ECKERTZ, ERICH.

Nietzsche als Künstler.
   Munich, 1910.

MOREL-FATIO, ALFRED.

*Cours du Collège de France 1909-1910. Sur les moralistes espagnols du
XVII⁰ siècle et en particulier sur Balthasar Gracian.*
   En *BHi,* 1910, XII, 201-204 y 330-334.

MOREL-FATIO, ALFRED.

*Liste chronologique des lettres de Balthasar Gracian dont l'existence a été
signalée ou dont le texte a été publié.*
   En *BHi,* 1910, XII, 204-206.

MOREL-FATIO, ALFRED.

Gracián interprété par Schopenhauer.
   En *BHi,* 1910, XII, págs. 387 y ss.

ARCO, RICARDO DEL.

Don Vincencio Juan de Lastanosa. Apuntes bio-bibliográficos.
   En *BAH,* 1910, LVI, págs. 301 y ss.
   Otras ediciones:
   Huesca, 1911.

BOUILLIER, V.

Notes sur l'"Oráculo manual" de Balthasar Gracián.
   En *BHi,* 1911, XIII, págs. 316-336.

COSTER, A.

Antiquaires d'autrefois.
   En *Revue des Pyrénées,* 1911, XXIII.
                  Sobre Lastanosa.

CROCE, B.

I predicatori italiani del Seicento e il gusto spagnuolo.
En *Saggi sulla letteratura del Seicento,* Bari, Laterza, 1911.

ARCO, RICARDO DEL.

Más datos sobre don Vincencio Juan de Lastanosa.
En *Linajes de Aragón,* Zaragoza, 1912, III, págs. 142 y ss.

AZORÍN.

Baltasar Gracián.
En *Lecturas españolas,* Madrid, 1912, págs. 65 y ss.

AZORÍN.

Retratos de algunos malos españoles y de un mal español honorario.
En *Lecturas españolas,* Madrid, 1912.

COSTER, A.

Une description inédite de la demeure de D. Vincencio Juan de Lastanosa.
En *RHi,* 1912, XXVI, págs. 566 y ss.

> Contiene *Las tres cosas más singulares que tiene la casa de Lastanosa en este año de 1639* (Ms. de la Bibl. Nac. de Madrid).

CEJADOR, JULIO.

Prólogo a la edición de *"El Criticón".*
Madrid, Biblioteca Renacimiento. 1913.

COSTER, ADOLPHE.

Baltasar Gracián.
En *RHi,* 1913, XXIX, págs. 347-754.

> Reseñas:
> REYES, ALFONSO, en *RFE,* 1915, II, págs. 386 y ss., refundida en *Capítulos de Literatura española. O. C. de A. R.,* México, 1955-1956, VI.

COSTER, ADOLFO.

Baltasar Gracián. Traducción, prólogo y notas de RICARDO DEL ARCO Y GARAY.

Zaragoza, Institución "Fernando el Católico", 1947; en 4.º, XXIV-376 págs.

Reseñas:
Hoyo, A. DEL, en *RFE*, 1950, XXXIV, 322-323.

OVEJERO Y MAURY, EDUARDO.

El Criticón.

En *La España Moderna,* Madrid, septiembre 1913.

ARCO, RICARDO DEL.

Noticias inéditas acerca de la famosa biblioteca de don Vincencio Juan de Lastanosa.

En *BAH*, 1914, LXV, 316-342.

AZORÍN.

Gracián.

En *La Vanguardia,* Barcelona, 13 octubre 1914.

Incluído en *Oasis de los clásicos,* en *Obras completas,* IX, Madrid, 1954.

LEROUX-CESBRON, C.

Un moraliste pour gens du monde au XVIIIᵉ siècle: Le Maître de Claville.

En *Revue du XVIIIᵉ siècle,* 1914, julio-septiembre.

ARCO, RICARDO DEL.

Más noticias acerca de la famosa biblioteca de D. Vincencio Juan de Lastanosa.

En *Linajes de Aragón,* 1916, VII, págs. 8-20.

AZORÍN.

Gracián y Larra.

En *A B C,* 30 enero 1916.

Incluído en *Sin perder los estribos,* Madrid, Taurus, 1959.

BONILLA Y SAN MARTÍN, ADOLFO.

Un manuscrito inédito del siglo XVII con dos cartas autógrafas de Gracián.

En *Revista crítica hispano-americana,* Madrid, 1916, II, págs. 120 y ss.

MALDONADO,. FRANCISCO.

Gracián, como pesimista y político.
Salamanca, 1916.

ARCO, RICARDO DEL.

Antiguas casas solariegas de la ciudad de Huesca.
En *Revista de Historia y de Genealogía Española,* 1918, VII, págs. 49 y ss. y 97 y ss.

ARCO, RICARDO DEL.

Los amigos de Lastanosa. Cartas interesantes de varios eruditos del siglo XVII.
En *Revista Histórica de Valladolid,* 1918.

MALDONADO, FRANCISCO.

Varios pasajes de Baltasar Gracián.
En *Revista Histórica de Valladolid,* 1918, 6 y 7, págs. 243 y ss.

ARCO, RICARDO DEL.

Siluetas de Gracián.
En *Estudio,* Barcelona, 1919, XXVII, págs. 39 y ss.

COSTER, ADOLPHE.

Corneille a-t-il connu "El Héroe" de Gracián?
En *RHi,* 1919, XLVI, 569-572.

PFANDL, LUDWIG.

Der Lastanosa-Katalog.
En *Zentralblatt für Bibliothekswesen,* 1919, XXXVI.

GEERS.

Traducciones neerlandesas de obras de Gracián.
En *RFE,* 1920, VII, 184-188.

UNAMUNO, MIGUEL DE.

Obras completas, V.
Madrid, Aguado, 1955.

Contiene, entre otros, varios trabajos de Unamuno en
que hace referencia a Gracián: *Leyendo a Baltasar Gracián*
y *¡Admirable todo!,* publicados en diversas revistas en 1920.

BELL, A. F. G.

Baltasar Gracián.

En *Hispanic Notes and Monographs, Spanish Series,* III, Oxford, 1921.
Reseñas:
CIROT, G., en *BHi,* 1924, XXVI, pág. 393.

MELE, E.

Dinare, e più dinare.

En *RFE,* 1921, VIII, págs. 283 y ss.
Comenta un pasaje de *El Criticón,* II, 3.

HILL, JOHN M.

Notes on Alfay's "Poesías varias de grandes ingenios".

En *RHi,* 1922, LVI, págs. 423 y ss.

LÓPEZ LANDA, JOSÉ MARÍA.

El retrato de Gracián.

En *Athenaeum,* Zaragoza, mayo 1922.

MELE, E.

Il Gracian e alcuni "emblemata" dell'Alciato.

En *Giornale Storico della letteratura italiana,* Torino, 1922, LXXIX,
373-374.

ARCO Y GARAY, RICARDO DEL.

Figuras aragonesas. 1.ª serie.

Zaragoza, 1923.

COSSÍO, JOSÉ MARÍA DE.

Gracián, crítico literario.

En *BBMP,* 1923, V, págs. 69-74.

Reproducido en *Siglo XVII. Notas y estudios,* Madrid,
Espasa-Calpe, 1939.

MELE, E.

Opere del Gracián e d'altri autori spagnuoli fra le mani del P. Casalicchio.
En *Giornale storico della letteratura italiana,* 1923, LXXXII.

BUCETA, ERASMO.

La admiración de Gracián por el Infante D. Juan Manuel.
En *RFE,* 1924, XI, 63-66.

ROUVEYRE, ANDRÉ.

Baltasar Gracian.
En *Mercure de France,* 15 marzo 1924.

ROUVEYRE, ANDRÉ.

L'influence de l'"Homme de Cour" en France.
En *Mercure de France,* 16 marzo 1924.

CASSOU, JEAN.

Baltasar Gracián.
En *Mercure de France,* 1924, junio.

AZORÍN.

Imitación de Gracián.
En *Los Quinteros y otras páginas,* Madrid, Caro Raggio, 1925, 133-142.

FARINELLI, ARTURO.

Gracián y la literatura de corte en Alemania (1896), en *Ensayos y discursos de crítica literaria hispano-europea,* II, págs. 443 y ss.
Roma, 1925.
> Más tarde, con el título: *Gracián y la literatura áulica en Alemania,* en *Divagaciones hispánicas,* II, Barcelona, 1936, págs. 97 y ss.

FERNÁNDEZ ALMAGRO, MELCHOR.

Viaje de Gracián.
En *ROcc.,* Madrid, 1925, IX, págs. 371-374.

MARONE, G.

Morale e politica di Baltasar Gracián. (Schopenhauer e Gracián. La attualità di Gracián. Il problema morale. La virtù eroica. Gracián e Machiavelli. Il Politico. L'estetica di Gracián).
Nápoles, 1925.

PFANDL, LUDWIG.

Baltasar Gracián.
En *Historisches Jahrbuch der Görres-Gesellschaft,* vol. 45, 1925.

ROUVEYRE, ANDRÉ.

Etude critique que figura al frente de *Balthasar Gracián. Pages caractéristiques.*
Paris, 1925.

ROUVEYRE, A.

El español Baltasar Gracián y Federico Nietzsche. Dos apéndices de V. BOUILLIER. Traducción de Angel Pumarega.
Madrid, Ediciones Biblos, s. a.

ACOSTA, JOSÉ MARÍA DE.

Traductores franceses de Gracián.
En *El Consultor Bibliográfico,* Barcelona, 1926, II, 281-286.

ALLUÉ SALVADOR, MIGUEL.

La técnica literaria de Baltasar Gracián.
En *BGCm.,* 1926, 139-182.

ARCO, RICARDO DEL.

Gracián y su colaborador y mecenas.
En *BGCm.,* 1926, 131-138.

ARCO, RICARDO DEL.

Gracián y su colaborador y mecenas. Conferencia leída en la Universidad de

Zaragoza en el curso dedicado a Baltasar Gracián.
Zaragoza, 1926; 30 págs.

Baltasar Gracián. Escritor aragonés del siglo XVII. Curso monográfico en honor suyo, por la Universidad Literaria y el Ateneo de Zaragoza, 1926.

BOUILLIER, V.

Gracián et Nietzsche.

En *Revue de Littérature Comparée,* 1926, VI, págs. 381-401.

BRACHFELD, F. OLIVER.

Belengabor, un curioso error de Gracián.

En *RFE,* 1926, XVI, pág. 276.

FERRER, FRANCISCO DE PAULA.

El Comulgatorio.

En *BGCm.,* 1926, 29-54.

FERRER, FRANCISCO DE PAULA.

El Político Don Fernando el Católico.

En *BGCm,* 1926, 55-80.

FERRER, FRANCISCO DE PAULA.

El Discreto.

En *BGCm,* 1926, 82-107.

FERRER, FRANCISCO DE PAULA.

El Héroe.

En *BGCm,* 1926, 109-129.

GARCÍA GÓMEZ, EMILIO.

Un cuento árabe, fuente común de Abentofail y de Gracián.

En *RABM,* 1926, XLVII, págs. 1 y ss.

Reseñas:
KRATCHOVSKI, I., en *Litteris. An International critical review of the humanities,* Lund, 1927, IV, 28-33.

HERNÁNDEZ, P. DARÍO.

Oración fúnebre en los funerales de... Gracián.
    En *BGCm,* 1926, 195-224.

HAMEL, ADALBERT.

Arturo Schopenhauer y la literatura española.
    En *Universidad de Madrid, Conferencias y trabajos... durante el curso 1924-25.* Madrid, 1926.
                    La segunda conferencia consagrada especialmente a Gracián.

KNEER, A.

Ein Spanischer Jesuit und die deutsche Rechtsanwaltschaft.
    En *Literarische Blätter der Kölnischen Volkszeitung,* 1926, n.° 34.

LÓPEZ LANDA, JOSÉ MARÍA.

Gracián y su biógrafo Coster.
    En *BGCm,* 1926, 29-54.

MELE, E.

Baltasar Gracián ed il Nietzsche.
    En *Revue de Littérature Comparée,* 1926.
                    También en *Nuova Cultura,* 1928, VII, págs. 206 y ss.

MINGUIJÓN, SALVADOR.

El sentido de la vida en las obras de Gracián.
    En *BGCm,* 1926, 183-194.

FINGER, R.

Diplomatisches Redens, ein Buch der Lebenskunst im Sinne des Spaniers Gracián.
    Berlín, 1927.

CROCE, B.

Virgilio Malvezzi e i suoi rapporti con Gracián ed Appunti sulla letteratura spagnuola e sui costumi in Italia.
    En *Atti Accademia Sc. Morali,* Nápoles, 1928, LII, págs. 5 y ss.

RHEINFELDER, HANS.

Das Wort "persona".

En *ZRPh,* 1928, LXXVII.

AZORÍN.

El Padre Gracián.

En *Blanco y Negro,* Madrid, 31 marzo 1929.

Incluído en *Los clásicos redivivos. Los clásicos futuros,* Buenos Aires, Colección Austral, 1945, 70-74.

CASTRO, AMÉRICO.

Gracián y España.

En *Santa Teresa y otros ensayos,* Santander, Ediciones de Historia Nueva, 1929.

GRUBBS, H. A.

The Originality of La Rochefoucauld's "Maxims".

En *Revue d'histoire littéraire de la France,* 1929, XXXVI, 49-55.

LACOSTE, MAURICE.

Les sources de l'"Oráculo Manual" dans l'oeuvre de B. G. et quelques aperçus touchant à l'"Atento".

En *BHi,* 1929, XXXI, págs. 93-101.

OVEJERO Y MAURY, ANDRÉS.

Prólogo a la edición de *"Agudeza y Arte de ingenio".*

Madrid, Biblioteca de Filósofos Españoles, 1929.

ROUVEYRE, ANDRÉ.

Supplément à l'"Homme de Cour" de Balthasar Gracián.

Paris, Editions du Trianon, 1929.

BLAZI, F.

[Sobre traducciones de Gracián al italiano].

En *La Cultura,* mayo 1930.

GIULIAN, ANTHONY A.

Martial and the Epigram in Spain in the Sixteenth and Seventeenth Centuries.
Pennsylvania, 1930, 117 págs.

> *Baltasar Gracián and his Contemporaries,* 79-98.

PARGA PONDAL, S.

Marcial en la preceptiva de Gracián.
En *RABM,* 1930, LI, págs. 219-247.

RODRÍGUEZ PASTOR, ANTONIO.

The Idea of Robinson Crusoe.
Londres, Góngora Press, 1930.

SPITZER, LEO.

"Betlengabor"—une erreur de Gracián? (Note sur les noms propres chez Gracián).
En *RFE,* 1930, XVII, 173-182.

CROCE, B.

Virgilio Malvezzi e Gracián.
En *Atti della R. Accademia di Scienze Morali e Politiche di Napoli,* vol. LII.

> También en *Nuovi Saggi sulla letteratura italiana del Seicento,* Bari, Laterza, 1931.

BRACHFELD, F. OLIVER.

Note sur la fortune de Gracián en Hongrie.
En *BHi,* 1931, XXXIII, 331-335.

COSSÍO, JOSÉ MARÍA DE.

Obras escogidas de S. J. Polo de Medina.
Madrid, "Los clásicos olvidados", 1931.

> Estudia la posible influencia del *Oráculo* de Gracián sobre el *Gobierno moral a Lelio,* págs. 91 y ss.

EGUÍA RUIZ, CONSTANCIO.

La formación escolar y religiosa de Baltasar Gracián.

En *BRAE*, 1931, XVIII, págs. 160 y ss.

> Reproducido en *Cervantes, Calderón, Lope, Gracián. Nuevos temas crítico-biográficos*, Madrid, C. S. I. C., 1951, págs. 143-158.

SPITZER, LEO.

Ueber die Eigennamen bei Gracián.

En *Romanische Stil- und Literaturstudien*, Marburg, 1931, II, 181-188.

MONTOLIU, MANUEL DE.

Estudiemos a Gracián.

En *El Debate*, Madrid, 12-XI-1932.

ROMERA-NAVARRO, MIGUEL.

Une note sur "El Criticón" et l'"Ecclésiaste".

En *BHi*, 1932, XXXIV, págs. 150 y ss.

SARMIENTO, EDWARD.

Une note sur "El Criticón" et l'"Ecclésiaste".

En *BHi*, 1932, XXXIV.

SARMIENTO, E.

Gracián's Agudeza y Arte de ingenio.

En *The Modern Language Review*, Cambridge, 1932, XXVII, 280-292 y 420-429.

FERNÁNDEZ MONTESINOS, JOSÉ.

Gracián o la picaresca pura.

En *Cruz y Raya*, Madrid, 1933, IV, págs. 37 y ss.

> Reproducido en *Ensayos y estudios de Literatura española*, México, Ediciones De Andrea, 1959, págs. 132-145.

ROMERA-NAVARRO, MIGUEL.

Citas bíblicas en "El Criticón".

En *HR*, 1933, I, págs. 323-334.

SARMIENTO, EDWARD.

A preliminary survey of Gracián's "Criticón".
   En *Philological Quarterly,* Iowa, 1933.

ARCO, RICARDO DEL.

La erudición aragonesa en el siglo XVII en torno a Lastanosa.
   Madrid, 1934; en 4.°, 378 págs.

LACOSTE, MAURICE.

Notes sur la traduction du "Héros".
   En *BHi,* 1934, XXXVI, 502-504.

OVEJERO Y MAURY, ANDRÉS.

Prólogo a la edición de "El Político" [Baltasar Gracián y su influencia europea]. Epílogo: [Resumen de su vida y juicio de su obra].
   Madrid, Biblioteca de Filósofos Españoles, 1934.

ROMERA-NAVARRO, M.

Reminiscencias de Botero y Boccalini en "El Criticón".
   En *BHi,* 1934, XXXVI, 149-158.

ROMERA-NAVARRO, M.

Góngora, Quevedo y algunos literatos más en "El Criticón".
   En *RFE,* 1934, XXI, 248-273.

SARMIENTO, EDWARD.

A note on Gracian.
   En *HR,* 1934, II, 177.

CONDE, FRANCISCO JAVIER.

El pensamiento político de Bodino.
   En *Anuario de Historia del Derecho Español,* Madrid, 1935, XII, 5-97.

HAZARD, PAUL.
"Le Héros".
   En *Les Nouvelles Littéraires,* Paris, 1935, 12 enero.

Montolíu, M. de.

Leyendo a Gracián. La patria del monstruo Gerión.
En *La Prensa,* Buenos Aires, 3-II-1935.

Montolíu, M. de.

Leyendo a Gracián: "El Criticón", uno de los mejores libros del mundo.
En *La Prensa,* Buenos Aires, 10-III-1935.

Montolíu, M. de.

Leyendo a Gracián: La cabalgata de los pecados capitales.
En *La Prensa,* Buenos Aires, 23-III-1935.

Romera-Navarro, M.

Autores latinos en "El Criticón".
En *HR,* 1934, II, 103-133.

Romera-Navarro, M.

Un hermano imaginario de Gracián.
En *HR,* 1935, III, 64-66.
Refundido en su ed. de *El Criticón,* I, 11-14.

Romera-Navarro, M.

Sobre la moral en Gracián.
En *HR,* 1935, III, 119-126.

Sarmiento, E.

Clasificación de algunos pasajes capitales para la estética de Baltasar Gracián.
En *BHi,* 1935, XXXVII, 27-56.
Se trata de una simple selección de textos de Gracián sobre diversos temas: Verdad; Realidad; Verosimilitud. Fin moral del arte. Belleza; Fealdad; Arte. El Concepto. La figura. Estilo. Culteranismo y Conceptismo. La Erudición. Gusto (Buen gusto). Las Artes. La Voluntad. "Vez". Originalidad.

Sarmiento, E.

On Two Criticisms of Gracián's "Agudeza".
En *HR,* 1935, III, 23-35.

Vossler, Karl.

Introducción a Gracián.

   En *ROcc.*, 1935, CXLVII.

Baldensperger, F.

L'arrière-plan espagnol des "Maximes" de La Rochefoucauld.

   En *Revue de Littérature Comparée*, Paris, 1936, XVI, 45-62.

Baumgarten, Sándor.

Baltasar Gracián en Hongrie.

   En *Revue de Littérature Comparée*, 1936, XVI, 40-44.

Hough, Graydon.

Gracián's "Oráculo Manual" and the "Maximes" of Mme. de Sablé.

   En *HR*, 1936, IV, 68-72.

Montolíu, M. de.

Gracián i el periodisme.

   En *La Veu de Catalunya*, Barcelona, 1936.

Romera-Navarro, M.

Evolución de la crítica sobre "El Criticón".

   En *HR*, 1936, IV, 140-150.

                        Refundido en su ed. de *El Criticón*, I, "Introducción"

Romera-Navarro, M.

Reflexiones sobre los postreros días de Gracián.

   En *HR*, 1936, IV, 179-183.

Romera-Navarro, M.

Una página curiosa del "Criticón". Introduction and text of...

   En *HR*, 1936, IV, 367-371.

                  Refundido en las notas incluídas en su edición crítica de
            El Criticón, II, págs. 135 y ss.

Romera-Navarro, M.

Bibliografía graciana.
   En *HR*, 1936, IV, 11-40.

Sordelli, V. O.

La noche primera en "El Criticón" de Gracián.
   En *Boletín Acad. Argentina de Letras*, Buenos Aires, 1936, IV, 430-434.
               Su relación con el famoso soneto inglés de Blanco White.

Bouvier, René.

Le Courtisan, l'Honnête homme, le Héros. Pour présenter le Héros de Balthasar Gracián.
   Paris, A. Tournon Cie., 1937.
               Reseñas:
               Pitollet, C., en *BHi*, 1938, XL, 321-329.

Croce, B.

Personaggi della storia italo-spagnuola. Il duca di Nocera Francesco Carafa e Baltasar Gracián.
   En *La Critica*, Bari, XXXV, 1937, 219-235.
               Reproducido en *Anedotti di varia letteratura*, II, Nápoles, 1942, págs. 18-37.

Juste, J.

Los hombres duros y ásperos: Baltasar Gracián.
   En *Sur*, 1937, CVIII, n.° 17 de junio.

McGhee, Dorothy M.

Voltaire's "Candide" and Gracián's "El Criticón".
   En *PMLA*, 1937, LII, 778-784.

Romera-Navarro, M.

Evolución de la crítica sobre "El Criticón".
   En *HR*, 1937, V, págs. 140 y ss.

Sarrailh, Jean.

Note sur Gracián en France.
   En *BHi*, 1937, XXXIX, 246-252.

VOSSLER, KARL.

Baltasar Gracián.

En *Poesie der Einsamkeit in Spanien,* Munich, 1938.

MIRAMÓN, A.

En torno a Gracián.

En *Revista de Indias,* Bogotá, 1939, II, 404-409.

PRAAG, J. A. VAN.

Traducciones neerlandesas de las obras de Baltasar Gracián.

En *HR,* 1939, VII, 237-241.

REYES, ALFONSO.

Capítulos de Literatura Española.

México, 1939.

> Contiene, entre otros, los siguientes trabajos referentes a Gracián:
> *Una obra fundamental sobre Gracián,* publicado en *RFE,* 1915, II, págs. 386 y ss. Alude a la obra *Baltasar Gracián,* de Coster.
> *Un diálogo en torno a Gracián,* que reproduce la discusión literaria entre *Azorín* y Alfonso Reyes, publicada en *A B C,* Madrid, 1916.
> *Prólogo,* que figura al frente de su edición de *El Héroe, El Discreto* y *Oráculo manual* (Madrid, Calleja, 1918).

DÍAZ-PLAJA, GUILLERMO.

El espíritu del barroco.

Barcelona, 1940.

> Reseñas:
> BATLLORI, M., en *Analecta sacra tarraconensia,* Barcelona, 1951, pág. 14.

MALDONADO, FRANCISCO.

Lo ficticio y lo antificticio en el pensamiento de San Ignacio.

Madrid, 1940.

> Publicado nuevamente en 1954, *Colección Filológica,* Universidad de Granada, VII.

MONTERO DÍAZ, S.

El poema de "Las Selvas".
En *BUSC,* 1940, IX, 77-117.

ROMERA-NAVARRO, M.

Dos aprobaciones de Gracián.
En *HR,* 1940, VIII, 257-262.

SCHALK, FRITZ.

Baltasar Gracián und das Ende des Siglo de Oro.
En *RF,* LIV, 1940, 265-283, y LV, 1941, 113-127.

CROCE, ELENA CRAVERI.

Baltasar Gracián.
En *Civiltá moderna,* Florencia, 1941, XIII, 321-343.

ROMERA-NAVARRO, M.

Las alegorías de "El Criticón".
En *HR,* 1941, IX, 151-175.

HORNEDO, P. R. M.

¿Hacia una desvalorización del barroco?
En *RyF,* 1942, 47-60 y 361-364.
                    Sobre el posible origen judaico de Gracián.

MENÉNDEZ PIDAL, RAMÓN.

Oscuridad, dificultad entre culteranos y conceptistas.
En *RF,* 1942, LVI, 211-218.
                    Incluído en *Castilla. La tradición. El idioma,* Buenos
                    Aires, Colección Austral, 1945, 219-232.

RAMIS ALONSO, MIGUEL.

Ecos de "El Criticón" de Gracián.
Palma de Mallorca, 1942.

Romera-Navarro, M.

El humorismo y la sátira de Gracián.
En *HR,* 1942, X, 126-146.

Montero Botana, Juan.

Baltasar Gracián y la filosofía de la historia.
En *Las Ciencias,* Madrid, VIII, 1943, 597-605.

Romera-Navarro, M.

Un aspecto del estilo de "El Héroe".
En *HR,* 1943, XI, 125-130.

Romera-Navarro, M.

El claroscuro graciano.
En *HR,* 1943, XI, 258-269.

Salas, Xavier de.

El Bosco en la literatura española.
Barcelona, Real Academia de Buenas Letras, 1943.

Sánchez, José.

Nombres que reemplazan a "capítulo" en libros antiguos.
En *HR,* 1943, XI.

Behn, Irene.

Baltasar Gracián und sein Criticón.
En *Ibero-Amerikanisches Archiv,* Berlín, 1944, XVIII, 8-22.

Blecua, José Manuel.

El poeta Francisco de la Torre Sevil, amigo de Gracián.
En *Mediterráneo,* Valencia, 1944, II.

Correa Calderón, E.

Hipótesis sobre el "Oráculo Manual".
En *RFE,* 1944, XXVIII, 66-72.
                          Refundido en *O. C. de B. G.,* Madrid, 1944.

CORREA CALDERÓN, E.

Sobre Gracián y su "Agudeza y Arte de Ingenio".

En *RIE,* Madrid, 1944, 73-87

Refundido en *O. C. de B. G.,* Madrid, 1944.

CORREA CALDERÓN, E.

Etopeya de Baltasar Gracián.

En *Escorial,* Madrid, 1944, n.° 40, 429-441.

Refundido en *O. C. de B. G.,* Madrid, 1944.

CORREA CALDERÓN, E.

Introducción a *"Obras completas de Gracián".*

Madrid, Aguilar, 1944.

Reseñas:
Bibliografía Hispánica, Madrid, 1945, febrero, 122-123.
FERNÁNDEZ ALMAGRO, M., en *A B C,* Madrid, 3-II-1945.
ALDA TESÁN, J., en *AFA,* Zaragoza, 1945.
FRAMIS, *Gracián. Obras Completas,* en *La Estafeta Literaria,* Madrid, 1945, n.° 27.
FRUTOS, E. *Un estudio de Gracián, frente a sus Obras Completas,* en *Amanecer,* Zaragoza, 25-IV-1945.
GÓMEZ CANEDO, P. LINO, en *Archivo Ibero-Americano,* Madrid, 1945, V, 604-605.
COSSÍO, J. M. DE. *Gracián,* en *Arriba,* Madrid, 11-X-1945. *Destino,* Barcelona, 13-X-1945.
HORNEDO, P. R. M., en *RyF,* Madrid, 1946, mayo, 490-491.
GARCÍA VILLOSLADA, P. R., en *Estudios Eclesiásticos,* Madrid, 1946, octubre.
TAMAYO, J. A., en *RFE,* 1946, XXX, 216-218.
ROMERA-NAVARRO, M., en *HR,* 1947, XV, 397-400.
LORENZANA, SALVADOR. *O mundo de Gracián,* en *La Noche,* Santiago de Compostela, 3-III-1947.

HOYO, ARTURO DEL.

Isla de Santa Elena (Barros, Goes, Osorio, Granada y Gracián).

En *RFE,* 1944, XXVIII.

ROMERA-NAVARRO, M.

Letras características de la escritura graciana.

En *HR,* 1944, XII, 235-239.

Refundido en *Estudio del autógrafo de "El Héroe" graciano*, Madrid, 1946.

ROMERA-NAVARRO, M.

Puntuación y signos auxiliares en el autógrafo de "El Héroe".

En *HR*, 1944, 288-305.

Refundido en *Estudio del autógrafo de "El Héroe" graciano*, Madrid, 1946.

SARMIENTO, E.

Baltasar Gracián. A XVII Century Spanish Philosopher.

En *Downside Review*, LXII, 1944, 172-183.

BLECUA, JOSÉ MANUEL.

El estilo de "El Criticón" de Gracián.

En *AFA*, B, I, 1945, 7-32.

Reseñas:
CRUZADO, J., en *BBMP*, XXI, 1945, 194-197.

BLECUA, JOSÉ M.

Cartas de Fray Jerónimo de San José al cronista F. Andrés de Uztarroz.

Zaragoza, en *AFA*, 1945.

BLECUA, JOSÉ MANUEL.

Cancionero de 1628. Edición y estudio del Cancionero 250-2 de la Biblioteca Universitaria de Zaragoza.

Madrid, *RFE*, Anejo XXXII, 1945.

De interés para estudiar la supuesta atribución de *Las Selvas* a Gracián.

FERRARI, ANGEL.

Fernando el Católico en Baltasar Gracián.

Madrid, Espasa-Calpe, 1945; en 4.º, 720 págs.

Reseñas:
HOYO, ARTURO DEL, en *RFE*, 1945, XXIX, 367-374.
CAMÓN AZNAR, J., en *RIE*, 1945, III, 537-539.
CERECEDA, F., en *RyF*, 1946, CXXXIII, 484-485.

MALDONADO DE GUEVARA, FRANCISCO.

El ocaso de los Héroes en "El Criticón".

Zaragoza, Institución "Fernando el Católico", 1945.
Inserto en *Cinco salvaciones,* Madrid, *ROcc.,* 1953, 63-102.

PRIETO Y LLOVERA, PATRICIO.

Los sitios de Lérida.

Lérida, Instituto de Estudios Ilerdenses, 1945; en 8.º, 82 págs.
En el documento 6 reproduce un fragmento de la carta de Gracián.

ROMERA-NAVARRO, M.

Ortografía graciana.

En *HR,* 1945, XIII, 125-144.
Refundido en *Estudio del autógrafo de "El Héroe" graciano,* Madrid, 1946.

BATLLORI, P. MIGUEL.

Gracián, jesuíta barroco.

En *QIA,* 1946-1948, I, 223-224.

LILLO RODELGO, B.

Baltasar Gracián o la Voluntad.

En *Revista Nacional de Educación,* Madrid, 1946, 64, 19-46.

ROMERA-NAVARRO, MIGUEL.

Estudio del autógrafo de "El Héroe" graciano.

Madrid, *RFE,* Anejo XXXV, 1946; en 4.º, 232 págs.
Reseñas:
MORLEY, S. G., en *HR,* 1947, XV, 393-395.
BATLLORI, P. MIGUEL, en *AHSI,* 1949, XVI, 210-212.
GILI GAYA, S., en *NRFH,* 1949, III, 87 y ss.
KELLERMANN, W., en *ZRPh,* 1957, LXXIII, 185-186.

WILLIAMS, ROBERT H.

Boccalini in Spain: A Study of his influence on Prose Fiction of the Seventeenth Century.

Wisconsin, 1946, VIII-139 págs.
> Reseñas:
> *HR*, 1947.
> *MLN*, 1948.

BARCIA TRELLES, CAMILO.

El mundo internacional en la época de Gracián.
En *BUSC*, 1947, n.ᵒˢ 49-50, págs. 25 y ss.

BORGHINI, VITTORIO.

Baldassar Gracián scrittore morale e teorico del concettismo.
Milán, Ancora, 1947, X-283 págs.

GARCÍA LÓPEZ, J.

Prólogo a *"Baltasar Gracián"* [Trozos escogidos].
Barcelona, Editorial Labor, 1947.
> Reseñas:
> SÁNCHEZ, ALBERTO, en *RFE*, 1950, XXXIV, 320-322.

KRAUSS, WERNER.

Graciáns Lebenslehre.
Frankfurt a. M., Klostermann, 1947.
> Reseñas:
> REICHENBERGER, ARNOLD G., en *HR*, 1949, XVII, 169-171.
> FLACHSKAMPF, LUDWIG, en *RF*, 1949, LXII.

MONTOLÍU, M. DE.

Leyendo a Gracián, en *Elucidario crítico,* Barcelona, Montaner y Simón, 1947.

ORS, A[LVARO D'].

Historia de la Prudencia (Con ocasión del tercer centenario del "Oráculo Manual y Arte de Prudencia", de Baltasar Gracián).
En *BUSC*, 1947, n.ᵒ 49-50, págs. 41 y ss.

ROMERA-NAVARRO, M.

La antología de Alfay y Baltasar Gracián.
En *HR*, 1947, XV, 325-345.

Reseñas:
BATLLORI, P. M., en *AHSI*, 1952, XXI, 360-362.

BATLLORI, P. MIGUEL.

Gracián, jesuíta barroco.

En *QIA*, 1948, VIII, 223-224.

CURTIUS, ERNST ROBERT.

Europäische Literatur und lateinisches Mittelalter.

Berna, Francke Ag. Verlag, 1948.

Estudia a Gracián, en especial su preceptiva, la *Agudeza y arte de ingenio,* en págs. 295-303.

Traducción al español:

Literatura europea y Edad Media latina.

México, Fondo de Cultura Económica, 1955.

Para Gracián, págs. 412-422.

FEO GARCÍA, JULIO.

Breve estudio de "El Héroe", de Gracián.

En *BUSC,* 1948, n.os 51-52, 73-96.

HOYO, ARTURO DEL.

Estudio preliminar a la edición de *"Oráculo manual".*

Madrid, Editorial Castilla, 1948; en 12.º, 230 págs., 5-22.

MAY, T. E.

An interpretation of Gracián's "Agudeza y Arte de ingenio".

En *HR,* 1948, XVI, págs. 275-300.

Reseñas:
BOYD-BOWMAN, PETER M., en *NRFH*, 1950, IV.

NAVARRO GONZÁLEZ, A.

Las dos redacciones de la "Agudeza y Arte de ingenio".

En *CdL,* 1948, IV, 201-214.

RICARD, ROBERT.

"Wit" et "agudeza".

En *Revue du moyen âge latin,* IV, 1948, 283-285.

RICARD, ROBERT.

Trois notes d'histoire de la spiritualité hispanique.

En *LR,* II, 1948, 243-247.

> La tercera nota se refiere a *Saint Jean de la Croix et Baltasar Gracián,* págs. 245-247.

BATLLORI, MIGUEL, S. I.

La vida alternante de Baltasar Gracián en la Compañía de Jesús.

En *AHSI,* 1949, XVIII, 3-84.

> Reseñas:
> CAMÓN AZNAR, J., en *Clav.,* Madrid, 1950, III, 69.
> CALCATERRA, en *Giornale Storico della Letteratura Italiana,* Turín, 1951, LXXXVIII, 379-380.
> TERRY, A., en *Estudis Romànics,* Barcelona, 1951-1952, III, 305-306.

FUENTES, FRANCISCO.

El P. Baltasar Gracián y la familia Francés de Urrigoyti y Lerma.

En *Príncipe de Viana,* Pamplona, 1949, X, 53-64.

JOVER, JOSÉ MARÍA.

1635. Historia de una polémica y semblanza de una generación.

Madrid, C. S. I. C., 1949; en 4.°, 565 págs.

LÓPEZ LANDA, JOSÉ MARÍA.

El retrato de Gracián.

Zaragoza, Biblioteca Gracián, 1949; en 16.°, 16 págs.

LÓPEZ LANDA, JOSÉ MARÍA.

Leamos a Gracián. Algunos consejos para su lectura.

Calatayud, Gráf. Ruiz, 1949; en 8.°, 18 págs.

MONTES BRUNET, HUGO.

Ideario político de Baltasar Gracián.

Santiago de Chile, Universidad Católica, s. a. [1949]; en 4.°, 70 págs.

Parker, Alexander A.

Estudio del desarrollo del concepto de la discreción desde la época patrística hasta Calderón. Apéndice de la edición de *No hay más Fortuna que Dios.*

Manchester, University Press, 1949.

Stinglhamber, Louis.

Dans le jardin des Hespérides. Essai sur l'Espagne et sa littérature.

Gembloux, Duculot, [1949]; en 8.º, 192 págs.

Entre los estudios que incluye alude a Gracián, págs. 151-191.

Arco, Ricardo del.

La erudición española en el siglo XVII y el cronista de Aragón Andrés de Uztarroz.

Madrid, C. S. I. C., 1950; 2 vols.

Reseñas:
Batllori, P. Miguel, en *AHSI,* 1953, XXII, 590-591.

Arco, Ricardo del.

El príncipe de Esquilache, poeta anticulterano.

En *AFA,* 1950, III.

Arco, Ricardo del.

Las ideas literarias de Baltasar Gracián y los escritores aragoneses.

En *AFA,* 1950, III, 27-80.

Castro Osorio, Joao de.

Gonzaga e a Justiça. Confrontação de Baltasar Gracián e Tomás António Gonzaga. Um argumento novo sobre a autoria das "Cartas chilenas".

Lisboa, Alvaro Pinto, 1950; en 8.º, 78 págs.

Reseñas:
Batllori, P. M., en *AHSI,* 1953, XXII, 591 y ss.

Garasa, Delfín L.

Algunas notas a "El Criticón" de Gracián.

En *Fil,* 1950, II, 80-85.

25

Aclara algunas notas de la ed. de Romera-Navarro y añade algunas sugerencias a diversos pasajes.

HAMMOND, J. HAYES.

Francisco Santos' Indebtedness to Gracián.

Austin, University of Texas Hispanic Studies, 1950.

Reseñas:
BATLLORI, P. MIGUEL, en *AHSI*, 1953, XXII, 586 y ss.
ENTRAMBASAGUAS, J. DE, en *RLit.*, 1952, I, 481-483.
M[UÑOZ] C[ORTÉS], M., en *Clav.*, 1952, III, n.° 13, 73-74.
WARDROPPER, B. W., en *MLN*, 1952, LXII, 138-139.
GARCÍA ARÁEZ, JOSEFINA, en *Arb.*, 1953, XXIV, 274-275.

MAY, T. E.

Gracián's Idea of the "Concepto".

En *HR*, 1950, XVIII, 15-41.

ROMERA-NAVARRO, M.

Estudios sobre Gracián.

Austin, University of Texas Hispanic Studies, 1950; en 4.°, VI-146 págs.
Contiene:

     I.—*Interpretación del carácter de Gracián.*
     II.—*Su amistad y rompimiento con Salinas.*
     III.—*El autor de "Crítica de reflección".*
     IV.—*Felipe IV visto por Gracián.*
     V.—*En torno a la obra maestra.*
     VI.—*El humorismo y la sátira graciana.*
     VII.—*Las alegorías de "El Criticón".*
     VIII.—*La antología de Alfay.*
     IX.—*Dos aprobaciones.*

Reseñas:
ENTRAMBASAGUAS, J. DE, en *RLit*, 1952, I, 483-484.
MUÑOZ CORTÉS, M., en *Clav.*, 1952, III, n.° 13, 71-73.
WARDROPPER, B. W., en *MLN*, 1952, LXVII, 138-139.
BATLLORI, P. M., en *AHSI*, 1953, XXII, 586 y ss.

ROMERA-NAVARRO, M.

Cuestiones gracianas.

En *EMPi*, I, Madrid, 1950, 359-372.

Contiene los trabajos II, III y IV que figuran en sus *Estudios sobre Gracián.*

Bibliography of Romera-Navarro, Philadelphia, 1947.
Necrology. Miguel Romera-Navarro, en HR, 1945, XXII, 306.

SPITZER, LEO.

Sobre dos pasajes de "El Criticón".

En *Fil*, 1950, II.

ARCO, RICARDO DEL.

Aragón, Fernando el Católico y Gracián.

En *Argensola*, 6, Huesca, 1951, 191-195.

BATLLORI, P. MIGUEL.

La preocupación de Gracián escritor (1601-1635).

En *Revista Nacional de Cultura*, Caracas, 1951, XIII, 13-54.

> Reseñas:
> SANZ Y DÍAZ, J., en *Diario de Barcelona*, 6-XII-1951.
> TERRY, A., en *Estudis Romànics*, Barcelona, 1951-1952, 305-306.
> ARCO, R. DEL, en *Argensola*, Huesca, 1952, III, 93-94.

BATLLORI, P. MIGUEL.

Los más antiguos autógrafos de Gracián, en el Archivo Nacional de Santiago de Chile.

En *Revista Chilena de Historia y Geografía*, Santiago de Chile, 1951, n.º 117, 13-41.

CEÑAL, P.

Antimaquiavelismo de los tratadistas políticos españoles de los siglos XVI y XVII.

En *Umanesimo e scienza politica. Atti del Congresso internazionale di studi umanistici* a cura di Enrico Castelli, Milano, Marzorati, 1951, págs. 61-67.

CLAVERÍA, CARLOS.

Nota sobre Gracián en Suecia.

En *HR*, 1951, XIX, 341-346.

> Reproducido en *Estudios hispano-suecos,* Granada, Colección Filológica (IX), Universidad de Granada, 1954, páginas 61-72.

JANKELEVITCH, VLADIMIR.

Machiavélisme et modernité.

En *Umanesimo e scienza politica. Atti del Congresso internazionale di studi umanistici,* a cura di Enrico Castelli, Milán, 1951, págs. 229-236.

Interesantes referencias a Gracián.

JEREZ, HIPÓLITO, S. I.

"El Criticón" (1651-1951).

En *Revista Javeriana,* Bogotá, 1951, XXXVI, 154-163.

KREMERS, DIETER.

Die Form der Aphorismen Graciáns. (Tesis doctoral de la Universidad de Freiburg, i. Br., 1951).

> Reseñas:
> SOBEJANO, *Nuevos estudios en torno a Gracián,* en *Clav.,* 1954, V, n.º 26, 23-32.

LACALLE, CARLOS.

Aragón, Fernando el Católico y Gracián. Conferencia.

Zaragoza, Instituto Cultural Hispánico de Aragón, 1951; en 8.º, 20 págs.

MAZZEO, J. A.

A Seventeenth Century Theory of Metaphysical Poetry.

En *The Romanic Review,* 1951, XII, 245-255.

SANMARTÍ BONCOMPTE, F.

Tácito en España.

Barcelona, 1951.

ZAMORA, BONIFACIO.

¿Qué dice el Padre Gracián de la Reina Isabel?

En *Boletín de la Institución Fernán González y de la Comisión Provincial de Monumentos Históricos y Artísticos de Burgos,* 1951, CXVII, 725-739.

ALMELA Y VIVES, FRANCISCO.

La poca substancia de los valencianos.

En *Valencia atracción,* Valencia, 1952.

ARCO, RICARDO DEL.

Estimación española del Bosco en los siglos XVI y XVII.
En *RIE,* 1952, XL.

BITHORN, MARÍA ANGÉLICA.

Baltasar Gracián. Sus Ideas sobre la Conversación.
México, Tesis de la Universidad Nacional Autónoma, 1952.

CROCE, BENEDETTO.

Traiano Boccalini, "il nemico degli spagnuoli".
En *EMPi,* III, Madrid, 1952, 217-228.

GIUSSO, LORENZO.

Spagna ed Antispagna. Saggisti e moralisti spagnuoli.
Mazara del Vallo, Soc. Ed. Siciliana, 1952; en 8.°, 162 págs.

> Contiene entre otros estudios, *Gracián nella tecnica del successo,* págs. 51-64, que volvió a publicar con el título *Gracián, tecnico del Successo,* en *Osservatore politico lette rario,* Milán, 1957, V, 45-48.

HEGER, KLAUS.

Baltasar Gracián. Eine Untersuchung zu Sprache und Moralistik als Aus-drucksweisen der Literarischen Haltung des Conceptismo. 1952.
Tesis doctoral de la Universidad de Heidelberg, mecanografiada, con portada impresa; en fol., 264 págs.
Traducción española con el título:
Baltasar Gracián. Estilo lingüístico y doctrina de valores. Estudio sobre la actitud literaria del Conceptismo.
Zaragoza, Institución Fernando el Católico, 1960; en 4.°, 230 págs.

PARKER, ALEXANDER A.

La "agudeza" en algunos sonetos de Quevedo.
En *EMPi,* III, Madrid, 1952, 345-360.

RAMÍREZ, ALFONSO FRANCISCO.

Cautela y osadía de Gracián.
En *Humanismo,* México, 1952, I, 73-75.

SARMIENTO, EDWARD.

Introducción y notas para una edición de "El Político", de Gracián. Apuntes.
   En *AFA*, 1952, IV, 187-195.

SELIG, KARL LUDWIG.

Góngora and Numismatics.
   En *MLN*, 1952, LXVII, 47-50.

> Estudio dedicado al *Museo de las medallas desconocidas,* de Lastanosa, quien utiliza al describir algunos ejemplares textos poéticos de Góngora para confirmar las referencias mitológicas, como sucede en la descripción de la medalla II (pasajes de la *Soledad primera* y *Polifemo)* y de la XXXIII *(Soledad segunda).*

STAFSKY, HEINZ.

Ein Beitrag zur Ästhetik des Barock. Balthasar Graciáns "Handorakel".
   En *Das Münster*, Munich, 1952, V, 282-286.

ARCO Y GARAY, RICARDO DEL.

Baltasar Gracián y los escritores conceptistas del siglo XVII.
   En *Historia General de las Literaturas Hispánicas,* III, Barcelona, 1953, págs. 695 y ss.

BETHEL, G. L.

Gracián, Tesauro, and the Nature of Metaphysical Wit.
   En *Northern Miscellany of Literary Criticism*, Manchester, 1953, I, 19-40.

CHINCHILLA AGUILAR, ERNESTO.

La historia de Gracián.
   En *El Imparcial,* Guatemala, 12 y 13 octubre 1953.

DÍAZ-PLAJA, GUILLERMO.

Defensa de la crítica y otras notas.
   Barcelona, Edit. Barna, 1953; en 12.°, 195 págs.

> En el ensayo *Sobre el espíritu del barroco. Trece años después* (págs. 91-117) examina las críticas hechas a su tesis, que daba un origen judío a Gracián, expuesta en su libro *El espíritu del barroco.*

GONZÁLEZ CASANOVA, P.

Verdad y agudeza en Gracián.
   En *Cuadernos Americanos,* México, 1953, LXX, 143-160.

GREEN, OTIS H.
On the Meaning of "Crisi"(s) before "El Criticón".
   En *HR,* 1953, XXI, 218-220.

LÁSCARIS COMNENO, T. Y C.

Baltasar Gracián.
   En *RIE,* Madrid, 1953, XI, 183-202.
                    Se trata de una selección de textos característicos con breve introducción.

LÁZARO, FERNANDO.

"Libro verde" en "El Criticón" de Gracián.
   En *RFE,* 1954, XXXVII, 216-225.
                    También en *HR,* 1953, XXI.

BATLLORI, P. MIGUEL.

La barroquización de la "Ratio studiorum" en la mente y en las obras de Gracián.
   En *Studi sulla Chiesa antica e sull'Umanesimo,* Roma, 1954, 157-162.
                    Reseñas:
                    RUYSSCHAERT, J., en *Revue d'Histoire Ecclésiastique,* Lovaina, 1954, XLIX, 1088.

CISNEROS, LUIS JAIME.

Una nota a "El Criticón".
   En *RFE,* 1954, XXXVIII, 281-282.

CHINCHILLA AGUILAR, ERNESTO.

La historia en Gracián.
   En *Anales de la Sociedad de Geografía e Historia de Guatemala,* 1954, XXVII, 29-34.

DELGADO, HONORIO.

Gracián y el sentido aristocrático de la vida.
  Lima, *Letras peruanas,* 1954; en 8.°, 12 págs.

KRIARAS, E.

Gabriel Kallonas, traducteur de Locke et de Gracian.
  En *Hellenica,* 1954, XIII.

MÜHL, MAX.

Griechisches in Balthasar Gracians Handorakel.
  En *Gymnasium,* Heidelberg, 1954, LXI, 419-422.

SOBEJANO, GONZALO.

Nuevos estudios en torno a Gracián.
  En *Clav.,* 1954, V, n.° 26, 23-32.

STINGLHAMBER, L.

Baltasar Gracián et la Compagnie de Jésus.
  En *HR,* 1954, XXII, 195-207.

THERRY, ARTHUR.

*The continuity of Renaissance criticism and poetic theory in Spain between 1535
  and 1650.*
  En *BHS,* 1954, XXXI, 27-36.

BARON, ANDRÉ.

Recherches sur les "surhommes" dans le "Criticón" de Baltasar Gracián.
  Memoria para la obtención del diploma de estudios superiores en la Sor-
bonne el año 1954, de la que hace una breve reseña CHARLES V. AUBRUN,
en *BHi,* 1955, LVII, págs. 218 y ss.

BATLLORI, P. MIGUEL.

Gracián y la retórica barroca en España.
  En *Retorica e Barocco,* Roma, 1955, 27-32.

CUESTA DUTARI, NORBERTO.

Para un texto más correcto del Criticón.
En *BBMP,* Santander, 1955, XXXI, 19-50.

GONZÁLEZ EGIDO, L. R.

Estudios sobre el estilo de Gracián.
Tesis doctoral presentada en la Universidad de Salamanca, s. a. [¿1955?] ; ejemplar mecanografiado; en fol., IV-224 págs.

REYES, ALFONSO.

Gracián y la Guerra.
En *Retratos imaginarios,* t. III de *O. C. de A. R.,* México, Fondo de Cultura económica, 1955-1956.

SELIG, KARL LUDWIG.

The Spanish Translations of Alciato's "Emblemata".
En *MLN,* 1955, LXX, 354-359.

SELIG, KARL LUDWIG.

Lastanosa and the Brothers Argensola.
En *MLN,* 1955, LXX, 429-431.

TORRES, CASIMIRO.

"El Comulgatorio" dentro de la vida de Gracián.
En *BUSC,* 1955, n.º 63. 319-334.

YNDURÁIN, FRANCISCO.

Refranes y frases hechas en la estimativa literaria del siglo XVII.
En *AFA,* 1955, VII.

DELEN, L.

Baltasar Gracián, een 17e eeunvse Spaanse moralist. Een meester der levens-strategie en-taktiek, ook voor advokaten.
Overdruk uit het "Rechtskundig weekblad", 19e Jaargang, Nr. 29, 8 April 1956, 22 págs.

Díaz-Plaja, Guillermo.

El estilo de San Ignacio y otras páginas.
   Barcelona, 1956.
                    Contiene, entre otros estudios, *Una introducción a Gra-
                    cián*, págs. 129-147.

Krüger, Heinz.

Studien über den Aphorismus als philosophische Form.
   Frankfurt a. Main, 1956.

Lázaro, Fernando.

Sobre la dificultad conceptista.
   En *EMPi*, VI, 1956, 355-386.

Rothberg, Irving C.

Covarrubias, Gracián and the Greek Anthology.
   En *Studies in Philology*, Chapell Hill, N. C., 1956, LIII, 540-552.

Salas, Xavier de.

El Giorgione en Gracián.
   En *EMPi*, VI, 1956, 547-556.

Selig, Karl Ludwig.

Gracián and Alciato's "Emblemata".
   En *ComL*, 1956, VIII, 1-11.

Batllori, P. Miguel.

Tres momentos de la estetica española (Gracián, Arteaga, Casanovas).
   En *Atti del III Congresso internazionale di Estética*, Turin, 1957, 702-705.

Friedrich, Hugo.

Criticón, oder Ueber die allgemeinen Laster des Menschen.
   Hamburgo, Rowohlts Klassiker, 1957.

Giusso, Lorenzo.

Il terzo centenario di Gracián.
   En *Is*, 1957, XL.

JANKÉLEVITCH, VLADIMIR.
Le je-ne-sais-quoi et le presque-rien.
   París, 1957.

TORRALBA, FEDERICO B.
El Colegio de Jesuítas de Tarazona.
   Zaragoza, Seminario de Arte Aragonés, 1957.

WALEY, P. J.
Giambattista Marino and Gracián's Falsirena.
   En *BHS*, 1957, XXXIV, 169-171.

ARANGUREN, JOSÉ LUIS.
La moral de Gracián.
   En *RUM*, 1958, XXVII.

ASENSIO, EUGENIO.
Un libro perdido de Baltasar Gracián.
   En *NRFH*, 1958, XII, 390-394.

ASTUR FERNÁNDEZ, NÉSTOR.
Un momento de Gracián.
   En *La Prensa*, Buenos Aires, 9 noviembre 1958.

AUBRUN, CHARLES V.
Gracián contre Faret.
   En *HaG*, 7-26.

BAQUERO GOYANES, MARIANO.
Perspectivismo y sátira en "El Criticón".
   En *HaG*, 27-56.

BEAUDOUX, GENEVIÈVE.
Alciat en Espagne.
   Tesis presentada en la Universidad de Burdeos, reseñada en *BHi*, LX, 393-394.

BATLLORI, S. I., P. MIGUEL.

Gracián y el Barroco.

Roma, Edizioni di Storia e Letteratura, 1958; en 4.°, 200 págs.

Contiene:

I.—*La preparación de Gracián, escritor.* 1601-1635 (11-54).

II.—*La vida alternante de Baltasar Gracián en la Compañía de Jesús* (55-100).

III.—*La barroquización de la "Ratio studiorum" en la mente y en las obras de Gracián* (101-106).

IV.—*Gracián y la retórica barroca en España* (101-114).

V.—*Revisiones críticas* (115-133). Recensiones sobre *Estudio del autógrafo de "El Héroe" graciano,* de Romera-Navarro; *Francisco Santos' Indebtedness to Gracián,* de Hayes Hammond; *Estudios sobre Gracián,* de Romera-Navarro; *La erudición española en el siglo XVIII,* de Ricardo del Arco; *The Oracle,* traducción de Walton; *Oráculo manual,* edición de Romera-Navarro; *Oráculo,* edición de Bertini, etcétera, etc.

Apéndices:

I.—*Los autógrafos de Gracián conservados en el Archivo Nacional de Santiago de Chile* (137-154).

II.—*El texto más genuino de la relación graciana sobre el socorro de Lérida* (155-168).

III.—*Documentos* (169-200).

Reseñas:

PERALTA, P. C., en *AHSI,* 1958, XXVIII, 378-380.

LIDA, R., en *HR,* 1960, XXVIII, 376-381.

BATLLORI, P. MIGUEL.

Alegoría y símbolo en Baltasar Gracián.

En *Umanesimo e simbolismo. Atti del IV Convegno internazionale di studi umanistici,* Venecia, 1958, 247-250.

BATLLORI, P. MIGUEL.

La muerte de Gracián y la muerte en Gracián.

En *RyF,* 1958, CLVIII, 405-412.

BATLLORI, MIGUEL.

Gracián entre la corte y Cataluña en armas.

En *Revista de Estudios Políticos,* Madrid, 1958, C, 167-193.

BATLLORI, P. MIGUEL.

Gracián a tres siglos de su muerte.

En *Vuit segles de cultura catalana a Europa. Assaigs dispersos,* Barcelona, 1958.

BIONDO, CARMEN.

Gracián et l'Honneste-Homme de Faret.

Tesis presentada en la Universidad de Burdeos, que reseña el *BHi*, 1958, LX, 394-397.

CORREA CALDERÓN, E.

Lastanosa y Gracián.

En *HaG*, 1958, 65-76.

CORREA CALDERÓN, E.

Baltasar Gracián, español universal.

En *A B C*, Madrid, 6 diciembre 1958.

GARCÍA BLANCO, MANUEL.

Baltasar Gracián y las letras españolas contemporáneas.

En *HaG*, 1958, 77-88.

GILI GAYA, SAMUEL.

Agudeza, modismos y lugares comunes.

En *HaG*, 1958, 89-97.

GREEN, OTIS H.

Sobre el significado de "Crisi(s)" antes de "El Criticón". Una nota para la historia del Conceptismo.

En *HaG*, 1958, 99-102.

HATZFELD, HELMUT.

The baroquism of Gracian's "El Oráculo Manual".

En *HaG*, 1958, 103-117.

HEGER, KLAUS.

Genio e ingenio. Herz und Kopf. Reflexiones sobre unos cotejos entre el "Oráculo manual" y la traducción alemana de Schopenhauer.
En *RUM,* 1958, XXVII.

Homenaje a Gracián.
Zaragoza, Institución Fernando el Católico, 1958; en 4.°, 190 págs.
    Los artículos contenidos van reseñados independientemente.

JANKÉLEVITCH, VLADIMIR.

Apparence et manière.
En *HaG,* 1958, 119-129.

JANSEN, HELLMUT.

Die Grundbegriffe des Baltasar Gracián.
Tesis doctoral de la Universidad de Friburgo, 1952.
Genève, Droz y Paris, Minard, 1958; en 4.°, X-232 págs.
    Reseñas:
    SOBEJANO, G., en *RFE,* 1959, LXXI, 447-450.

MALDONADO DE GUEVARA, FRANCISCO.

El "cogito" de Baltasar Gracián.
En *RUM,* 1958, XXVII.

MALDONADO, FRANCISCO.

Del "ingenium" de Cervantes al de Gracián.
En *ACer,* VI, 1958, y en *Revista de Estudios Políticos,* Madrid, 1958, C, 147-164.

MALDONADO, FRANCISCO.

Baltasar Gracián y las Indias.
En *HaG,* 131-135.

MARAVALL, JOSÉ ANTONIO.

Las bases antropológicas del pensamiento de Gracián.
En *RUM,* 1958, XXVII.

MESNARD, PIERRE.
Balthazar Gracián devant la conscience française.
En *RUM*, 1958, XXVII.

MORREALE, MARGARITA.
Castiglione y "El Héroe": Gracián y "despejo".
En *HaG*, 137-143.

PERALTA, CEFERINO, S. I., y BATLLORI, MIGUEL, S. I.
Indice cronológico de la biografía de Baltasar Gracián (1658-1958).
En *AHSI*, 1958, XXVIII, 327-338.

ROIG DEL CAMPO, J. A.
La caracterología hispana en Gracián.
En *RyF*, 1958, CLVIII.

SARMIENTO, EDWARD.
Sobre la idea de una escuela de escritores conceptistas en España.
En *HaG*, 145-153.

SELIG, KARL LUDWIG.
Some remarks on Gracián's literary taste and judgments.
En *HaG*, 155-162.

TORRE, GUILLERMO DE.
Ante el tricentenario de Gracián.
En *Ficción*, Buenos Aires, 1958, noviembre-diciembre, n.° 16, 71-75.

TORRE, GUILLERMO DE.
El drama intelectual de Gracián.
En *La Nación*, Buenos Aires, 16 noviembre 1958.

TORRE, GUILLERMO DE.
La universalidad de Gracián.
En *La Torre*, Universidad de Puerto Rico, diciembre 1958, n.° 24.

URMENETA, F. DE.
Sobre la estética gracianesca.
    En *RIE,* 1958, XVI, 217-223.

YNDURÁIN, FRANCISCO.
Gracián, un estilo.
    En *HaG,* 163-188.

BATLLORI, P. MIGUEL.
Gracián a tres siglos de su muerte.
    En *Arbor,* Madrid, 1959, CLVIII.

BONET, CARMELO M.
Baltasar Gracián. Palabras sobre su vida y su obra.
    En *La Nación,* Buenos Aires, 8 febrero 1959.

BONET, CARMELO M.
Baltasar Gracián y el estilo.
    En *La Nación,* Buenos Aires, 8 marzo 1959.

CAMÓN AZNAR, JOSÉ.
El monstruo, en Gracián y en Goya.
    En *A B C,* Madrid, 1 de marzo de 1959.
                Amplificado en el ensayo del mismo título, de aparición
                posterior, en *Homenaje a Gracián,* 57-63.

CARPINTERO CAPELL, HELIODORO.
Gracián y su visión del hombre.
    En *Insula,* Madrid, 15 febrero 1959.

CASTILLO-PUCHE, J. L.
Polémica en torno al Padre Gracián.
    En *Punta Europa,* Madrid, 1959, XXXIX, 42-56.

CORREA CALDERÓN, E.
Gracián y la amistad.
    En *Insula,* Madrid, 15 febrero 1959.

GARASA, DELFÍN L.
Apostillas sobre el estilo de Baltasar Gracián.
En *Universidad*, Santa Fe, 1959, XXXIX, 57-88.

GIMÉNEZ CABALLERO, E.
Gracián, desde el Paraguay.
En *RyF*, 1959, CLIX.

HERRERO, JAVIER.
Gracián, víctima de una decadencia.
En *Revista de Filosofía*, Madrid, 1959, LX-LXX.

HERRERO, R. MARTÍN.
Baltasar Gracián y la Europa del siglo XVII.
En *RyF*, 1959, CLIX.

HOYO, ARTURO DEL.
Noticia de "El Discreto".
En *Insula*, Madrid, 15 febrero 1959.

HOYO, ARTURO DEL.
El Héroe.
En *La Torre*, Puerto Rico, 1959, 41-58

MARAVALL, JOSÉ ANTONIO.
Un mito platónico en Gracián.
En *Insula*, Madrid, n.° 155, octubre 1959.

MORENO BÁEZ, ENRIQUE.
Filosofía del "Criticón". Discurso pronunciado en la apertura del curso de la Universidad.
Santiago de Compostela, 1959; en 4.°, 24 págs.

PRJEVALENSKI FERRER, OLGA.
Lo renacentista y lo barroco en las máximas de Baltasar Gracián.
En *Hispanófila*, 1959.

Bibliografía de Gracián

TORRE, GUILLERMO DE.

Gracián el moralista o "El hombre en su punto".

En *El Nacional*, Caracas, 10 septiembre 1959.

WALTON, L. B.

Two allegorical journeys. A comparison between Bunyan's "Pilgrim's Progress" and Gracián's "El Criticón".

En *BHS*, 1959, 28-36.

COSSÍO, JOSÉ MARÍA DE.

Baltasar Gracián, en *Conmemoración de tres centenarios.* Discursos leídos el día 31 de enero de 1958 por ...

Madrid, Instituto de España, 1959; en 4.º, págs. 31-41.

MATEO, J., y ANGUIANO, J.

Sobre Gracián. Ensayo de crítica etnoliteraria.

Zaragoza, 1960; en 8.º, 86 págs.

TIERNO GALVÁN, ENRIQUE.

Introducción a "El Político".

Salamanca, Biblioteca Anaya, 1961.

INDICES

INDICE ONOMASTICO

INDICE GENERAL